新教材
XINJIAOCAI WANQUANJIEDU
完全解读

第一次修订

配人教版·新课标

七年级数学「下」

主　　编：姜连龙　张旭东　范玉忠
副 主 编：杨霞祥　池红艳
编　　者：姜连龙　张旭东　范玉忠　杨霞祥　池红艳
　　　　　王金顺　王炳晰　王国永　王英娟　刘城杰
　　　　　韩玉侠　范玉杰　张明华　阚子龙　张青春

吉林人民出版社

新教材 完全解读

本书特点

☑ 本书是一套同步讲解类的辅导书。在编写中，首先落实知识点→连成知识线→形成知识面→结成知识网，对重点、难点详尽解读。

☑ 本书将为您排除学习中的障碍。对思维误区、疑难易错题、一题多解题都指出解题方法或技巧，让您从"学会"到"会学"。

☑ 本书修订后增加了部分例题、习题的难度，适合于中上等学生使用。

明确学习目的

指出每节课的三维目标，明确重难点，指导学生有的放矢地学习新课，提纲挈领，是提高学习效率的前提。

详细解读教材

采用总结归纳、层层渗透的方式，以每个知识点为讲解元素，结合[释疑解难]、[思维拓展]、[注意]、[说明]、[小结]、[思维误区]、[探究交流]等栏目设计，落实知识点，连成知识线，形成知识面，结成知识网，突出重点，解决难点，抓住关键点，这是吃透教材的核心内容。

讲解经典例题

结合考点，按基本概念、基础应用、综合应用、探索创新、疑难易错五个角度，精选典型例题，透彻地分析解题思路，给出详细解题过程，总结解题方法，这是知识转化为能力的关键。

第二章 一元二次方程

1. 花边有多宽

新课指南

1. 知识与技能：(1)理解和掌握一元二次方程及其一般形式。(2)会判定一个方程是一元二次方程，并能确定未知数的大致范围。
2. 过程与方法：通过实际问题所列出的方程，得出一元二次方程的定义，从而进一步掌握列方程的方法。

教材解读 精华要义

知识详解

知识点1 整式方程的概念

定义：方程的两边都是关于未知数的整式，这样的方程叫做整式方程。

【说明】这里所说的整式是"关于未知数的整式"，有些含有字母系数的方程，尽管分母中含有字母，但只要分母中不含有未知数，这样的方程仍是整式方程。

知识点2 一元二次方程的概念

定义：只含有一个未知数，并且未知数的最高次数是2的整式方程叫做一元二次方程。

典例剖析 师生互动

基础知识应用题

本节基础知识应用有：(1)一元二次方程的基本概念。(2)一元二次方程分类及判别方法。

例1 下列关于 x 的方程。(1)$ax^2+bx+c=0$。(2)$k^2+5k+6=0$。

(3)$\dfrac{\sqrt{3}}{3}x^2-\dfrac{\sqrt{2}}{2}x-\dfrac{1}{2}=0$。(4)$(m^2+3)x^2+\sqrt{3}x-2=0$。

是关于 x 的一元二次方程的是_____。（只填序号）

〔分析〕 所谓关于 x 的方程，就是方程中只有 x 是未知数，而其他字母都看作是已知数。(1)不一定是一元二次方程，因为当 $a=0$ 时，它不是一元二次方程。(2)没有未知数 x，所以(2)不是关于 x 的方程。(3)x 的最高次数为3，不是一元二次方程。(4)$m^2+3>0$，所以(4)为一元二次方程，所以应填"(4)"。本题考查的是一元二次方程的定义。答案：(4)

综合应用题

例2 下列方程是关于 x 的一元二次方程的是　　　（　　）

A. $ax^2+bx+c=0$ 　　　　　B. $k^2+5k+6=0$

1

《完全解读》解读完全

说明

本丛书样张按学科分别设计，通过样张您可了解本书栏目、功能等基本信息，仅供参考，如所购图书与样张有个别区别，以所用图书为准。

新教材完全解读·九年级数学

C. $\frac{\sqrt{3}}{3}x^3 + \frac{\sqrt{2}}{4}x - \frac{1}{2} = 0$ D. $(m^2+3)x^2 + \sqrt{3}x - 2 = 0$

〔分析〕 所谓"关于 x 的方程"，就是指方程中只有 x 是未知数，而其他字母都是系数，可看作已知数。A 选项不一定是一元二次方程，当 $a=0$ 时，它不是一元二次方程，B 选项未知数不是 x，C 选项未知数最高次数为 3，D 选项符合一元二次方程的一般形式的特点，且二次项系数 $m^2+3 \geqslant 3$，即 m 取任何实数 m^2+3 都不等于零，所以 D 是一元二次方程。答案：D

中考展望   点击中考

总结命题趋势

根据中考要求和考试范围，结合本节考点，回顾往年中考试题特点，总结解题思路，预测命题趋势，让学生提前了解中考信息。

中考命题总结与展望

本节中，一元二次方程的概念和判定是中考的重点和热点，常以填空题或选择题的形式出现在低档题中。

中考试题预测

例1 (2004·武汉)一元二次方程 $3x^2 + x - 2 = 0$ 的二次项系数和常数项分别为 (　　)

A. 3,1   B. -1,-2   C. 3,-2   D. -1,2

〔分析〕 由一般形式 $ax^2 + bx + c = 0 (a \neq 0)$，得 $a=3, c=-2$。故选 C。

课堂小结   本节归纳

1. 本节学习了一元二次方程的概念及它的判别与分类，要会判别一个方程是否是一元二次方程。

2. 在学习过程中要注意对问题的体会、比较和总结。

3. 要注意本节一元二次方程来学习本节内容。

4. 一元一次方程和一元二次方程的比较，详见知识规律小结。

归纳本节要点

总结本节要点，掌握其内在联系，查找遗漏点，消化课堂知识。

习题选解   课本习题

📖 课本第 9～10 页

习题 5.1

1. (1)不是 (2)是 (3)不是 (4)不是

选解教材习题

精选有难度的习题，详尽解答，有思路提示和解题过程。

自我评价   知识巩固

1. 下列方程是一元二次方程的是 (　　)

A. $(x-1)x = x^2$ B. $\sqrt{x^2+1} = 3x$ C. $2x^3 + \frac{1}{x} + 1 = 0$ D. $x^2 = 1$

2. $(m-1)x^2 + (m+1)x + 3m + 2 = 0$，当 m _____时，原式为一元一次方程，当 m _____时，原式为一元二次方程。

巩固基础知识

与本节知识讲解和例题剖析相对应，题量适当，注重基础，充分落实基础知识和基本技能。

目 录
CONTENTS

第五章

相交线与平行线

 本

 章

 视

 点

一、课标要求与内容分析

1. 本章的课标要求：(1)了解对顶角、余角、补角的概念，掌握等角的余角相等，等角的补角相等，对顶角相等；(2)了解垂线、垂线段的概念，掌握垂线段最短的性质，体会点到直线的距离的意义，知道过一点有且仅有一条直线垂直于已知直线，会用三角尺或量角器过一点画一条直线的垂线；(3)知道两直线平行，同位角相等，进一步探索平行线的性质和判定，掌握过直线外一点有且仅有一条直线平行于已知直线，会用三角尺和直尺过已知直线外一点画这条直线的平行线；体会两条平行线之间距离的意义，会度量两条平行线之间的距离；(4)通过具体实例认识平移，探索它的基本性质，理解对应点连线平行且相等的性质，能按要求作出简单平面图形平移后的图形，利用平移进行图案设计，认识和欣赏平移在现实生活中的应用.

2. 本章的主要内容是两条直线的两种位置关系：相交、平行.特别是垂直和平行关系是平面几何所要研究的基本内容之一.在学习知识的同时，本章逐步渗透了说理论述格式.这一章的内容是很重要的基本知识，是关系到几何学习效果的重要阶段，一定要把这部分基础知识学好.

3.本章内容分为四节:第一节相交线,第二节平行线,第三节平行线的性质,第四节平移.通过相交线有关知识的介绍,引出了对顶角、邻补角的概念及其性质.特别是通过对垂直情况的分析,使我们明白了垂线的意义,垂线的存在性和惟一性.将日常生活实践中接触到的感性知识数学化.本章还介绍了平行线的概念、平行公理、平行线的性质和判定.它是第一部分内容的延伸,也是对平面内两直线位置关系的归纳和综合,使我们对两条直线的有关知识有比较全面系统的了解.

4.本章的重点是垂线的概念与平行线的性质和判定,难点是图形的平移.

二、学法指导

在本章的学习中,要注意由小学向中学的过渡.对小学学过的几何相关知识课前要认真复习一遍,对于有些难以理解的概念和性质要借助生活实际的经验、认识,建立相应的数学模型,积极开展探究性活动,遇到问题要多观察、多动手、勤思考,培养自己学习几何的兴趣,提高自己发现问题、分析问题、研究和解决问题的能力.学习本章的关键是正确理解并掌握基本概念和推理过程,要善于归纳和总结.

5.1　相交线

5.1.1　相交线

新课指南

1. **知识与技能**：了解邻补角和对顶角的概念，掌握邻补角、对顶角的性质，培养学生解决实际问题的能力．

2. **过程与方法**：经历观察、推理、交流等过程，进一步发展空间观念和推理能力．

3. **情感态度与价值观**：经历猜想、探索、归纳等过程，培养学生研究问题的方法，认识到数学来源于实际生活，又反过来服务于实际生产和生活．

4. **重点与难点**：重点是对顶角相等的探索过程，难点是对学生推理能力和表达能力的培养．

教材解读 精华要义

数学与生活

如图5-1所示，把两根木条用钉子钉在一起（两端除外），然后转动其中一根木条，观察两根木条所形成的四个角的大小关系．

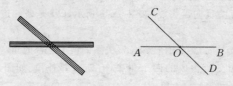

图5-1　　　　图5-2

思考讨论　如图5-2所示，把两根木条看作两条直线 AB 和 CD，钉子所在位置看作直线 AB 和 CD 的交点 O，形成四个角分别为 $\angle AOC$，$\angle COB$，$\angle BOD$，$\angle DOA$，这四个角中，两两相配共组成几对角？各对角存在怎样的位置关系？

知识详解

知识点 1　对顶角的概念

定义1：如图5-3所示，两条直线相交所构成的四个角中，有公共顶点但没有公共边的两个角是对顶角．图中 $\angle 1$ 的两边是 OA 和 OC，$\angle 2$ 的两边是 OB 和 OD，所以

∠1和∠2是对顶角.同理∠3和∠4是对顶角.∠1和∠3有公共边OA,所以∠1和∠3不是对顶角.

定义2:一个角的两边分别是另一个角的两边的反向延长线,这两个角是对顶角.如图5-3所示,∠1的两边OA,OC分别是∠2的两边OB,OD的反向延长线,所以∠1和∠2是对顶角.同理∠3和∠4也是对顶角.

【**注意**】 (1)判断两个角是否是对顶角,要看这两个角是否是两条直线相交所得到的,还要看这两个角是不是有公共顶点而没有公共边,符合这两个条件时,才能确定这两个角是对顶角.对顶角是成对的,是具有特殊位置关系的两个角.

(2)两条直线相交所构成的四个角中,共有两对对顶角.如图5-3所示,∠1和∠2,∠3和∠4.

知识点2 邻补角的概念

定义1:两条直线相交构成的四个角中,有公共顶点且有一条公共边的两个角是邻补角.如图5-3所示,∠1和∠3有公共顶点O,且有一条公共边OA,另两边成一条直线,所以∠1和∠3是邻补角.

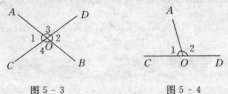

图5-3   图5-4

定义2:邻补角也可以看成是一条直线与端点在这条直线上的一条射线组成的两个角.如图5-4所示,∠1和∠2是邻补角.

【**注意**】 (1)判断两个角是否是邻补角,关键要看这两个角的两边,其中一边是公共边,另外两边互为反向延长线.如图5-3所示,OA是公共边,OC和OD互为反向延长线.

(2)邻补角是成对的,是具有特殊位置关系的两个互补的角.

(3)两条直线相交所构成的四个角中,有四对邻补角.如图5-3所示,∠1和∠3,∠3和∠2,∠2和∠4,∠4和∠1.

知识点3 对顶角、邻补角的性质

如图5-3所示,∠1和∠3互补,且∠1和∠3是邻补角.所以得到邻补角的性质:邻补角互补.

如图5-3所示,∠1和∠3互补,∠2和∠3互补,即∠3的邻补角是∠1和∠2,根据"同角的补角相等",得出∠1=∠2,这就得到:对顶角相等.

上面这个结论,用推理形式可写成:

因为∠1与∠3互补,∠2与∠3互补(邻补角定义),

所以∠1=∠2(同角的补角相等).

探究交流

? 相等的角是对顶角,这句话对吗?

点拨 这句话不对.对顶角是两条相交直线形成的角,与角的位置有关.而相等的角形形色色,与角的位置无关,如图5-5所示,∠1=∠2,但它们不是对顶角.

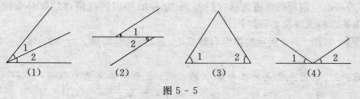

图5-5

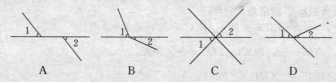
师生互动

基本概念题

有关基本概念的考查包括:(1)理解对顶角、邻补角的概念;(2)会判断一个角是否是对顶角或邻补角.

例1 如图5-6所示,∠1和∠2是对顶角的是　　　　　(　　)

A　　　　　B　　　　　C　　　　　D

图5-6

〔分析〕 判断的依据是对顶角的定义(一个角的两边是另一个角的两边的反向延长线).

答案:C

例2 如图5-7所示,直线 AB,CD,EF 相交于点O,指出∠AOC,∠EOB 的对顶角,∠AOC 的邻补角.图中一共有几对对顶角?几对邻补角?

〔分析〕 找一个角的对顶角时,可分别反向延长这个角的两边,以延长线为边的角即是原角的对顶角.找一个角的邻补角时,可先固定一边,反向延长另一边,则由固定边和延长线组成的角即是原角的邻补角.∠AOC 的邻补角应有两个,因为固定 OA,反向延长 OC 得到∠AOD,或固定 OC,反向延长 OA 得到∠BOC,它们都是∠AOC 的邻补角.三条直线相交于一点,共有三组不同的

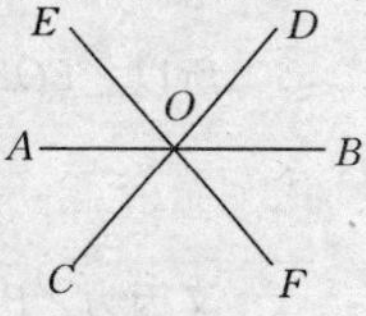

图5-7

两条直线相交,即 AB 与 CD,AB 与 EF,CD 与 EF,每两条直线相交,就得到 2 对对顶角,4 对邻补角,故有 $3×2$ 对对顶角,$3×4$ 对邻补角.

解: $\angle AOC$ 的对顶角是 $\angle BOD$,$\angle EOB$ 的对顶角是 $\angle AOF$;$\angle AOC$ 的邻补角是 $\angle AOD$,$\angle BOC$.图中共有 6 对对顶角,12 对邻补角.

基础知识应用题

有关基础应用题的考查包括:(1)互余、互补的知识的应用;(2)邻补角的应用;(3)利用基本概念解决实际问题.

例3 如图 5-8 所示的矩形台球桌上,$\angle 2=\angle 3$,如果 $\angle 2=62°$,那么 $\angle 1$ 等于多少度?

〔**分析**〕 此题主要是对互余知识的应用,由于台球桌角为 $90°$,因此 $\angle 1$ 与 $\angle 3$ 互余,即 $\angle 1+\angle 3=90°$,又因为 $\angle 2=\angle 3$,$\angle 2=62°$,所以 $\angle 3=62°$,所以 $\angle 1=90°-62°=28°$.

图 5-8

解: 因为 $\angle 1+\angle 3=90°$,$\angle 2=\angle 3$,

所以 $\angle 1+\angle 2=90°$,

又因为 $\angle 2=62°$,

所以 $\angle 1=90°-62°=28°$.

例4 如图 5-9 所示,点 O 是直线 AB 上一点,OE,OF 分别是 $\angle BOC$,$\angle AOC$ 的角平分线,求:

(1)$\angle EOF$ 的度数;

(2)写出 $\angle BOE$ 的余角及补角.

〔**分析**〕 因为 OE,OF 分别为 $\angle BOC$,$\angle AOC$ 的角平分线,

所以 $\angle COE=\dfrac{1}{2}\angle BOC$,$\angle FOC=\dfrac{1}{2}\angle AOC$,

所以 $\angle EOF=\angle COE+\angle FOC$

$=\dfrac{1}{2}\angle BOC+\dfrac{1}{2}\angle AOC$

$=\dfrac{1}{2}(\angle BOC+\angle AOC)$.

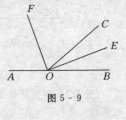

图 5-9

解:(1)因为 OE,OF 分别是 $\angle BOC$,$\angle AOC$ 的角平分线,

所以 $\angle EOC=\dfrac{1}{2}\angle BOC$,$\angle FOC=\dfrac{1}{2}\angle AOC$,

所以 $\angle EOF=\angle EOC+\angle FOC=\dfrac{1}{2}\angle BOC+\dfrac{1}{2}AOC$

$=\dfrac{1}{2}(\angle BOC+\angle AOC)$,

又因为 $\angle BOC+\angle AOC=180°$,

所以 $\angle EOF=\dfrac{1}{2}×180°=90°$.

(2)∠*BOE* 的余角是∠*COF* 和∠*AOF*,∠*BOE* 的补角是∠*AOE*.

综合应用题

主要考查:(1)邻补角、对顶角及角平分线的综合应用;(2)综合运用有关角的意义进行计算.

例5 如图 5 - 10 所示,直线 *AB* 与 *CD* 相交于点 *O*,*OE* 平分∠*AOD*,∠*AOC*=120°,求∠*BOD*,∠*AOE* 的度数.

〔分析〕 ∠*BOD* 与∠*AOC* 是对顶角,可得∠*BOD* 的度数.由于∠*AOC* 与∠*AOD* 互为邻补角,可得∠*AOD* 的度数.又由于 *OE* 平分∠*AOD*,可得∠*AOE* 的度数.解题时要注意书写格式.

图 5 - 10

解:因为 *AB* 与 *CD* 相交于点 *O*(已知),

所以∠*BOD*=∠*AOC*=120°(对顶角相等).

因为∠*AOC*+∠*AOD*=180°(邻补角定义),

所以∠*AOD*=180°-120°=60°.

因为 *OE* 平分∠*AOD*(已知),

所以∠*AOE*=$\frac{1}{2}$∠*AOD*=$\frac{1}{2}$×60°=30°(角平分线定义).

例6 如图 5 - 11 所示,直线 *AB*,*CD* 相交于点 *O*,∠*AOC*:∠*AOD*=2:3,求∠*BOD* 的度数.

〔分析〕 求∠*BOD* 的度数,通常转化为求∠*AOC* 的度数,∠*AOC* 与∠*AOD* 互为邻补角,且比为 2:3,我们可以设∠*AOC*=(2*x*)°,∠*AOD*=(3*x*)°,列方程可求得∠*AOC* 的度数,问题可解.

图 5 - 11

解:设∠*AOC*=(2*x*)°,则∠*AOD*=(3*x*)°.

根据邻补角的定义可列方程为

2*x*+3*x*=180,*x*=36.

所以∠*AOC*=(2*x*)°=72°,∠*AOD*=(3*x*)°=108°.

所以∠*BOD*=∠*AOC*=72°.

探索与创新题

主要考查学生运用所学知识探索几何规律和创新的能力.

例7 已知 *α* 的补角是一个锐角,有 3 人在计算 $\frac{2}{5}$*α* 时的答案分别为 32°,87°,58°,其中有一个答案是正确的,求 *α* 的度数.

〔分析〕 本题可采用两种方法,一种是顺序推导法,一种是验算法.

解法 1:因为 *α* 的补角是一个锐角,

所以 *α* 是一个钝角,

即 90°<*α*<180°,

所以 36°<$\frac{2}{5}$*α*<72°,

由已知三个人计算出的答案为 32°,87°,58°可知 $\frac{2}{5}\alpha=58°$,

所以 $\alpha=145°$.

解法 2:由题意可知 α 是一个钝角,

即 $90°<\alpha<180°$.

如果 $\frac{2}{5}\alpha=32°$,那么 $\alpha=80°$,不满足 $90°<\alpha<180°$,

所以此人计算不正确.

如果 $\frac{2}{5}\alpha=87°$,那么 $\alpha=217.5°$,不满足 $90°<\alpha<180°$,

所以此人计算也不正确.

如果 $\frac{2}{5}\alpha=58°$,那么 $\alpha=145°$,满足 $90°<\alpha<180°$,

所以此人计算正确.

所以 $\alpha=145°$.

小结 在处理数学问题中误选答案问题时,常采用验算法.例如本题的第二种解法,就是利用互补的概念,把 α 的度数定在 $90°\sim180°$ 之间,进而利用假设方法,求出相应的 α 的度数.

例 8 如图 5 - 12 所示,观察下列图形,并阅读图形下面的相关文字.

两条直线相交,
最多有1个交点

三条直线相交,
最多有3个交点

四条直线相交,
最多有6个交点

图 5 - 12

像这样,十条直线相交,最多交点的个数是 　　　　　　　　　　　（　　）

A. 40　　　　　　B. 45　　　　　　C. 50　　　　　　D. 955

〔分析〕 本题采用不完全归纳法,探讨出几条直线相交最多的交点个数问题,当两条直线相交时,最多有一个交点,即当 $n=2$ 时,$S=1$;

当三条直线相交时,最多有 3 个交点,即当 $n=3$ 时,$S=3=2+1$;

当四条直线相交时,最多有 6 个交点,即当 $n=4$ 时,$S=6=3+2+1$;

当五条直线相交时,最多有 10 个交点,即当 $n=5$ 时,$S=10=4+3+2+1$;

……

当 n 条直线相交时,最多 $S=(n-1)+(n-2)+(n-3)+\cdots+3+2+1$

$$=\frac{1}{2}[(n-1)+1](n-1)=\frac{1}{2}n(n-1).$$

所以当 $n=10$ 时,$S=\frac{1}{2}\times10\times(10-1)=45$(个).

故正确答案为 B.

学生做一做　(1)一条直线可以把平面分成两部分,如图 5-13 所示,两条直线可以把平面分成几个部分? 三条直线可以把平面分成几个部分? 试画图说明.

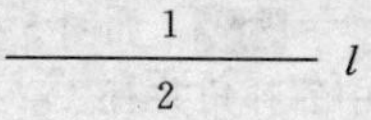

图 5-13

(2)四条直线最多可以把平面分成几个部分? 试画出示意图,并说明这四条直线的位置关系.

(3)平面上有 n 条直线,每两条直线都恰好相交,且没有三条直线交于点一点,处于这种位置的 n 条直线分一个平面所成的区域最多,记为 a_n,试写出 a_n 与 n 之间的关系.

老师评一评　解决本题应在图形的基础上得出答案,重在考查学生的作图能力,同时,本题还是探索规律题,应掌握从特殊到一般的思考方法.

(1)两条直线因其相互位置不同,可以把平面分成3个或4个部分,如图 5-14(1)(2)所示.

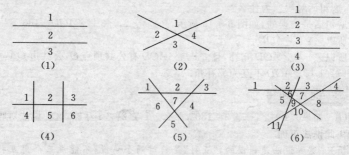

图 5-14

三条直线因其相互位置不同,可以把平面分成4个、6个或7个部分,如图 5-14(3)(4)(5)所示.

(2)四条直线最多可以把平面分成11个部分,如图 5-14(6)所示,此时这四条直线的位置关系是两两相交,且无三线共点.

(3)平面上 n 条直线两两相交,且没有三条直线交于一点,把平面分成 a_n 个部分.

①当 $n=1$ 时,$a_1=2=1+1$;

②当 $n=2$ 时,$a_2=4=1+1+2$;

③当 $n=3$ 时,$a_3=7=1+1+2+3$;

④当 $n=4$ 时,$a_4=11=1+1+2+3+4$;

……

由此可归纳出公式:

$$a_n=1+(1+2+3+4+\cdots+n)$$
$$=1+\frac{n(n+1)}{2}$$
$$=\frac{n^2+n+2}{2}.$$

例 9 如图 5-15 所示,已知三条直线 AB,CD,EF 两两相交于点 P,Q,R,则图中邻补角共有 _____ 对,对顶角共有 _____ 对.(平角除外)

〔分析〕 根据对顶角、邻补角的定义.

答案:12 6

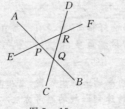

图 5-15 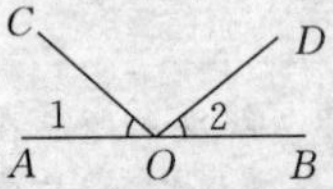   图 5-16

例 10 "若两个角有公共顶点和一条公共边,且这两个角互补,则这两个角互为邻补角",这句话对吗?为什么?

解:这句话是错误的,如图 5-16 所示,$\angle 1 = \angle 2$,$\angle 2 + \angle AOD = 180°$,

所以 $\angle 1 + \angle AOD = 180°$,

所以 $\angle 1$ 与 $\angle AOD$ 互补,且 $\angle 1$ 与 $\angle AOD$ 有公共顶点 O,公共边 OA,

但 $\angle 1$ 与 $\angle AOD$ 不互为邻补角.

易错与疑难题

例 11 如果 $\angle 1 + \angle 2 + \angle 3 = 180°$,那么 $\angle 1,\angle 2,\angle 3$ 互补,这种说法对吗?

错解:此说法正确.

〔分析〕 这种说法是错误的,"互补"是针对两个角说,不能说三个角互补,因此犯的错误是概念模糊,对"互补"概念没有理解好.

正解:此说法是错误的.

中考展望   点击中考

中考命题总结与展望

这部分内容在中考中常以填空题或选择题的形式出现,难度不大,多融于其他知识中考查.只要正确理解和掌握对顶角、邻补角的概念和性质,这部分试题的分数是比较容易得的.

中考试题预测

例 1 (2004·河北)已知 $\angle \alpha = 68°$,则 $\angle \alpha$ 的余角等于 _____.

〔分析〕 两角互余,其和为 90°,则 $\angle \alpha$ 的余角为 $90° - 68° = 22°$.

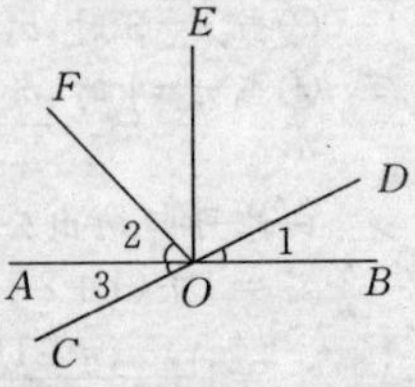

例 2 (2004·青海)如图 5-17 所示,直线 AB,CD 相交

图 5-17

于点 O,$OE \perp AB$ 于点 O,OF 平分 $\angle AOE$,$\angle 1 = 15°30'$,则下列结论中不正确的是
（　　）

A. $\angle 2 = 45°$

B. $\angle 1 = \angle 3$

C. $\angle AOD$ 与 $\angle 1$ 互为补角

D. $\angle 1$ 的余角等于 $75°30'$

〔分析〕 由图 5-17 可知 $\angle 1$ 与 $\angle 3$ 是对顶角,故 $\angle 1 = \angle 3$,故 B 正确;又因为 $OE \perp AB$,OF 平分 $\angle AOE$,所以 $\angle 2 = 45°$,故 A 正确;$\angle 1$ 与 $\angle AOD$ 是直线 AB,CD 相交形成的邻补角,所以 $\angle 1$ 与 $\angle AOD$ 互为补角,故 C 正确;$\angle 1$ 的余角为 $90° - 15°30' = 74°30'$,故选 D.

例 3　(2005·重庆)已知 $\angle A = 40°$,则 $\angle A$ 的补角等于　　　（　　）

A. $50°$　　　　　B. $90°$　　　　　C. $140°$　　　　　D. $180°$

〔分析〕 由补角的定义可知:$\angle A$ 的补角 $= 180° - 40° = 140°$,故正确答案为 C 项.

例 4　(2005·江苏)已知 $\angle \alpha$ 与 $\angle \beta$ 互余,且 $\angle \alpha = 35°18'$,则 $\angle \beta = $_____.

〔分析〕 由互为余角的定义可知,互余的两角之和为 $90°$,即 $\angle \alpha + \angle \beta = 90°$,所以 $\angle \beta = 90° - \angle \alpha = 90° - 35°18' = 54°42'$.

例 5　(2005·黑龙江)已知 $\angle \alpha$ 与 $\angle \beta$ 互余,且 $\angle \alpha = 40°$,则 $\angle \beta$ 的补角是_____度.

〔分析〕 本题综合考查互为余角和补角的知识.欲求 $\angle \beta$ 的补角,首先求出 $\angle \beta$,因为 $\angle \alpha$ 与 $\angle \beta$ 互余,所以 $\angle \alpha + \angle \beta = 90°$,又因为 $\angle \alpha = 40°$,所以 $\angle \beta = 50°$,$\angle \beta$ 的补角是 $180° - \angle \beta = 180° - 50° = 130°$.

课堂小结　本节归纳

1. 本节主要学习了相交线所成的对顶角、邻补角及它们的性质.

2. 要充分理解对顶角、邻补角的概念.在复杂图形中能够识别对顶角.

3. 要注意结合图形分析题意,解决问题.同时,要灵活使用对顶角的性质.

自我评价　知识巩固

1. 图 5-18 所示的四个图形中,$\angle 1$ 与 $\angle 2$ 是对顶角的有　　　（　　）

A. 0 个　　　　　B. 1 个　　　　　C. 3 个　　　　　D. 4 个

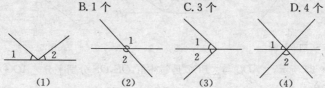

(1)　　　　　(2)　　　　　(3)　　　　　(4)

图 5-18

2. 下列说法正确的有 　　　　　　　　　　　　　　　　　　　(　)

　① 对顶角相等;

　② 相等的角是对顶角;

　③ 若两个角不相等,则这两个角一定不是对顶角;

　④ 若两个角不是对顶角,则这两个角不相等.

A. 1 个 　　　　　　 B. 2 个 　　　　　　 C. 3 个 　　　　　　 D. 4 个

3. 如图 5 - 19 所示,直线 AB,CD 相交于点 O,$\angle AOD$ 与 $\angle BOC$ 的和为 236°,则 $\angle AOC$ 的度数为 　　　　　　　　　　　　　　　　　　　　　　(　)

A. 62° 　　　　　　 B. 118° 　　　　　　 C. 72° 　　　　　　 D. 59°

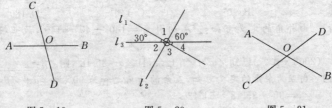

图 5 - 19 　　　　　　　　 图 5 - 20 　　　　　　　　 图 5 - 21

4. 如图 5 - 20 所示,直线 l_1,l_2,l_3 相交于一点,下列选项中,全对的一组是 　　(　)

A. $\angle 1 = 90°$, $\angle 2 = 30°$, $\angle 3 = 90°$, $\angle 4 = 60°$

B. $\angle 1 = \angle 3 = 90°$, $\angle 2 = \angle 4 = 30°$

C. $\angle 1 = \angle 3 = 90°$, $\angle 2 = \angle 4 = 60°$

D. $\angle 1 = \angle 3 = 90°$, $\angle 2 = 60°$, $\angle 4 = 30°$

5. 如图 5 - 21 所示,直线 AB,CD 相交于点 O,$\angle AOC$ 的对顶角是 _____,$\angle AOC$ 的邻补角是 _____.

6. 如图 5 - 22 所示,直线 l_1,l_2,l_3 相交于点 O,$\angle 1 = 37°42'$,$\angle 2 = 51°17'$,则 $\angle 3$ = _____.

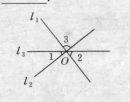 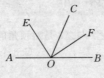 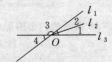

图 5 - 22 　　　　　　　　 图 5 - 23 　　　　　　　　 图 5 - 24

7. 如图 5 - 23 所示,$\angle AOC$ 与 $\angle BOC$ 是邻补角,OE,OF 分别平分 $\angle AOC$ 和 $\angle BOC$,则 $\angle EOF$ = _____.

8. 如图 5 - 24 所示,l_1,l_2,l_3 相交于点 O,$\angle 1 = \angle 2$,$\angle 3 : \angle 1 = 8 : 1$,求 $\angle 4$ 的度数.

9. 如图 5 - 25 所示,直线 a,b,c 两两相交,$\angle 1=2\angle 3$,$\angle 2=65°$,求 $\angle 4$ 的度数.

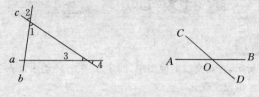

图 5 - 25　　　　　　　　　图 5 - 26

10. 如图 5 - 26 所示,点 O 是直线 AB 上一点,OC,OD 是两条射线,且 $\angle AOC=\angle BOD$,问 $\angle AOC$ 与 $\angle BOD$ 是对顶角吗?为什么?

11. 若 4 条不同的直线相交于一点,则图中共有几对对顶角?若是 n 条不同的直线相交于一点呢?

😊**评价标准**☹

1. B **2.** B **3.** A **4.** D **5.** $\angle BOD$　$\angle AOD$ 与 $\angle BOC$ **6.** 91°1′ **7.** 90° **8.** 36°.
9. 32.5°.

10. 提示:是对顶角.由 $\angle AOC$ 与 $\angle BOC$ 互补,可得 $\angle BOD$ 与 $\angle BOC$ 互补,即点 C,O,D 共线,可得 $\angle AOC$ 与 $\angle BOD$ 是对顶角.

11. 提示:应把四条直线相交的图形拆分成六种两直线相交的图形,如 a,b,c,d 四条直线相交,我们可以拆成直线 a 与 b,直线 a 与 c,直线 a 与 d,直线 b 与 c,直线 b 与 d,直线 c 与 d,共有 6 种组合方式,又因为两条直线相交,可形成 2 对对顶角,由此四条直线相交所成的对顶角为 $6\times 2=12$(对),由此再类比得到 n 条直线相交所得到的对顶角的对数.本题是一道探索规律的问题,也是采用由特殊到一般的总结方法.n 条直线两两组合的个数为 $(n-1)+(n-2)+(n-3)+\cdots+3+2+1=\dfrac{(n-1)(n-1+1)}{2}=\dfrac{n(n-1)}{2}$,所以 n 条直线相交所成的对顶角为 $\dfrac{n(n-1)}{2}\times 2=n(n-1)$.

5.1.2　垂　线

新课指南

1. 知识与技能:掌握垂线的定义和性质,能借助三角尺、量角器、方格纸画垂线,培养学生的画图能力.

2. 过程与方法:在生动有趣的情境中,通过画、折等活动,进一步丰富对两条直线互相垂直的认识,从而探讨垂线的有关性质.

3. 情感态度与价值观:通过生动有趣的数学知识,使学生能有机会参与到数学活动中来,并在活动中感受到成功的快乐,培养学生的自信心.

4. 重点与难点:重点是垂线的定义、垂线的性质,难点是垂线的性质.

教材解读 精华要义

数学与生活

如图 5-27 所示,在相交线的模型中,固定木条 a,转动木条 b.当 b 的位置变化时,a,b 所成的角 α 也发生变化.

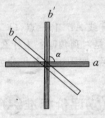

图 5-27

思考讨论 当 $\alpha=90°$ 时,直线 a 与 b 的位置关系如何?

知识详解

知识点 1 垂线的定义

当两条直线相交的四个角中,有一个角是直角时,就说这两条直线是互相垂直的,其中一条直线叫做另一条直线的垂线,它们的交点叫做垂足.

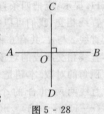

图 5-28

如图 5-28 所示,直线 AB,CD 互相垂直,记作 $AB\perp CD$,或 $CD\perp AB$,读作 AB 垂直于 CD.若再加上垂足为点 O,则记作 $AB\perp CD$,垂足为 O.

【注意】 (1)两条直线互相垂直是两条直线相交的特殊情况,特别是在交角都是直角时,垂线是其中一条直线对另一条直线的称呼,如图 5-28 所示,AB 的垂线是 CD.反之,CD 的垂线是 AB.

(2)如遇到线段与线段、线段与射线、射线与射线、线段或射线与直线垂直,特指它们所在的直线互相垂直.

(3)根据两条直线互相垂直的定义可知:两条直线互相垂直,则四个角为直角.反之,若两条直线交角为直角,则这两条直线互相垂直.这个推理过程可以写成:

如图 5-28 所示,

因为 $AB\perp CD$(已知),

所以 $\angle AOC=\angle COB=\angle BOD=\angle AOD=90°$(垂直定义).

反之,因为 $\angle AOC=90°$(已知),

所以 $AB\perp CD$(垂直定义).

知识点2　垂线的画法

让直角三角板的一条直角边与已知直线重合,沿直线左右移动三角板,使其另一条直角边经过已知点,沿此直角边画直线,则这条直线就是已知直线的垂线.

【注意】 (1)经过直线上一点或直线外一点画已知直线的垂线,只能画出一条.

(2)如过一点画射线或线段的垂线,是指画它们所在直线的垂线,垂足有时在射线的反向延长线或线段的延长线上,如图5-29所示.

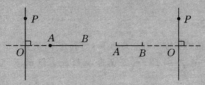

图5-29

知识点3　垂线的性质

性质1:过一点有且只有一条直线与已知直线垂直.

如图5-30所示,P为直线l外一点,$PO \perp l$,垂足为O,线段PO为点P到直线l的垂线段.A,B为直线l上两点,线段PA,PB叫做斜线段.

图5-30

性质2:连接直线外一点与直线上各点的所有线段中,垂线段最短.简称:垂线段最短.

【注意】 (1)画已知直线的垂线可以画出无数条.但过一点画已知直线的垂线,只能画出一条.

(2)直线外一点到这条直线的垂线段只有一条,而斜线段有无数条.

知识点4　点到直线的距离

直线外一点到这条直线的垂线段的长度,叫做点到直线的距离.

如图5-30所示,线段PO的长度叫做点P到直线l的距离.

【注意】 垂线是直线;垂线段特指一条线段,是图形;点到直线的距离是指垂线段的长度,并且是一个数量,是有单位的(如cm等).

典例剖析　师生互动

基本概念题

主要考查对垂直、垂线的性质和点到直线的距离概念的理解.

例1 如图5-31所示,$\angle BAC = 90°$,$AD \perp BC$,垂足为D,则下列结论:

①AB与AC互相垂直;

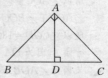

图5-31

②AD 与 AC 互相垂直；

③点 C 到 AB 的垂线段是线段 AB；

④点 A 到 BC 的距离是线段 AD；

⑤线段 AB 的长度是点 B 到 AC 的距离；

⑥线段 AB 是点 B 到 AC 的距离.

其中正确的有 （ ）

A.2 个   B.3 个

C.4 个   D.5 个

〔分析〕 根据垂直的特征：交角为直角，可得①正确，②错误.点 C 到 AB 的垂线段应是 AC，故③错误.点 A 到 BC 的距离是指线段 AD 的长度，故④错误.⑤符合定义，正确，故⑥错误.

答案：A

综合应用题

主要考查垂直与对顶角、邻补角及角平分线知识的综合应用.

例 2 如图 5 - 32 所示，直线 AB，CD 相交于点 O，OE⊥CD，OF⊥AB，∠DOF=65°，求∠BOE 和∠AOC 的度数.

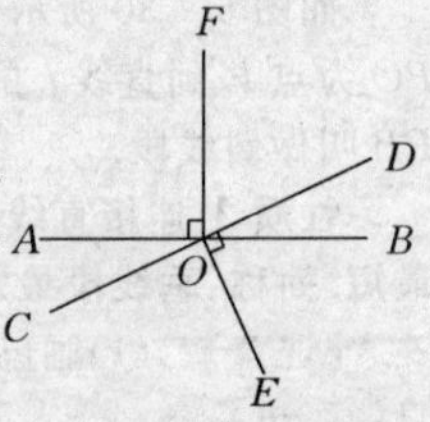

〔分析〕 由垂直定义可知∠BOF，∠DOE 均为 90°.可先求∠BOD，再求∠BOE.利用"对顶角相等"这条性质可得∠AOC 与∠BOD 相等.

解：因为 AB⊥OF，CD⊥OE(已知)，

    所以∠BOF=∠DOE=90°（垂直定义）.

    因为∠BOD=90°-65°=25°，

    所以∠BOE=90°-25°=65°.

    所以∠AOC=∠BOD=25°（对顶角相等）.

图 5 - 32

学生做一做 如图 5 - 33 所示，OA⊥OC，OB⊥OD，∠AOB=150°，求∠COD 的度数.

老师评一评 本题主要运用了垂直的定义及角的和差关系，要求同学们要善于观察图形，分析角之间的关系.

    方法1：因为 OA⊥OC，OB⊥OD(已知)，

    所以∠AOC=∠BOD=90°（垂直的定义），

    所以∠AOC+∠BOD=180°，

    ∠AOC+∠BOC+∠COD=180°，

    所以∠COD=180°-∠AOB=180°-150°=30°.

    方法 2：因为 OA⊥OC，所以∠AOC=90°（垂直定义），

    又因为∠AOB=150°，

    所以∠BOC=∠AOB-∠AOC=150°-90°=60°.

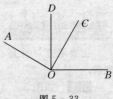

图 5 - 33

又因为 $OB\perp OD$，所以 $\angle BOD=90°$（垂直定义）.

所以 $\angle COD=\angle BOD-\angle BOC=90°-60°=30°$.

例3 如图 5-34 所示，已知三角形 ABC 中，$\angle BAC$ 为钝角.

(1)画出点 C 到 AB 的垂线段；

(2)过 A 点画 BC 的垂线；

(3)点 B 到 AC 的距离是多少？

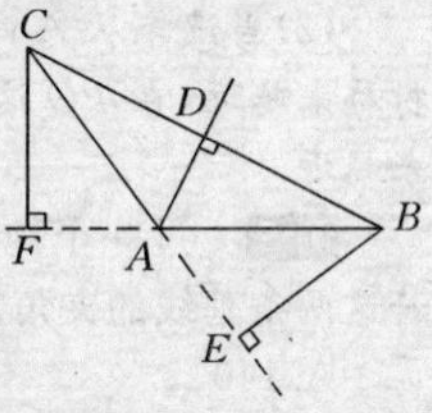

〔分析〕(1)先过 C 点画 AB 的垂线段，垂足在线段 BA 的延长线上.

(2)要利用三角板上的直角正确画出图形.

(3)先画出垂线段，再用直尺度量.

解：如图 5-34 所示.

(1)线段 CF 就是点 C 到 AB 的垂线段.

(2)直线 AD 就是 BC 的垂线.

(3)量得线段 $BE\approx1.2$ cm，点 B 到 AC 的距离约为 1.2 cm.

图 5-34

探索与创新题

例4 如图 5-35 所示，计划把河中的水引到水池 C 中，怎样开渠道最短？并说明理由.

〔分析〕图中线段代表河岸，点 C 代表水池，要把河中的水引入到水池 C 中，即求作一条线段，而且要求最短，由垂线的性质可知，垂线段最短，即线段 CD 最短.

解：如图 5-36 所示，过点 C 作 $CD\perp AB$ 交 AB 于点 D，线段 CD 即为所求.

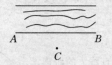

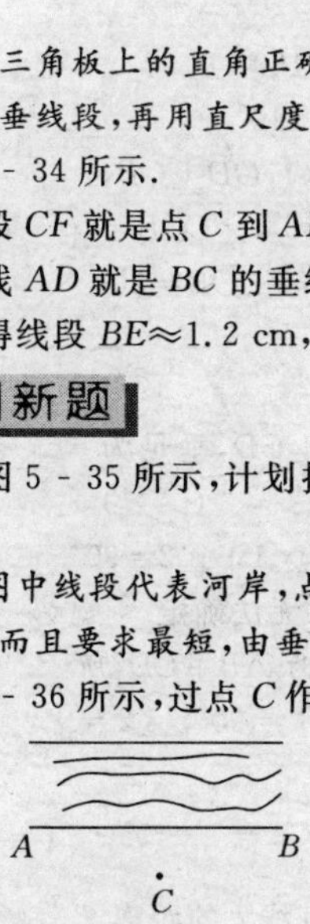

图 5-35

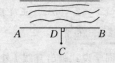

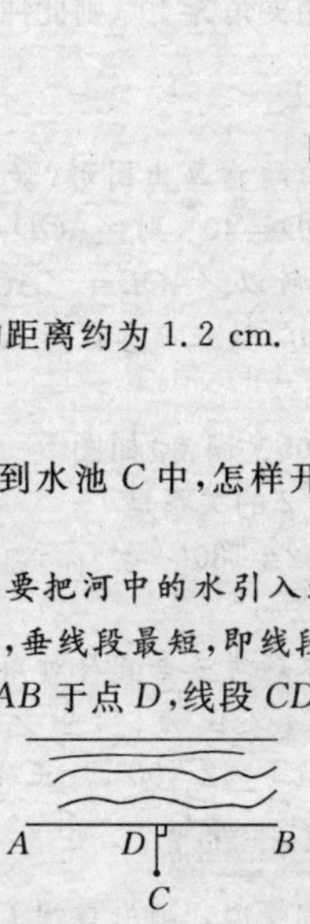

图 5-36

学生做一做 如图 5-37 所示，一辆汽车在直线公路 AB 上由 A 向 B 行驶，M，N 分别为位于公路两侧的村庄.

(1)设汽车行驶到公路 AB 上点 P 位置时，距离村庄 M 最近，行驶到点 Q 位置时，距离村庄 N 最近，请在图中公路 AB 上分别画出点 P 和点 Q 的位置；

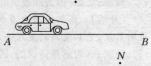

图 5-37

(2)当汽车从 A 出发向 B 行驶时，在公路的哪一段上距离 M，N 两村庄都越来越近？在哪一段公路上距离村庄 N 越来越近，而离村庄 M 越来越远？（分别用文字表述你的结论）

老师评一评 本题意在考查：①点到直线距离的定义，垂线段最短；②两点间的距离；③作图能力；④应用所学知识解决实际问题的能力.

(1)过点 M 作 $MP \perp AB$,垂足为 P,过点 N 作 NQ $\perp AB$,垂足为 Q,点 P,Q 就是要求的两个点(如图 5-38所示).

(2)当汽车从 A 向 B 行驶时,在 AP 这段路上离两村越来越近,在 PQ 这路段上离 M 越来越远,离 N 越来越近.

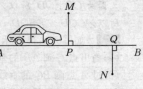

图 5-38

例 5 过一个钝角的顶点作这个角两边的垂线,若这两条垂线的夹角为 $40°$,则此钝角为　　　(　)

A. $140°$ B. $160°$

C. $120°$ D. $110°$

〔分析〕 由题意画出图形(如图 5-39 所示),$OD \perp OB$,$OC \perp OA$,$\angle COD = 40°$,则 $\angle AOD = 90° - 40° = 50°$,$\angle COB = 90° - 40° = 50°$,所以 $\angle AOB = \angle AOD + \angle DOC + \angle COB = 50° + 40° + 50° = 140°$,故正确答案为 A 项.

答案:A

图 5-39

例 6 (2005·湖南)如图 5-40 所示,$AB \perp CD$,垂足为 O,图中 $\angle 1$ 与 $\angle 2$ 的关系是　　　(　)

A. $\angle 1 + \angle 2 = 180°$ B. $\angle 1 + \angle 2 = 90°$

C. $\angle 1 = \angle 2$ D. 无法确定

〔分析〕 本题考查垂直与对顶角的性质,因为 $AB \perp CD$,所以 $\angle COB = 90°$,又因为 $\angle 1 + \angle COF = \angle COB = 90°$,$\angle 2 = \angle COF$,所以 $\angle 1 + \angle 2 = 90°$,故正确答案为 B 项.

易错与疑难题

例 7 有同学说:"画出直线 l 外一点 P 到直线 l 的距离."这句话对吗?为什么?

错解:正确,因为能画出.

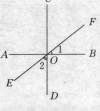

图 5-40

〔分析〕 我们能画出点到直线的垂线段,而距离是指垂线段的长度,它只能用刻度尺去度量.

正解:这句话是错误的,因为我们只能画出点 P 到 l 的垂线段,距离只能用刻度尺度量.

课堂小结 本节归纳

1.要掌握好垂线、垂线段、点到直线的距离这几个概念.

2.要清楚垂线是相交线的特殊情况,与上节知识联系好,并能正确利用工具画出标准图形.

3.垂线的性质为今后知识的学习奠定了基础,应熟练掌握.

自我评价 知识巩固

1. 点到直线的距离是指 （　　）

A. 直线外一点到这条直线上一点之间的距离

B. 直线外或直线上一点到直线的垂线段的长度

C. 直线外一点到这条直线的垂线的长度

D. 直线外一点到这条直线的垂线段的长度

2. 如图 5－41 所示，$AB \perp CD$ 于点 B，$\angle DBE = \angle ABF$，则 （　　）

A. $\angle ABE > \angle CBF$　　　　B. $\angle ABE < \angle CBF$

C. $\angle ABE = \angle CBF$　　　　D. 以上都不对

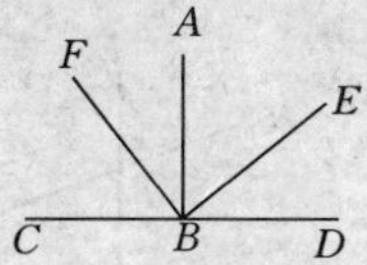

图 5－41

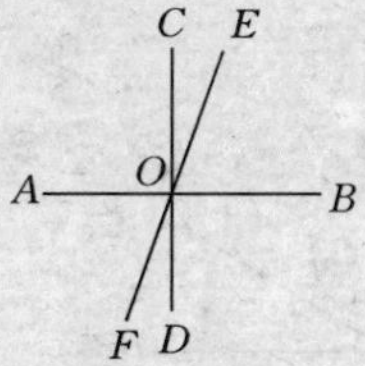

图 5－42

3. 如图 5－42 所示，直线 AB,CD,EF 相交于点 O，且 $AB \perp CD$ 于点 O，$\angle BOE = 70°$，则 $\angle FOD$ 等于 （　　）

A. 10°　　　　B. 20°　　　　C. 30°　　　　D. 70°

4. 下列语句中，对顶角是指 （　　）

A. 两条直线相交所成的两个角

B. 有公共端点的两个角

C. 角的两边互为反向延长线的两个角

D. 有公共端点且相等的两个角

5. 如图 5－43 所示，已知直线 AB 和 AB 外一点 O，则点 O 到直线 AB 的距离是 （　　）

A. 线段 OC 的长度　　　　B. 线段 OD 的长度

C. 线段 OE 的长度　　　　D. 线段 OF 的长度

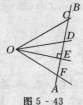

图 5－43

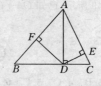

图 5－44

6. 如图 5－44 所示，$AD \perp BC$ 于点 D，$DE \perp AC$ 于点 E，$DF \perp AB$ 于点 F，则表示 A 点

到 BC, D 点到 AC, AB 的距离分别是　　　　　　　　　（　　）

　　A. BD, DC, AD

　　B. DA, DE, DF

　　C. 线段 BD, DC, AD 的长度

　　D. 线段 AD, ED, FD 的长度

7. 如图 5 - 45 所示,$OA \perp OB$, $\angle 1 : \angle 2 = 2 : 1$,则 $\angle 1 = $　　　　　,$\angle 2 = $　　　　　.

8. 经过一点有　　　　　直线与已知直线垂直.

9. 直线外一点到这条直线的　　　　　,叫做点到直线的距离.

10. 如图 5 - 46 所示,$\angle ACB = 90°$, $CD \perp AB$ 于点 D,则点 C 到 AB 的距离是　　　　　,线段 AC 的长度是点　　　　　的距离,点 B 到 AC 的距离是　　　　　.

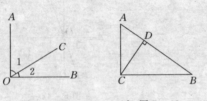

图 5 - 45　　　　　　图 5 - 46

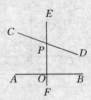

图 5 - 47

11. 如图 5 - 47 所示,$\angle EOB = 90°$, $\angle CPE = 70°$,则 AB 是 EF 的　　　　　,O 点叫做　　　　　,$\angle CPF = $　　　　　.

12. 如图 5 - 48 所示,已知 $OA \perp OD$ 于点 O, $OC \perp OB$ 于点 O, $\angle AOB = 130°$,求 $\angle COD$ 和 $\angle AOC$ 的度数.

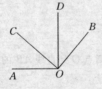

图 5 - 48

图 5 - 49

13. 如图 5 - 49 所示,已知 $OA \perp OB$, $OC \perp OD$, $\angle BOC : \angle AOD = 3 : 5$,求 $\angle BOC$ 的度数.

☺ 评价标准 ☹

1. D　2. C　3. B　4. C　5. C　6. D　7. $60°$　$30°$　8. 且只有一条　9. 垂线段的长度

10. 线段 CD 的长度　A 到线段 BC　线段 BC 的长度　11. 垂线　垂足　$110°$

12. $50°$, $40°$.　13. $67.5°$.

5.2　平行线

教材解读　精华要义

数学与生活

在现实生活中,有很多线是平行的,以我们的教室为例,指出教室中相互平行的直线.

思考讨论　(1)在同一平面内,两条直线有几种位置关系?

(2)互相平行的两条直线具有哪些性质?

知识详解

知识点1　平行线的概念

在同一平面内,不相交的两条直线叫做平行线.

如图5-50所示,AB 与 CD 平行,记作 $AB /\!/ CD$,或 $CD /\!/ AB$.

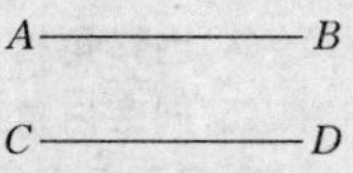

$$A————B$$
$$C————D$$

图5-50

【注意】(1)平行是特指在同一平面内的具有特殊位置关系的两条直线,特殊在这两条直线没有交点.

(2)今后遇到线段、射线平行时,特指线段、射线所在直线平行.

知识点2　两条直线的位置关系

在同一平面内,两条直线的位置关系只有两种:(1)相交;(2)平行.

知识点3　平行线的基本性质

平行公理:经过直线外一点,有且只有一条直线与这条直线平行.

推论:如果两条直线都与第三条直线平行,那么这两条直线也互相平行.即 a ∥ b,c∥b,那么 a∥c.

知识点4 平行线的判定方法

方法1:两条直线被第三条直线所截,如果同位角相等,那么这两条直线平行.

简称:同位角相等,两直线平行.

如图5-51所示,如果∠ABF=∠C,那么 BF∥CE.其推理过程如下:

因为∠ABF=∠C(已知),

所以 BF∥CE(同位角相等,两直线平行).

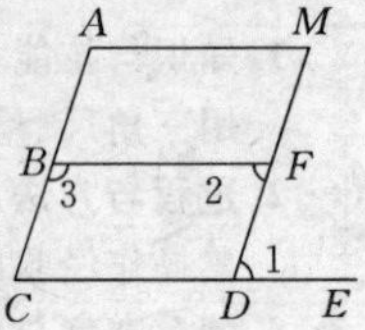

方法2:两条直线被第三条直线所截,如果内错角相等,那么这两条直线平行.

简称:内错角相等,两直线平行.

图5-51

如图5-51所示,如果∠2=∠1,那么 BF∥CE.其推理过程如下:

因为∠2=∠1(已知),

所以 BF∥CE(内错角相等,两直线平行).

方法3:两条直线被第三条直线所截,如果同旁内角互补,那么这两条直线平行.

简称:同旁内角互补,两直线平行.

如图5-51所示,如果∠3+∠C=180°,那么 BF∥CE.其推理过程如下:

因为∠3+∠C=180°(已知),

所以 BF∥CE(同旁内角互补,两直线平行).

【说明】 到目前为止,判定两直线平行的方法有五种:

(1)平行线的定义;

(2)平行公理的推论:如果两条直线都和第三条直线平行,那么这两条直线也平行;

(3)同位角相等,两直线平行;

(4)内错角相等,两直线平行;

(5)同旁内角互补,两直线平行.

判定两条直线平行时,定义一般不常用,其他四种方法要灵活使用,证明时要注意书写格式.

典例剖析 师生互动

基本概念题

主要考查学生对两直线位置关系的理解.

例1 在同一平面内两条直线的位置关系可能是 （   ）

A.相交或垂直   B.垂直或平行

C.平行或相交　　　　　　　D.不能确定

〔分析〕 两直线互相垂直是相交的一种特殊情形.在同一平面内,两条直线的位置关系只有两种:相交、平行.

答案:C

基础知识应用题

主要考查对平行线的性质和判定的掌握.

例2 如图5-22所示,下列条件中,不能识别直线 $l_1 /\!/ l_2$ 的是　　　( )

A.$\angle 1=\angle 3$　　　　　　B.$\angle 2=\angle 3$

C.$\angle 4=\angle 5$　　　　　　D.$\angle 2+\angle 4=180°$

〔分析〕 要说明 $l_1 /\!/ l_2$,需要找同位角相等,或者内错角相等,或者同旁内角互补,利用逐一筛选的方法,可知选择B项.

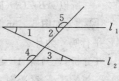

例3 一学员在广场上驾驶汽车,两次拐弯后,行驶的方向与原来的方向相同,这两次拐弯的角度可能是 ( )　　图5-52

A.先向左拐 30°,再向右拐 30°

B.先向右拐 50°,再向左拐 30°

C.先向左拐 50°,再向右拐 130°

D.先向右拐 50°,再向左拐 130°

〔分析〕 如图5-53所示,两次拐弯后行驶方向相同,说明 $AB /\!/ CD$,要使 $AB /\!/ CD$,只需 $\angle 1=\angle 2$(内错角相等,两直线平行),故正确答案为 A.

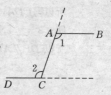

综合应用题

主要考查平行线的性质与判定的综合应用.　　图5-53

例4 如图5-54所示,推理填空.

(1)因为 $\angle A=$＿＿＿＿(已知),所以 $AC /\!/ ED$( ).

(2)因为 $\angle 2=$＿＿＿＿(已知),所以 $AC /\!/ ED$( ).

(3)因为 $\angle A+$＿＿＿＿$=180°$(已知),所以 $AB /\!/ FD$( ).

(4)因为 $\angle 2+$＿＿＿＿$=180°$(已知),所以 $AC /\!/ DE$( ).

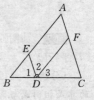

〔分析〕 本题是从结论入手,去追溯能使结论成立的原因,即"若结论成立,需要什么条件?"这种方法被称为执果索因.而从原因导出结论,这种方法称为由因导果.　　图5-54

答案:(1)$\angle BED$　同位角相等,两直线平行

(2)$\angle DFC$　内错角相等,两直线平行

(3)$\angle AFD$　同旁内角互补,两直线平行

(4)$\angle DFA$　同旁内角互补,两直线平行

例 5 如图 5-55 所示,已知直线 AB,CD 被直线 EF 所截,$\angle 1+\angle 2=180°$.说明 $AB\parallel CD$.

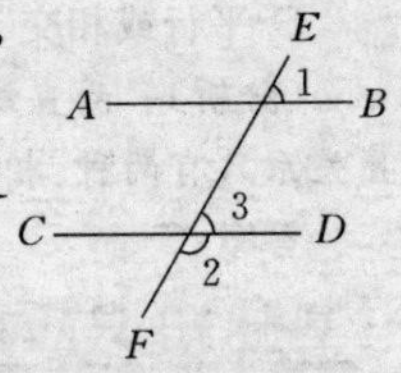

〔分析〕 $\angle 3$ 与 $\angle 1$ 是同位角,与 $\angle 2$ 是邻补角,找到 $\angle 3$ 是证明这个问题的关键.

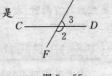

解:因为 EF 是直线(已知),

所以 $\angle 2+\angle 3=180°$(平角定义).

因为 $\angle 1+\angle 2=180°$(已知),

所以 $\angle 1=\angle 3$(同角的补角相等).

所以 $AB\parallel CD$(同位角相等,两直线平行).

图 5-55

例 6 如图 5-56 所示,已知 $CD\perp DA,DA\perp AB,\angle 1=\angle 2$,那么直线 DF 与 AE 平行吗?为什么?

〔分析〕 判断 AE 与 DF 是否平行,只要看 AE,DF 被 AD 所截得的内错角是否相等,相等就平行,否则不平行.

解:$DF\parallel AE$.理由如下:

因为 $CD\perp DA,AD\perp AB$(已知),

所以 $\angle CDA=\angle DAB=90°$(垂直定义).

因为 $\angle 1=\angle 2$(已知),

所以 $\angle CDA-\angle 2=\angle DAB-\angle 1$(等式性质),

即 $\angle 3=\angle 4$,

所以 $DF\parallel AE$(内错角相等,两直线平行).

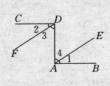

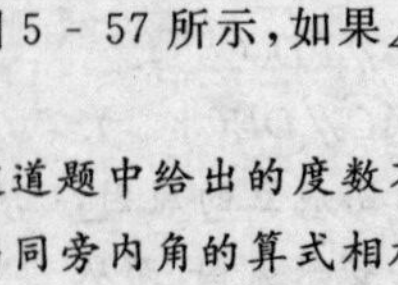

图 5-56

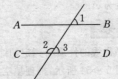

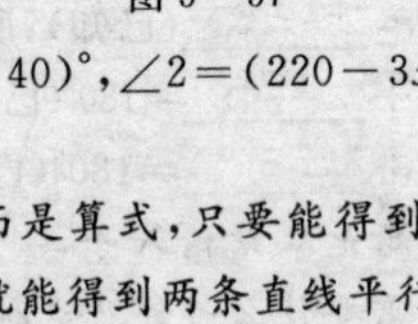

图 5-57

例 7 如图 5-57 所示,如果 $\angle 1=(3x-40)°$,$\angle 2=(220-3x)°$,那么 AB 与 CD 平行吗?

〔分析〕 这道题中给出的度数不是数字,而是算式,只要能得到同位角、内错角的算式相同或与同旁内角的算式相加得 180°,就能得到两条直线平行.

解:因为 $\angle 2=(220-3x)°$,$\angle 2+\angle 3=180°$,

所以 $\angle 3=180°-\angle 2=180°-(220-3x)°=(180-220+3x)°=(3x-40)°$.

又因为 $\angle 1=(3x-40)°$,

所以 $\angle 1=\angle 3$,

所以 $AB\parallel CD$(同位角相等,两直线平行).

探索与创新题

例8　如图5-58所示，$AB/\!/CD$，分别探索下列四个图形中∠P和∠A，∠C的关系，请你从所得的四个关系中任选一个加以说明.

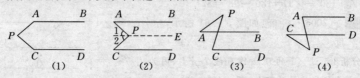

图5-58

解：图(1)是∠A+∠P+∠C=360°.

图(2)是∠P=∠A+∠C.

图(3)是∠C=∠A+∠P.

图(4)是∠A=∠C+∠P.

图(2)：过点P作PE//AB，

因为AB//CD，

所以PE//CD，

所以∠A=∠1，∠C=∠2(两直线平行，内错角相等).

所以∠1+∠2=∠A+∠C，

即∠APC=∠A+∠C.

学生做一做　(1)将两块直角三角尺的直角顶点重合为如图5-59所示的形状，若∠AOD=127°，则∠BOC=_____.

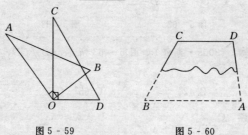

图5-59　　　　　图5-60

(2)如图5-60所示的是一块玻璃，AB//CD，玻璃的下半部分打碎了，若量得上半部分中∠C=120°，∠D=98°，你能知道下半部分中的∠A和∠B的度数吗？并说明理由.

老师评一评　(1)由题意可知，∠AOB=∠COD=90°，

又因为∠AOD=127°，所以∠BOD=127°-90°=37°，

所以∠BOC=∠COD-∠BOD=90°-37°=53°.

(2)因为 $AB/\!/CD$,所以 $\angle C+\angle B=180°,\angle D+\angle A=180°$.

又因为 $\angle C=120°,\angle D=98°$,

所以 $\angle B=180°-\angle C=180°-120°=60°$.

$\angle A=180°-\angle D=180°-98°=82°$.

例9 (2005·河南)如图 5-61 所示,$l_1/\!/l_2$,则 $\angle 1=$_____度.

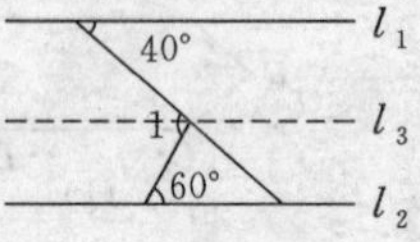

〔分析〕 过 $\angle 1$ 的顶点作直线 $l_3/\!/l_1$,因为 $l_1/\!/l_2$,所以 $l_2/\!/l_3$,由平行线的性质可知 $\angle 1=40°+60°=100°$.

图 5-61

例10 (2005·新疆)如图 5-62 所示,$AB/\!/CD$,$\angle 1=140°$,$\angle 2=90°$,则 $\angle 3$ 的度数是 ( )

A. $40°$ B. $45°$

C. $50°$ D. $60°$

〔分析〕 通过添加辅助线,运用平行线的性质来解题.过点 E 作 $EF/\!/AB$,因为 $AB/\!/CD$,所以 $EF/\!/CD$.又 $AB/\!/EF$ 且 $\angle 1=140°$,所以 $\angle AEF+\angle 1=180°$,即 $\angle AEF=40°$,又 $\angle 2=90°$,所以 $\angle FEC=90°-40°=50°$,又 $EF/\!/CD$,所以 $\angle 3=\angle FEC=50°$,故正确答案为 C 项.

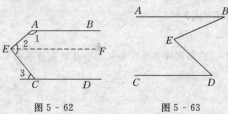

图 5-62   图 5-63

学生做一做 (2005·浙江)如图 5-63 所示,$AB/\!/CD$,$\angle B=23°$,$\angle D=42°$,则 $\angle E$ 等于 ( )

A. $23°$ B. $42°$ C. $65°$ D. $19°$

老师评一评 C

易错与疑难题

例11 判断题.

(1)两条不相交的直线叫做平行线. ( )

(2)过一点有且只有一条直线与已知直线平行. ( )

(3)在同一平面内不相交的两条射线是平行线. ( )

错解:(1)√ (2)√ (3)√

〔分析〕（1）平行线的定义必须强调在同一平面内,图 5 - 64 中的 AB 与 CC' 不相交,但也不平行.

（2）该点若在已知直线上,画不出与已知直线平行的直线.

（3）如图 5 - 65 所示,射线 AB 与射线 CD 不相交,也不平行.

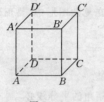

图 5 - 64　　　　　　　　图 5 - 65

正解:（1）╳　（2）╳　（3）╳

例 12　如图 5 - 66 所示,由下列条件可判定哪两条直线平行?

$\angle 1 = \angle 3$,$\angle 2 = \angle 4$.

错解:（1）由 $\angle 1 = \angle 3$ 可判定 $DC \parallel AB$.

（2）由 $\angle 2 = \angle 4$ 可判定 $DA \parallel CB$.

〔分析〕 $\angle 1$ 与 $\angle 3$ 是 DA,CB 被 AC 所截得的内错角,若 $\angle 1 = \angle 3$,则可判断出被截两直线 DA,BC 平行,而与 DC,AB 无关.

正解:（1）由 $\angle 1 = \angle 3$,可判定 $DA \parallel CB$.

（2）由 $\angle 2 = \angle 4$,可判定 $DC \parallel AB$.

图 5 - 66

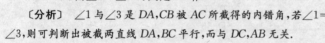

中考展望　　点击中考

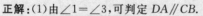

中考命题总结与展望

本节内容会单独在填空题或选择题中出现,难度不大,但此节内容非常重要,在大题中,经常与其他内容综合起来考查.

中考试题预测

例题　如图 5 - 67 所示,$AB \parallel CD$,$BC \parallel DE$,那么 $\angle B +$

$\angle D = $ _____ 度.

〔分析〕 解决此题过程中,包含了两个层次:第一个层次是由 $AB \parallel CD$,得 $\angle B = \angle C$;第二个层次是由 $BC \parallel DE$,得到 $\angle C + \angle D = 180°$,从而得出 $\angle B + \angle D = 180°$.

答案:180

图 5 - 67

课堂小结 本节归纳

1.本节要掌握好平行线的画法,重要的是平行公理及它的推论,它是我们学习几何的基础,今后经常会用到.

2.平行线的判定方法应熟练掌握,尤其在复杂图形中,要正确判断出什么角,什么关系,由此推出哪两条直线平行.

自我评价 知识巩固

1.两条平行线被第三条直线所截,则一对内错角的平分线必 (　　)
   A.互相平行　　　　　　　　B.互相垂直
   C.相交但不垂直　　　　　　D.重合

2.已知直线 $a,b,c,a \perp b,b // c$,则 a 与 c 的位置关系是 (　　)
   A.平行　　　　　　　　　　B.相交但不垂直
   C.垂直　　　　　　　　　　D.重合

3.如图 5 - 68 所示,已知 $a // b,\angle 1 = 105°,\angle 2 = 140°$,则 $\angle 3$ 等于 (　　)
   A.70°　　　　　　　　　　B.65°
   C.60°　　　　　　　　　　D.55°

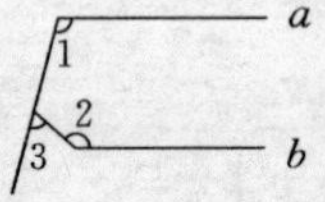

图 5 - 68

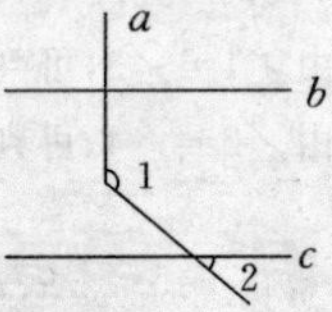

图 5 - 69

4.如图 5 - 69 所示,已知 $b // c,a \perp b,\angle 1 = 130°$,则 $\angle 2$ 等于 (　　)
   A.30°　　　　B.40°　　　　C.50°　　　　D.60°

5.如果一条直线垂直于两条平行线之一,那么也必定_____.

6.如图 5 - 70 所示,$AB // CD,\angle 1 = 72°,\angle 2 = 63°$,则 $\angle AEB =$ _____.

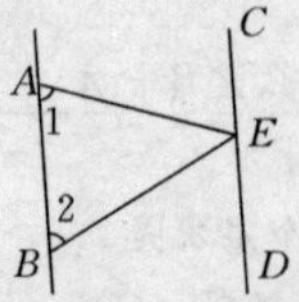

图 5 - 70

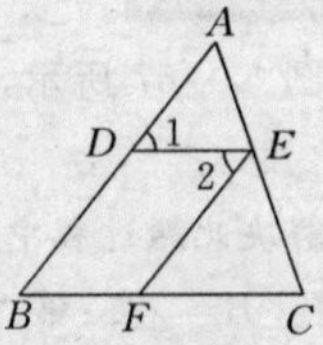

图 5 - 71

7.如图 5 - 71 所示,因为 $\angle 1 = \angle 2$(已知),所以_____//_____(　　　　).
   因为 $\angle 1 = \angle B$(已知),所以_____//_____(　　　　).

8. 如图 5-72 所示,因为∠DAF=∠AFE(已知),所以 AD//_____(　　　).
   又因为∠ADC+∠DCB=180°(已知),所以 AD//_____(　　　).
   所以 EF//BC(　　　).

图 5-72

图 5-73

图 5-74

9. 直线 a//b,b//c,c//d,则 a 与 d 之间的关系如何,为什么?

10. 如图 5-73 所示,AD//BC,E 为 AB 上任一点.
    (1)过 E 点画 EF//AD,交 DC 于点 F;
    (2)问 EF 与 BC 之间有什么样的位置关系?为什么?

11. 如图 5-74 所示,AD 与 BC 相交于点 O,∠1=∠B,∠2=∠C,问 AB 与 CD 平行吗?为什么?

12. 如图 5-75 所示,AF,CE,DB 相交于点 B,BE 平分∠DBF,且∠1=∠C,问 BD 与 AC 平行吗?为什么?

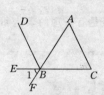

图 5-75

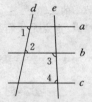

图 5-76

13. 如图 5-76 所示,已知直线 a,b,c,d,e,且∠1=∠2,∠3+∠4=180°,问 a 与 c 平行吗?为什么?

😊 评价标准 ☹️

1. A　2. C　3. B　4. B　5. 垂直于另一条　6. 45°　7. AB　EF　内错角相等,两直线平行　DE　BC　同位角相等,两直线平行　8. EF　内错角相等,两直线平行　BC　同旁内角互补,两直线平行　平行于同一条直线的两直线平行

9. 提示:a//d,由平行的传递性.

10. (1)略　(2)提示:EF//BC,因为平行于同一条直线的两直线平行.

11. 解:AB//CD.理由如下:
    因为∠1=∠B,∠2=∠C(已知),∠1=∠2(对顶角相等),
    所以∠B=∠C(等量代换),所以 AB//CD(内错角相等,两直线平行).

12. 解: $BD/\!/AC$. 理由如下:

因为 BE 平分 $\angle DBF$, 所以 $\angle DBE = \angle 1 = \angle C$,

所以 $BD/\!/AC$ (同位角相等, 两直线平行).

13. 解: $a/\!/c$. 理由如下:

因为 $\angle 1 = \angle 2$ (已知), 所以 $a/\!/b$ (内错角相等, 两直线平行).

又因为 $\angle 3 + \angle 4 = 180°$, 所以 $b/\!/c$ (同旁内角互补, 两直线平行).

所以 $a/\!/c$ (平行于同一条直线的两直线平行).

5.3 平行线的性质

新课指南

1. **知识与技能**: 经历探索平行线的性质的过程, 初步掌握平行线的特征, 掌握命题的含义.

2. **过程与方法**: 经历观察、操作、推理、交流等活动, 通过实际操作以及操作过程中的思考来理解平行线的性质, 进一步发展空间观念和推理能力.

3. **情感态度与价值观**: 使学生初步养成言之有据的习惯, 培养他们的好奇心与学习数学的兴趣.

4. **重点与难点**: 重点是平行线性质的探索, 难点是有条理的表达和简单的推理.

教材解读 精华要义

数学与生活

如图 5-77 所示, 打台球时, 用白球沿图示方向去打黑球, 要使黑球经过一次反弹后直接撞入袋中, 已知入射角 $\angle 4$ 等于反射角 $\angle 5$, 且 $\angle 1 = \angle 2$, 若 $\angle 3 = 30°$, 那么去打白球时必须保持 $\angle 1$ 等于什么样的度数?

思考讨论 由台球桌是矩形可知, 对边平行, 相邻两边夹角为直角, 考虑能否利用平行线的知识求出 $\angle 1$ 的度数来?

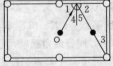

图 5-77

知识详解

知识点 1 平行线的性质

性质 1: 两条平行线被第三条直线所截, 同位角相等.

简称: 两直线平行, 同位角相等.

如图 5-78 所示，$AB/\!/EF$，有 $\angle1=\angle2$. 其推理过程如下：

因为 $AB/\!/EF$（已知），

所以 $\angle1=\angle2$（两直线平行，同位角相等）.

性质 2：两条平行线被第三条直线所截，内错角相等.

简称：两直线平行，内错角相等.

如图 5-78 所示，$AB/\!/EF$，有 $\angle2=\angle4$. 其推理过程如下：

因为 $AB/\!/EF$（已知），

所以 $\angle2=\angle4$（内错角相等）.

性质 3：两条平行线被第三条直线所截，同旁内角互补.

简称：两直线平行，同旁内角互补.

如图 5-78 所示，$AB/\!/EF$，有 $\angle3+\angle2=180°$. 其推理过程

如下：

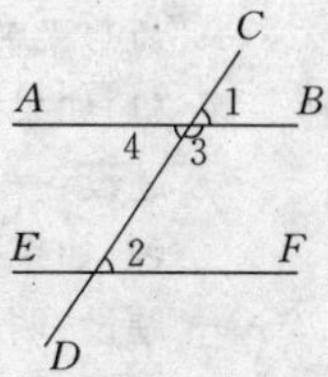

图 5-78

因为 $AB/\!/EF$（已知），

所以 $\angle3+\angle2=180°$（两直线平行，同旁内角互补）.

【注意】 同位角相等，同旁内角互补，内错角相等，都是平行线特有的性质，切不可忽略前提条件"两直线平行"，不要一提同位角或内错角，就认为是相等的.

知识点 2　平行线的距离

定义：同时垂直于两条平行线，并且夹在这两条平行线间的线段的长度，叫做这两条平行线的距离.

【注意】 夹在两条平行线间的线段必须是和这两条平行线垂直的，否则不叫两条平行线的距离.

如图 5-79 所示，$AB/\!/CD$，$EF\perp CD$，EF 的长度就是 AB，CD 间的距离，MN，PQ 的长度则不是，但 $MN/\!/PQ$，有 $MN=PQ$，即夹在两条平行线间的平行线段是相等的.

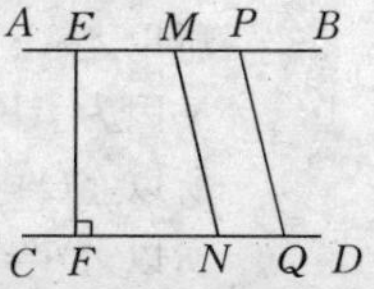

图 5-79

知识点 3　命题

定义：判断一件事情的语句，叫做命题.

【注意】 必须是对一件事情作出明确判断的语句才能是命题，它必须是陈述句.

命题的组成：命题由题设和结论两部分组成.

命题的形式：命题通常写成"如果……那么……"的形式，这时，"如果"后接的部分是题设，"那么"后接的部分是结论.

典例剖析　师生互动

基本概念题

主要考查对基本概念的理解.

例1 把下列命题改写成"如果……那么……"的形式，并分别指出它们的题设

和结论.

(1)整数一定是有理数;

(2)同角的补角相等;

(3)两个锐角互余.

〔分析〕 叙述简单的命题,要善于分清题设与结论,这是改写成"如果……那么……"的形式的基础.

解:(1)如果一个数是整数,那么它一定是有理数.

题设:一个数是整数;结论:它一定是有理数.

(2)如果两个角是同一个角的补角,那么这两个角相等.

题设:两个角是同一个角的补角;结论:这两个角相等.

(3)如果两个角是锐角,那么这两个角互为余角.

题设:两个角是锐角;结论:这两个角互为余角.

基础知识应用题

主要考查对平行线性质的应用.

例2 如图 5-80 所示,$AB\parallel DC$,$AD\parallel BC$,问∠A 与∠C 有怎样的大小关系?

〔分析〕 因为已知两组直线分别平行,根据平行线的性质,知道角与角之间有一定的数量关系.

图 5-80

解:∠A=∠C.理由如下:

因为 $AD\parallel BC$(已知),

所以∠A+∠B=180°(两直线平行,同旁内角互补).

又因为 $AB\parallel DC$(已知),

所以∠C+∠B=180°(两直线平行,同旁内角互补).

所以∠A=∠C(同角的补角相等).

【说明】 解答本题时,要先对问题中∠A 与∠C 有怎样的大小关系作出回答,再说明理由,这是解答这类题的基本步骤.

例3 如图 5-81 所示,$AB\parallel CD$,$AC\perp BC$,图中与∠CAB 互余的角有几个?

〔分析〕 互余的两个角的特征是两个角的和是90°,与位置没有关系,而两直线平行,同位角相等.

解:有 3 个,分别是∠2,∠3 和∠CBA.

图 5-81

学生做一做 如图 5-81 所示,已知 $AB\parallel CD$,$AC\perp BC$,∠1=70°,求∠3 的度数.

小结 已知两直线平行,寻求角的关系,往往从平行入手,根据平行线的性质来找同位角、内错角和同旁内角.

例4　如图5-82所示,$AD \perp BC$,$EF \perp BC$,$\angle 3 = \angle C$,问$\angle 1$和$\angle 2$什么关系?并说明理由.

　　解法1:$\angle 1 = \angle 2$.理由如下:

　　　　因为$AD \perp BC$,$EF \perp BC$(已知),

　　　　所以$AD /\!/ EF$(同位角相等,两直线平行),

　　　　所以$\angle 1 = \angle 4$(两直线平行,同位角相等),

　　　　又因为$\angle 3 = \angle C$(已知),

　　　　所以$AC /\!/ DG$(同位角相等,两直线平行),

　　　　所以$\angle 2 = \angle 4$(两直线平行,内错角相等),

　　　　所以$\angle 1 = \angle 2$.

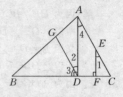

图5-82

　　解法2:$\angle 1 = \angle 2$.理由如下:

　　　　因为$AD \perp BC$(已知),

　　　　所以$\angle ADB = 90°$(垂直定义),

　　　　又因为$\angle 2 + \angle 3 = \angle ADB = 90°$,

　　　　所以$\angle 2 = 90° - \angle 3$,

　　　　又因为$EF \perp BC$(已知),

　　　　所以$\angle EFC = 90°$(垂直定义),

　　　　所以$\angle 1 + \angle C = 90°$,

　　　　所以$\angle 1 = 90° - \angle C$,

　　　　又因为$\angle 3 = \angle C$,

　　　　所以$\angle 1 = 90° - \angle 3$,

　　　　所以$\angle 1 = \angle 2$.

综合应用题

　　主要考查平行线的性质与平行线的判定的综合应用.

　　例5　如图5-83所示,已知直线$a /\!/ b$,直线$c /\!/ d$,$\angle 1 = 105°$,求$\angle 2$,$\angle 3$的度数.

　　〔分析〕　由$a /\!/ b$,可得$\angle 1 = \angle 2$,从而求得$\angle 2 = 105°$,又由$c /\!/ d$,可得$\angle 3 = \angle 2$,从而求得$\angle 3 = 105°$.

　　解:因为$a /\!/ b$(已知),

　　　　所以$\angle 2 = \angle 1$(两直线平行,内错角相等).

　　　　又因为$\angle 1 = 105°$(已知),

　　　　所以$\angle 2 = 105°$(等量代换).

　　　　因为$c /\!/ d$(已知),

　　　　所以$\angle 3 = \angle 2$(两直线平行,同位角相等).

　　　　所以$\angle 3 = 105°$(等量代换).

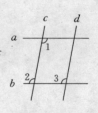

图5-83

　　例6　如图5-84所示,已知$DE /\!/ BC$,$\angle D : \angle DBC = 2 : 1$,$\angle 1 = \angle 2$,求$\angle DEB$的度数.

　　〔分析〕　图中BD和BE都可作为平行线DE,BC的截线,由

图5-84

此可得∠DEB=∠1,∠D+∠1+∠2=180°,所以再结合已知条件便可求得∠DEB的度数.

解:因为DE∥BC(已知),

所以∠D+∠DBC=180°(两直线平行,同旁内角互补).

又因为∠D:∠DBC=2:1(已知),

所以∠DBC=60°.

因为∠DBC=∠1+∠2,∠1=∠2(已知),

所以∠1=30°.

因为DE∥BC(已知),

所以∠DEB=∠1(两直线平行,内错角相等).

所以∠DEB=30°(等量代换).

例7 如图5-85所示,∠1=50°,∠2=50°,∠3=100°,那么∠4的度数是_____.

〔分析〕 本题综合运用了平行线的性质与判定.由∠1=50°,∠2=50°,得到∠1=∠2,所以a∥b,又因为∠3=100°,所以∠5=∠3=100°,又由∠4+∠5=180°,得∠4=180°-∠5=180°-100°=80°.

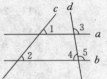

图5-85

探索与创新题

例8 把一张长方形纸片ABCD沿EF折叠后,ED与BC的交点为G点,D,C分别在D′,C′的位置上,如图5-86所示,若∠EFG=55°,求∠1与∠2的度数.

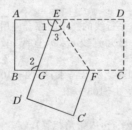

图5-86

〔分析〕 由图形的折叠能够得到对应图形的对应角相等,对应的线段也相等.

解:由题意可得∠3=∠4,

因为∠EFG=55°,AD∥BC,

所以∠3=∠4=∠EFG=55°,

所以∠1=180°-∠3-∠4=180°-55°×2=70°.

又因为AD∥BC,

所以∠1+∠2=180°,

即∠2＝180°－∠1＝180°－70°＝110°.

例 9　如图 5－87 所示，$AB/\!/CD$，请你猜想一下∠B＋∠BED＋∠D 的度数.
并说明理由.

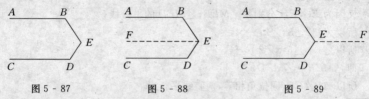

图 5－87　　　　　　图 5－88　　　　　　图 5－89

解法 1：如图 5－88 所示，过点 E 作 $EF/\!/AB$，

所以∠B＋∠BEF＝180°（两直线平行，同旁内角互补）.

又因为 $AB/\!/CD$，

所以 $EF/\!/CD$，

所以∠D＋∠DEF＝180°（两直线平行，同旁内角互补）.

又因为∠BED＝∠BEF＋∠DEF，

所以∠B＋∠BEF＋∠D＋∠DEF＝360°.

即∠B＋∠BED＋∠D＝360°.

解法 2：如图 5－89 所示，过点 E 作 $EF/\!/AB$，

所以∠B＝∠BEF（两直线平行，内错角相等）.

又因为 $AB/\!/CD$，

所以 $EF/\!/CD$，

所以∠D＝∠DEF（两直线平行，内错角相等）.

又因为∠BEF＋∠BED＋∠DEF＝360°，

所以∠B＋∠BED＋∠D

＝∠BEF＋∠BED＋∠DEF

＝360°.

学生做一做　(1)如图 5－90 所示，$AB/\!/CD$，试说明∠E＝∠A＋∠C；

(2)如图 5－90 所示，若∠E＝∠A＋∠C，试说明 $AB/\!/CD$.

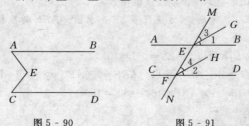

图 5－90　　　　　　　图 5－91

例 10　如图 5－91 所示，直线 AB 和 CD 分别和直线 MN 相交于点 E，F 两点，
EG 平分∠MEB，FH 平分∠MFD，$EG/\!/FH$.试问 $AB/\!/CD$ 吗？请说明理由.

解:$AB/\!/CD$,理由如下:

因为 $EG/\!/FH$,

所以 $\angle 3=\angle 4$,

又因为 EG,FH 分别是 $\angle MEB,\angle MFD$ 的平分线,

所以 $\angle 1=\angle 3,\angle 2=\angle 4$,

所以 $\angle 1+\angle 3=\angle 2+\angle 4$,

即 $\angle MEB=\angle MFD$,

所以 $AB/\!/CD$(同位角相等,两直线平行).

例 11 (2005·太原)如图 5 - 92 所示,两条直线 a,b 被第三条直线 c 所截,如果 $a/\!/b$,$\angle 1=50°$,那么 $\angle 2$ 的度数为 ( )

A. $130°$ B. $100°$

C. $80°$ D. $40°$

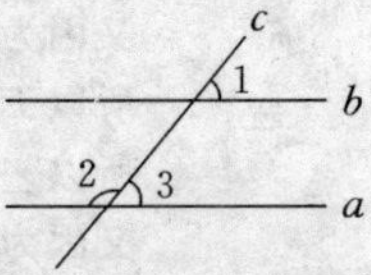

〔分析〕 因为 $a/\!/b$,所以 $\angle 1=\angle 3=50°$,又因为 $\angle 2+\angle 3=180°$,所以 $\angle 2=180°-\angle 3=180°-50°=130°$,故正确答案为 A 项.

图 5 - 92

学生做一做 (2003·河北)如图 5 - 93 所示,直线 $a/\!/b$,若 $\angle 2=115°$,则 $\angle 1=$ _____.

老师评一评 $65°$

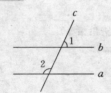

图 5 - 93

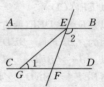

图 5 - 94

例 12 (2005·广东)如图 5 - 94 所示,$AB/\!/CD$,直线 EF 分别交 AB,CD 于点 E,F,EG 平分 $\angle AEF$,$\angle 1=40°$,求 $\angle 2$ 的度数.

〔分析〕 欲求 $\angle 2$ 的度数,方法很多,可先求出 $\angle AEF$ 的度数,再利用互补求 $\angle 2$ 的度数.

解:因为 $AB/\!/CD$,所以 $\angle AEG=\angle 1=40°$,

又因为 EG 平分 $\angle AEF$,所以 $\angle AEF=2\angle AEG=2\times 40°=80°$.

所以 $\angle 2=180°-\angle AEF=180°-80°=100°$.

易错与疑难题

本节知识在理解用上易出现:(1)对于命题这一概念的理解不透彻;(2)对于平行线的性质和判定理解不清.

例 13 判断下列语句是否是命题.如果是,请写出它的题设和结论.

(1)内错角相等;

(2)对顶角相等;

(3)画一个 60°的角.

错解:(1)(2)不是命题,(3)是命题.

〔分析〕 对于命题的概念理解不透彻,往往认为只有存在因果关系的关联词才是命题,正确认识命题这一概念,关键要注意两点,其一必须是一个语句,是一句话;其二必须存在判断关系,即"是"或"不是".

正解:(1)是命题.这个命题的题设是:两条直线被第三条直线所截;结论是:内错角相等.这个命题是一个错误的命题,即假命题.

(2)是命题.这个命题的题设是:两个角是对顶角;结论是:这两个角相等.这个命题是一个正确的命题,即真命题.

(3)不是命题,它不是判断一件事情的语句.

例 14 如图 5 - 95 所示,直线 $a\ /\!/\ b$,$\angle 1 = 70°$,求 $\angle 2$ 的度数.

错解:由于 $a\ /\!/\ b$,根据内错角相等,两直线平行,得到 $\angle 1 = \angle 2$,又因为 $\angle 1 = 70°$,所以 $\angle 2 = 70°$.

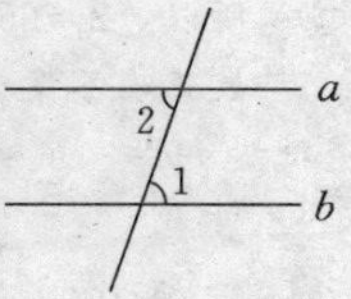

〔分析〕 造成这种错误的原因主要是对平行线的判定和性质的混淆.在运用的时候要注意:(1)判定是不知道直线平行,是根据某些条件来判断两条直线是否平行;(2)性质是知道两直线平行,是根据两直线平行得到其他关系.

图 5 - 95

正解:因为 $a\ /\!/\ b$(已知),

所以 $\angle 1 = \angle 2$(两直线平行,内错角相等),

又因为 $\angle 1 = 70°$(已知),

所以 $\angle 2 = 70°$.

中考展望　　点击中考

中考命题总结与展望

本节内容会在填空题或选择题中出现,难度不大,但此节内容非常重要,在大题中经常会用到此节内容,特别是平行线的性质.

中考试题预测

例 1 (中考预测题)如图 5 - 96 所示,直线 $AB\ /\!/\ CD$,$\angle 1 = 75°$,则 $\angle 2 = $ _____.

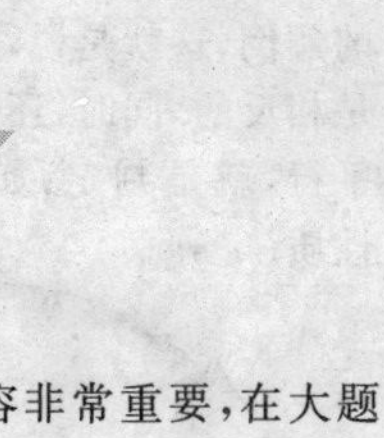

〔分析〕 本题意在考查平行线的性质,因为 $AB\ /\!/\ CD$,所以 $\angle 1 = \angle MND$(两直线平行,同位角相等),又因为 $\angle 1 = 75°$,所以

图 5 - 96

$\angle MND = 75°$,又因为$\angle MND + \angle 2 = 180°$,所以$\angle 2 = 180° - \angle MND = 180° - 75° = 105°$.

例2 (2004·湖北)如图5-97所示,已知$AB \parallel CD$,直线EF分别交AB和CD于点E和F,EG平分$\angle BEF$,若$\angle 1 = 50°$,则$\angle 2$的度数为   (   )

A.50°   B.60°   C.65°   D.70°

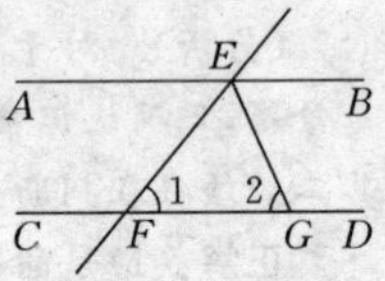

〔分析〕 本题重点考查平行线的性质.

因为$AB \parallel CD$,

所以$\angle BEF + \angle 1 = 180°$(两直线平行,同旁内角互补),

又因为$\angle 1 = 50°$,

所以$\angle BEF = 180° - \angle 1 = 180° - 50° = 130°$.

又因为EG是$\angle BEF$的角平分线,

所以$\angle BEG = \dfrac{1}{2}\angle BEF = \dfrac{1}{2} \times 130° = 65°$,

又因为$AB \parallel CD$,

所以$\angle BEG = \angle 2$(两直线平行,内错角相等),

所以$\angle 2 = 65°$.

故正确答案为C项.

图 5-97

课堂小结   本节归纳

本节课主要学习了平行线的三个性质:

(1)两直线平行,同位角相等;

(2)两直线平行,内错角相等;

(3)两直线平行,同旁内角互补.

在运用这些性质时,要注意把性质和判定区别开来,它们的根本区别是因果关系的颠倒,这就是说,判定的题设是性质的结论,而性质的题设是判定的结论,它们正好是相反的.同时,还要明确判定和性质的用途不同,从角的关系得到的结论是两直线平行,就是判定;如果已知直线平行,由平行线得角相等或互补关系,是平行线的性质.

习题选解   课本习题

课本第25~27页

习题5.3

1.解:第二次拐的角是$36°$,根据两直线平行,同位角相等.

2.$\angle B = 120°$,不能求出$\angle D$的度数.

3.解:(1)$\angle 2 = 110°$,两直线平行,内错角相等.

(2)$\angle 3 = 110°$,两直线平行,同位角相等.

(3)∠4＝70°,两直线平行,同旁内角互补.

4.解:∠2＝∠1＝80°,两直线平行,内错角相等.

　　∠4＝180°－∠5＝180°－70°＝110°,∠4 与∠5 互为邻补角.

　　∠3＝∠4＝110°,两直线平行,同位角相等.

5.解:应以 60°角铺设,两直线平行,同旁内角互补.

6.(1)C　(2)C

7.解:∠3＝∠1＝45°,∠4＝∠2＝122°,

　　∠5＝180°－∠2＝180°－122°＝58°,

　　∠6＝∠5＝58°.

8.解:(1)因为∠1＝∠2(已知),所以 AB∥EF(内错角相等,两直线平行).

　　(2)因为 DE∥BC(已知),所以∠1＝∠B,∠3＝∠C(两直线平行,同位角相等).

11.解:(1)∠DAB＝∠B＝44°(两直线平行,内错角相等).

　　(2)∠EAC＝∠C＝57°(两直线平行,内错角相等).

　　(3)∠BAC＝180°－∠DAB－∠EAC＝180°－44°－57°＝79°.

　　通过这道题能说明三角形的内角和是 180°.

12.解:∠2＝∠3,因为反射光线的两个镜面是平行的.

自我评价　知识巩固

1.下列说法正确的是　　　　　　　　　　　　　　　　　　　　　　　　(　　)

　　A.两条直线被第三条直线所截,则有两对内错角相等

　　B.平行于同一条直线的两直线平行

　　C.垂直于同一条直线的两直线垂直

　　D.两条直线被第三条直线所截,同位角相等

2.如果两个角的两边分别平行,而其中一个角比另一个角的 3 倍少 20°,那么这两个

　　角的度数是　　　　　　　　　　　　　　　　　　　　　　　　　　　(　　)

　　A.50°和 130°　　　　　　　　　　　　B.60°和 120°

　　C.65°和 115°　　　　　　　　　　　　D.以上都不对

3.若两个角的一边在同一条直线上,另一边互相平行,则这两个角　　　　(　　)

　　A.相等　　　　　　　　　　　　　　　B.互补

　　C.相等且互补　　　　　　　　　　　　D.相等或互补

4.下列说法正确的是　　　　　　　　　　　　　　　　　　　　　　　　(　　)

　　A.如果线段 AB 和线段 CD 不相交,则线段 AB 与 CD 平行

　　B.如果两个角相等,则它们是对顶角

　　C.如果直线 a,b 被直线 c 所截得的八个角都相等,那么 a∥b

　　D.如果一个角的两边分别平行另一个角的两边,那么这两个角必相等

5.有如下语句:①一个锐角与一个钝角互补;②一个角的补角一定大于这个角;③如

　　果两个角互余且相等,那么这两个角都等于 45°;④内错角相等.其中正确的是

　　　　　　　　　　　　　　　　　　　　　　　　　　　　　　　　　　(　　)

A. ①②③④   B. ②③④

C. ③④   D. 只有③

6. 如图 5 - 98 所示,已知 $AB \parallel CD$, $\angle 1 = 50°$,则 $\angle 2 =$ _____.

7. 若两条平行线被第三条直线所截,则同旁内角的平分线相交所成的角的度数是 _____.

8. 将命题"同位角相等"改写成"如果……那么……"的形式为 _____.

9. 如图 5 - 99 所示,$\angle EAC$ 的平分线 $AD \parallel BC$,则图中与 $\angle B$ 相等的角是 _____,_____,_____.

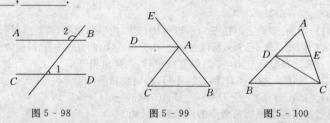

图 5 - 98   图 5 - 99   图 5 - 100

10. 如图 5 - 100 所示,已知 CD 平分 $\angle ACB$, $DE \parallel BC$, $\angle AED = 70°$,则 $\angle EDC =$ _____度.

11. 如图 5 - 101 所示,$DE \parallel FG \parallel BC$, $DC \parallel FH$,那么与 $\angle 1$ 相等的角共有 _____个.

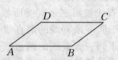

图 5 - 101   图 5 - 102

12. 如图 5 - 102 所示,已知 $AB \parallel CD$, $AD \parallel BC$, $\angle A$ 的 2 倍与 $\angle C$ 的 3 倍互补,求 $\angle A$ 和 $\angle D$ 的度数.

13. 如图 5 - 103 所示,已知 $AB \parallel CD$, $\angle ABE = 130°$, $\angle CDE = 152°$,求 $\angle BED$ 的度数.

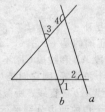

图 5 - 103   图 5 - 104

14. 如图 5 - 104 所示,已知 $\angle 1 = 72°$, $\angle 2 = 72°$, $\angle 3 = 60°$,求 $\angle 4$ 的度数.

🙂评价标准🙁

1. B   2. A   3. D   4. C   5. D   6. 130°   7. 90°   8. 如果两个角是同位角,那么这两个角相等   9. ∠EAD   ∠DAC   ∠C   10. 35   11. 5   12. ∠A=36°,∠D=144°.
13. 78°.   14. 120°.

5.4 平 移

新课指南

1. **知识与技能**:通过观察、欣赏和设计图案的活动,理解什么是图形的平移,并熟悉平移的特征,即理解对应点连线平行且相等的性质.

2. **过程与方法**:经历观察、分析、操作、欣赏图案的过程,通过对具体实例的认识,了解平移的含义及平移的性质.

3. **情感态度与价值观**:经过本节知识的学习,进一步发展学生的空间观念,增强审美意识,同时在学习中要注意变换的思想的应用.

4. **重点与难点**:重点是正确理解平移的含义,熟练掌握平移的特征,利用平移的特征,准确地进行图形平移和图案设计;难点是利用平移的特征,准确地进行图形的平移,解决难点的关键在于弄清楚平移的方向和距离.

教材解读 精华要义

数学与生活

　　某童装厂为了吸引小朋友的注意力,决定在做上衣的布料上每隔 5 cm 就画一个"蓝猫"的卡通图象.如果一个一个地画上去,既费时又费力,于是该厂服装设计师想出了一个解决的办法,即先制作一幅"蓝猫"的卡通图象,再按照上下、左右的方向,每隔 5 cm 印制一次,便可以完成图案制作.用这种方法来设计图象既省力又省时.

　📖**思考讨论** 设计师把一幅"蓝猫"图象通过上下、左右平移达到整幅图案设计,达到省时省力的目的,这是为什么呢? 用这种方法设计的图案符合要求吗?

知识详解

　　知识点1 平移的概念

　　一个图形沿着一定的方向平行移动,叫做平移变换,简称平移.

如图 5 - 105 所示,三角形 $A'B'C'$ 即是三角形 ABC 沿着射线 AA' 的方向平移 AA' 长得到的.

知识点 2　平移的特征

(1)图形平移后会得到一个新的图形,新图形与原图形的形状和大小完全相同.

(2)新图形和原图形中的对应线段平行(或在同一条直线上)且相等,对应角相等.

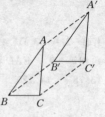

图 5 - 105

如图 5 - 106 所示,A' 是 A 平移后得到的,所以 A' 与 A 是对应点.同理,B 和 B',C 和 C' 都是对应点,连接对应点的线段即对应线段,对应线段组成的角即对应角.图中有 $AC // A'C'$,$AC = A'C'$,BC 和 $B'C'$ 在同一条直线上,且 $BC = B'C'$,$\angle B = \angle B'$.

(3)连接各对应点的线段平行(或在同一条直线上)且相等.

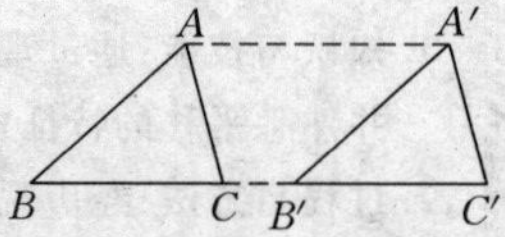

如图 5 - 106 所示,$AA' // BB'$,且 $AA' = BB'$,BB' 和 CC' 在同一条直线上,且 $BB' = CC'$.

图 5 - 106

知识点 3　决定平移的条件

决定平移的条件是平移的方向和平移的距离.

要弄清一个平移变换,首先要弄清平移的方向,它可以是上、下、左、右或用方位角表示.其次弄清平移的距离,平移的距离就是新图形与原图形对应点连线的长度.

探究交流

(?)　如图 5 - 107 所示,三角形 $A'B'C'$ 是三角形 ABC 平移得到的,在这个平移中,平移的距离是线段 AA'.这句话对吗?

点拨　平移的距离是指两个图形中对应点连线的长度,而不是线段,所以在这个平移过程中,平移的距离应该是线段 AA' 的长度.

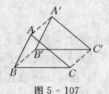

图 5 - 107

思想方法小结　变换的思想是数学领域中的一个非常重要的思想.数学中的推理、运算、解方程等实际是一种变换,图形的平移也是一种变换.在今后解决一些比较复杂的问题中,我们会发现这种变换起着非常重要的作用,因此我们一定要学好并掌握这种变换的思想方法.

知识规律小结　(1)平移是指图形的平行移动.平移时图形中的所有点移动方向一致,并且移动的距离相等.

（2）确定一个图形平移的方向和距离，只需确定其中一个点平移的方向和距离．

典例剖析　师生互动

基本概念题

主要考查平移的概念及性质．

例1　如图5-108所示，画出三角形ABC沿射线BC方向平移$\frac{1}{2}BC$长的三角形$A'B'C'$.

图5-108

图5-109

〔分析〕　欲画出平移后的三角形$A'B'C'$，只需确定三个顶点A',B',C'的位置即可，所以按题中要求分别画出点A,B,C的对应点A',B',C'，再顺次连接A',B',C'三点即可．

解：三角形$A'B'C'$的位置如图5-109所示．

例2　如图5-110所示，三角形$A'B'C'$是三角形ABC如何移动得到的？

〔分析〕　我们可以用射线的方向代替平移方向，用线段长代替平移的距离，所以平移方向是射线AA'的方向，平移的距离是线段AA'的长．

解：三角形$A'B'C'$是三角形ABC沿射线AA'的方向，移动线段AA'长得到的．

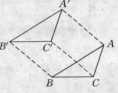

图5-110

基础知识应用题

主要考查平移的概念、性质的应用．

例3　如图5-111所示，(1)，(2)两图中，哪个图形中的一个三角形可以经过另一个三角形平移得到？

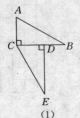

(1)

(2)

图5-111

〔分析〕 图(1),DE 和 AC 平行,但不相等;DE 和 BC 相等,但不平行,不符合平移的特征,无论怎样平移其中一个三角形也得不到另一个三角形.图(2)符合平移的特征,三角形 PQR 沿射线 PM 方向移动 PM 长即可得到三角形 MNO.

解:图(2)中的一个三角形可以经过另一个三角形平移得到.

综合应用题

主要考查平移的性质与实际问题的应用.

例 4 如图 5 - 112 所示,AD=CF,BC=EF,BC∥EF,问 AB,ED 有什么关系?请说明理由.

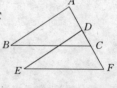

图 5 - 112

解:AB 与 ED 平行且相等.理由如下:

因为在三角形 ABC 和三角形 DEF 中,BC=EF,BC∥EF,又 A,D,C,F 四点共线,且 AD=CF,

所以将三角形 ABC 沿 CF 方向平移 CF 长便可得到三角形 DEF.

因为 AB,ED 是对应线段,

所以 AB∥ED,AB=ED.

学生做一做 如图 5 - 113 所示,已知点 A,B,C,D 在同一条直线上,AB=CD,∠D=∠ECA,EC=FD.试说明 AE=BF.

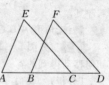

图 5 - 113

老师评一评 根据点 A,B,C,D 在同一条直线上,AB=CD,且 ∠D=∠ECA,EC=FD,可知三角形 EAC 向右平移 CD 长便可以得到三角形 BFD,所以对应线段 AE=BF,具体解法如下:

因为点 A,B,C,D 在同一条直线上,且 AB=CD,

所以 AC 向右平移 CD 长重合于 BD.

又因为 ∠D=∠ECA,EC=FD,

所以三角形 EAC 向右平移 CD 长重合于三角形 BFD.

又因为 AE 与 BF 是对应线段,

所以 AE=BF.

例 5 如图 5 - 114 所示,假定每个小正方形的边长为 1 个单位,请将图中的帆船(阴影部分)向左平移 4 个单位,再向上平移 2 个单位.

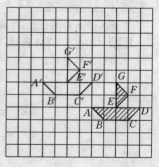

图 5 - 114

〔分析〕 先确定特殊点(图中的 A,B,…,G)平移后的对应点(A′,B′,…,G′),再按原图的顺序连接这些点即可.

解:平移后的图形如图 5 - 114 所示.

📖学生做一做　如图 5 - 115 所示,关于小船图案说法正确的是 　　　　(　　)

A. 将小船乙左移 6 格可以得到小船甲

B. 将小船甲右移 2 格可以得到小船乙

C. 将小船甲先向右平移 4 格,再向上平移 1 格后就可以得到小船乙

D. 将小船乙先向左平移 2 格,再向下平移 1 格后就可以得到小船甲

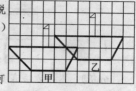

图 5 - 115

📖老师评一评　本题可利用排除法,均可按选项平移,能与图形一致的即为正确答案,经过观察发现,正确答案为 C 项.

例 6　白云宾馆在装修时,准备在主楼梯上铺上红地毯,已知这地毯每平方米售价 30 元,主楼梯宽 2 m,其侧面如图 5 - 116 所示,则购买这种地毯至少需要多少元?

〔**分析**〕　由于楼梯的宽一定,只需算准楼梯的长即可,所以只需把楼梯水平方向的长度都平移到 BC 上,把竖直方向的长度都平移到 AB 上,两者之和即为所需地毯的长度.

解:由平移的性质可知:

铺设主楼梯至少需红地毯

$5.8+2.6=8.4(m)$.

由地毯宽为 2 m 得地毯面积至少 $8.4 \times 2=16.8(m^2)$.

所以铺设主楼梯至少需 $16.8 \times 30=504$(元).

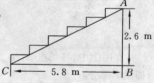

图 5 - 116

答:购买这种地毯至少需 504 元.

例 7　如图 5 - 117 所示,将长方形 $ABCD$ 沿对角线的方向 A 平移,且平移后的图形的一个顶点恰好落在 AC 的中点 O 处,则移动前后的两个图形重叠部分的面积为原长方形面积的_____.

〔**分析**〕　本题是平移的具体应用.当 A 点沿着对角线 AC 平移到点 O 时,B 平移到 BC 中点的正下方,D 平移到 DC 的中点的正右方,所以阴影长方形的边长为原长方形边长的一半,故面积为原长方形的 $\frac{1}{4}$.

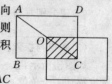

图 5 - 117

例 8　如图 5 - 118 所示,明明打算在院子里种上蔬菜,已知院落为东西长 32 m,南北宽 20 m 的长方形,为了行走方便,要修两条同样宽的小路,东西一条,南北一条,南北道路垂直于东西道路,余下部分种上蔬菜,要使蔬菜总面积为 558 m^2,道路的宽为 x 米,则可列方程为_____.

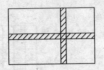

图 5 - 118

图 5 - 119

〔分析〕 本题方法有多种,若从平移的角度考虑,则只需把道路平移到边上去,不难发现图 5 - 119 中空白的长方形的面积应为 558 m². 平移后的长方形空白处长是 $(32-x)$ m,宽是 $(20-x)$ m,因此可得到方程为 $(32-x)(20-x)=558$.

探索与创新题

例 9 图形的操作过程如图 5 - 120 所示(本题中四个矩形水平方向的长均为 a,竖直方向的长均为 b):

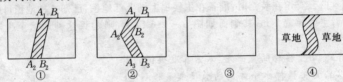

图 5 - 120

在图①中,将线段 A_1A_2 向右平移 1 个单位到 B_1B_2,得到封闭图形 $A_1A_2B_2B_1$(即阴影部分).

在图②中,将折线 $A_1A_2A_3$ 向右平移 1 个单位到 $B_1B_2B_3$,得到封闭图形 $A_1A_2A_3B_3B_2B_1$(即阴影部分).

请回答下列问题:

(1)在图③中,请你类似地画一条有两个折点的折线,同样向右平移 1 个单位,从而得到一个封闭图形,并用斜线画出阴影;

(2)请分别写出上述三个图形中除去阴影部分的剩余部分的面积:

$S_1 = $ _____ ;$S_2 = $ _____ ;$S_3 = $ _____ ;

(3)联想与探索:

如图④所示,在一块矩形草地上,有一条弯曲的柏油小路(小路任何地方的水平宽度都是 1 个单位),请你猜想空白部分表示的草地面积是多少,并说明你的猜想是正确的.

解:(1)画图(要求对应点在水平位置上,宽度保持一致).

如图 5 - 121①所示.

(2)$ab-b$;$ab-b$;$ab-b$.

(3)猜想:依据前面的有关计算,可以猜想草地的面积仍然是 $ab-b$.

方案是:①将小路沿着左右两个边界剪去;

①

②

图 5 - 121

②将左侧的草地向右平移1个单位;

③得到一个新的矩形,如图5-121②所示.

理由是:在新得到的矩形中,其纵向宽仍然是 b,其水平方向的长变成 $a-1$,所以草地的面积是 $b(a-1)=ab-b$.

例10 如图5-122①所示,一机器人在点 A 处发现一个小球自 B 点处沿着射线 BO 的方向匀速滚动,机器人立即从 A 处速直线前进去拦截小球,若小球滚动速率与机器人行走的速率相等,请在图②中标出机器人的平移方向及最快能截住小球的位置 C(本题机器人行走、小球滚动均视为点的平移).

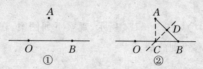

图5-122

解:连接 AB,取 AB 的中点 D,过 D 作 AB 的垂线交射线 BO 于点 C,则点 C 即为机器人截住小球的位置,机器人平移的方向为从 A 点到 C 点的方向.

小结 此题乍一看无从下手,若换个角度,理解为"现要从射线上确定一点,使该点到点 A、点 B 的距离相等".则由线段的垂直平分线的性质,使问题迎刃而解.同学们在解决类似比较棘手的问题时,要能够从不同的角度去思考问题,利用已有的数学知识,利用数学建模思想,完成对具体问题的解决.

易错与疑难题

本节知识容易出现的错误是:审题不清,没有看清平移的对象而误移整体图形.

例11 在长方形 $ABCD$ 中,对角线 AC 与 BD 相交于点 O,画出三角形 AOB 平移后的图形,其平移方向为射线 AD 的方向,平移的距离为线段 AD 的长.

错解:如图5-123①所示.

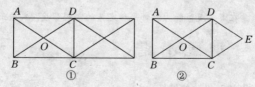

图5-123

〔**分析**〕 此题是由于审题不清造成的错误,平移的对象是三角形 AOB,而不是矩形 $ABCD$.

正解:如图5-123②所示.

中考展望　点击中考

中考命题总结与展望

在近几年的中考试题中,几何图形的操作与变换成为考查的重点之一.主要考查对图形的观察能力,对图形运动变化的分析能力,对图形动手操作的能力和逻辑思维能力.主要以选择题、解答题为主.

中考试题预测

例1 (2004·海口)如图5-124所示,观察下列图案,在A,B,C,D四幅图案中,能通过左边图形平移得到的是 (　　)

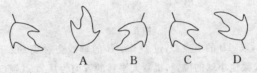

A　　B　　C　　D

图5-124

〔分析〕 本题主要考查观察能力和对平移定义的掌握程度.本题正确答案为C项.

例2 (2004·安徽)如图5-125所示,O是正六边形 $ABCDEF$ 的中心,下列图形中可由三角形 OBC 平移得到的是 (　　)

A. 三角形 OCD

B. 三角形 OAB

C. 三角形 OAF

D. 三角形 OEF

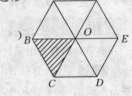

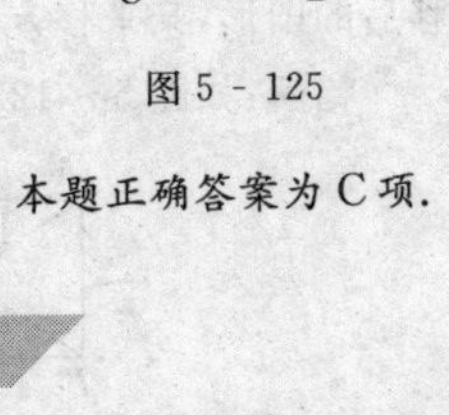

图5-125

〔分析〕 本题意在考查观察能力和对平移定义的掌握程度.本题正确答案为C项.

课堂小结　本节归纳

1.本节学习了平移及平移的特征.

2.将一个图形整体沿着一定的方向平行移动,叫平移变换,简称平移.它是由移动的方向和距离决定的.

3.平移后的图形与原图形的形状、大小完全相同,平移中对应线段平行(或在同一条直线上)且相等,对应点的连线平行(或在同一条直线上)且相等.

习题选解　课本习题

课本第33~41页

习题5.4

1.解:如图5-126所示.

图5-126

2.提示:答案不惟一,如图5-127所示.

(1)　　　　(2)

图5-127

3.解:两次平移后的三角形如图5-128所示,两次得到的三角形位置相同.

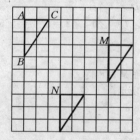

图5-128

5.解:如图5-129所示,平行四边形 $ABCD$ 中,高 $AE=h$, $AD=a$,过点 D 作 BC 的垂线,交 BC 的延长线于点 F,则 $DF \parallel AE$.在平行四边形 $ABCD$ 中,有 $AB \parallel CD$, $AB=CD$,所以 $\angle B=\angle DCF$, $\angle AEB=\angle DFC$,所以 $\angle 1=\angle 2$.又 $AE=DF$,所以三角形 ABE 向右平移 AD 长得到三角形 DCF,所以两个三角形面积相等,所以平行四边形 $ABCD$ 的面积=长方形 $AEFD$ 的面积= $AE \cdot AD$ = ah.

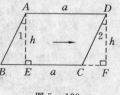

图5-129

复习题5

1.(1)√　(2)×

2. (1) ∠2＝∠3＝120°，∠4＝60°；

(2) ∠2＝108°，∠3＝108°，∠4＝72°.

3. ∠2＝64°，∠3＝26°，∠4＝154°.

4. 解：(1) 如图 5 - 130 所示.

(2) 如图 5 - 131 所示(图中长度 0.7 cm 代表实际长度 3 cm).

(3) 如图 5 - 132 所示.

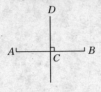

图 5 - 130

图 5 - 131

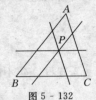

图 5 - 132

5. 解：如图 5 - 133 所示.

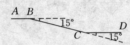

图 5 - 133

6. (1) ∠DAB＋∠B＝180°；

(2) AD∥BC，AB 与 CD 不平行.

7. 解：能，∠3＝∠5＝∠7＝∠1，∠2＝∠4＝∠6＝∠8＝180°－∠1(都用 ∠1 表示).

8. (1) B　(2) A

9. 提示：找一组同位角，看是否相等.

10. 解：(1) 如图 5 - 134 所示.

(2) ∠O＋∠OCP＝180°，

∠O＋∠ODP＝180°，

∠OCP＋∠CPD＝180°，

∠ODP＋∠DPC＝180°.

(3) ∠O＝∠ACP，

∠O＝∠BDP，

∠ACP＝∠CPD，

∠CPD＝∠PDB.

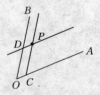

图 5 - 134

13. 提示：平行. 如图 5 - 135 所示，

由题意得 ∠1＝∠2，∠3＝∠4.

又 MC∥NB，所以 ∠2＝∠3.

所以 ∠1＝∠2＝∠3＝∠4，

所以 ∠1＋∠2＝∠3＋∠4，

所以 DC∥AB.

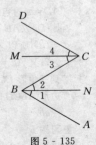

图 5 - 135

自我评价　知识巩固

1. 如图 5 - 136 所示，三角形 *ABC* 经过平移后可得到三角形 *FDE*，
则和 *BD* 对应的线段是 　　　　　（　　）

A. *DC*

B. *DE*

C. *CE*

D. 以上都不对

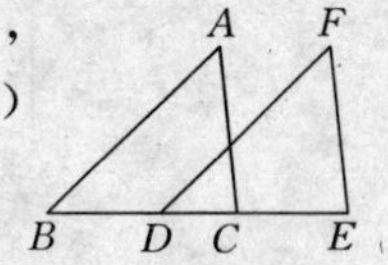

图 5 - 136

2. 下面四组图形（如图 5 - 137 所示）中，有一组中的两个图形不能经过平移得到，这
组是 　　　　　　　　　　　　　　　　　　　　　　　（　　）

A　　　　　　B　　　　　　C　　　　　　D

图 5 - 137

3. 如图 5 - 138 所示，三角形 *ABC* 经过怎样的平移得到三角形 *DEF* 　　（　　）

A. 沿射线 *AD* 的方向移动 *AD* 长　　　　B. 沿射线 *AC* 的方向移动 *AC* 长

C. 沿射线 *AF* 的方向移动 *AF* 长　　　　D. 沿射线 *FC* 的方向移动 *FC* 长

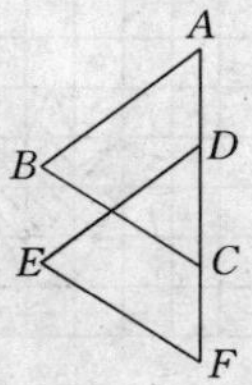

图 5 - 138

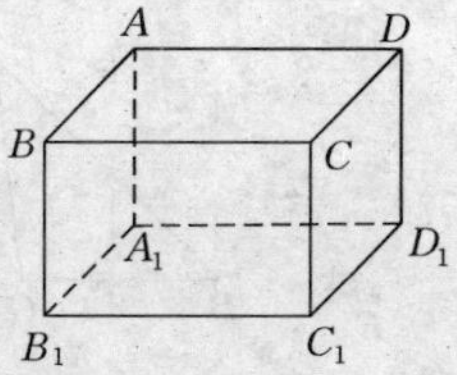

图 5 - 139

4. 如图 5 - 139 所示，在长方体的 12 条棱中，经过平移能得到 *CD* 的有 　（　　）

A. AA_1，*AB*，BB_1　　　　　　　　B. C_1D_1，DD_1，A_1D_1

C. A_1B_1，BB_1，B_1C_1　　　　　　D. C_1D_1，B_1A_1，*BA*

5. 在平移过程中，对应线段 　　　　　　　　　　　　　　　　（　　）

A. 互相平行且相等

B. 互相垂直且相等

C. 互相平行（或在同一条直线上）且相等

D. 以上都不对

6. 图 5-140 中左边的图形通过适当的平移能得到右边图形的是 （   ）

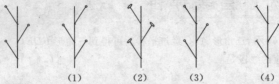

（1）　　（2）　　（3）　　（4）

图 5-140

A.（1）　　　B.（2）　　　C.（3）　　　D.（4）

7. 如图 5-141 所示，三角形 ABC 通过平移得到三角形 DEF. 已知 $\angle B=45°$，$\angle A=60°$，$\angle F=75°$，则 $\angle DEF=$ _____ 度，$\angle EOC$ = _____ 度. 若 $BC=3$ cm，$EC=\dfrac{1}{2}$ cm，则 $CF=$ _____ cm.

图 5-141

8. 一个图形沿着一定的方向平行移动叫做 _____，简称 _____. 它是由 _____ 和 _____ 所决定的.

9. 平移后的图形与原来的图形 _____ 和 _____ 都相同，因此对应线段 _____，对应角 _____.

10. 图形平移后对应点所连的线段 _____ 且 _____.

11. 如图 5-142 所示，三角形 ABC 是通过平移三角形 DEF 得到的，已知 ED 和 BA 是对应线段，请在图中画出三角形 DEF.

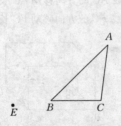

图 5-142

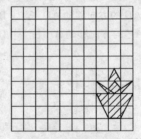

图 5-143

12. 如图 5-143 所示，画出花盆左移 6 格，再上移 3 格后的图形.

13. 如图 5-144 所示，画出该图向北偏西 $60°$ 方向平移 3 cm 后的图形.

图 5-144

图 5-145

14. 如图 5-145 所示，三角形 ABC 中，$AB=AC$，$AD\perp BC$ 于 D，画出三角形 ABD 沿

BD 方向移动 DC 长之后的三角形.

15. 火车开上桥到火车完全离开桥这一过程中,火车行驶的路程与车长、桥长有什么关系? 火车完全在桥上,这段时间内火车行驶的路程与车长、桥长有什么关系?

16. 如图 5 - 146 所示,大正方形 $ABCD$ 内有一小正方形 $DEFG$,对角线 DF 长为 6 cm,已知小正方形 $DEFG$ 向东北方向平移3 cm,就得到正方形 $D'E'BG'$.求:

(1)大正方形 $ABCD$ 的面积;

(2)小正方形 $DEFG$ 移动到正方形 $D'E'BG'$ 这个过程中扫过的面积.

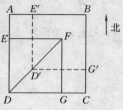

图 5 - 146

 评价标准

1.D　2.A　3.A　4.D　5.C　6.C　7.45　60　$\dfrac{5}{2}$　8.平移变换　平移　平移方

向　距离　9.形状　大小　相等　相等　10.平行(或在同一条直线上)　相等

11. 提示:过点 E 画 BA,BC 的平行线,再量取 $ED=BA$,$EF=BC$.

12. 提示:先确定特殊点的对应点,再连线.

13. 提示:先确定圆心的位置,再画等圆.

14. 解:如图 5 - 147 所示,三角形 EDC 即为所求.

15. 解:研究火车行驶的路程以火车上的同一点为参考点(即对应点),也就是火车平移的距离,如图 5 - 148 所示,火车完全过桥行驶的路程为桥长+车长.如图 5 - 149 所示,火车完全在桥上行驶的路程为桥长-2 车长.

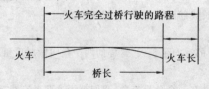

图 5 - 148

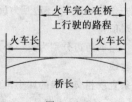

图 5 - 149

16. 解:如图 5 - 150 所示,

(1)根据题意可知 $BF=3$ cm,

所以正方形 $ABCD$ 的对角线长为 $DF+FB=9$ cm,

所以正方形 $ABCD$ 的面积为 $9 \cdot \dfrac{9}{2}=\dfrac{81}{2}$(cm²).

(2)正方形 $DEFG$ 平移过程中扫过的面积为图中阴影部分的面积,即大正方形面积-小正方形 $AE'OE$ 的面积,

根据平移的特征有 $EE'=FB$,

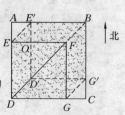

图 5 - 150

所以正方形 $AE'OE$ 的面积为 $3 \cdot \dfrac{3}{2} = \dfrac{9}{2}(\mathrm{cm}^2)$,

因此扫过的面积为 $\dfrac{81}{2} - \dfrac{9}{2} = 36(\mathrm{cm}^2)$.

章 末 总 结

知识网络图示

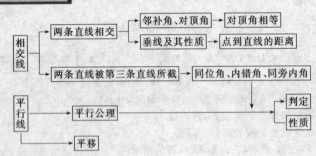

基本知识提炼整理

一、主要概念

1. 邻补角

有一条公共边,另一边互为反向延长线的两个角,叫做邻补角.

2. 对顶角

一个角的两边分别为另一个角两边的反向延长线,这样的两个角叫做对顶角.

3. 垂线

两条直线相交所成的四个角中,如果有一个角是直角,我们就说这两条直线互相垂直,其中一条直线叫做另一条直线的垂线.

4. 垂线段

过直线外一点,作已知直线的垂线,这点和垂足之间的线段.

5. 点到直线的距离

直线外一点到这条直线的垂线段的长度.

6. 平行线

在同一平面内,不相交的两条直线叫做平行线.

7. 命题

判断一件事情的语句叫做命题.

8.平移

把一个图形整体沿着某一方向平行移动,这种移动叫做平移变换,简称平移.

二、主要性质

1.对顶角的性质

对顶角相等.

2.邻补角的性质

互为邻补角的两个角和为180°.

3.垂线的基本性质

(1)经过一点有且只有一条直线垂直于已知直线.

(2)垂线段最短.

4.平行线的判定与性质

平行线的判定	平行线的性质
(1)同位角相等,两直线平行 (2)内错角相等,两直线平行 (3)同旁内角互补,两直线平行 (4)平行于同一条直线的两直线平行 (5)垂直于同一条直线的两直线平行	(1)两直线平行,同位角相等 (2)两直线平行,内错角相等 (3)两直线平行,同旁内角互补 (4)一条直线和两条平行线中的一条直线 　　垂直,也必垂直于另一条 (5)一个角的两边分别与另一个角的两边 　　平行,这两个角相等或互补 (6)经过直线外一点,有且只有一条直线 　　与已知直线平行

专题总结及应用

一、有关基本图形的问题

1.数图形个数的问题

例1　如图5-151所示,直线 AB,CD,EF 都经过点 O,图中共有几对对顶角?

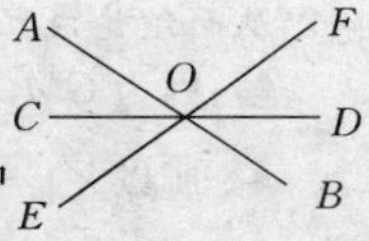

〔分析〕　数基本图形不能重复,不能遗漏.我们知道两条直线相交有两对对顶角,图中有3组两条直线相交,故对顶角的个数为 $2×3=6$(对).

解:共有6对对顶角.

图5-151

【注意】 数图形个数及书写时,应注意顺序性,这样不易重复和漏掉.

例2　如图5-152所示,图中有几对同旁内角?

〔分析〕　我们知道两条直线被第三条直线所截共形成八个角,其中有两对同旁内角.图形中有两个"三线八角",即 CD,EF 被 GH 所截,形成两对同旁内角;AB,EF 被 GH 所截,又形成两对同旁内角,所以共有4对同旁内角.

解:图中有4对同旁内角.

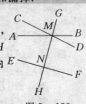

图5-152

它们是∠CMN与∠ENG,∠DMH与∠FNG,∠AMH与∠ENG,∠BMH与∠FNG.

2.构造基本图形

例3 如图5-153所示,AB∥CD,P为AB,CD之间的一点,已知∠1=32°,∠2=25°,求∠BPC的度数.

〔分析〕 此图不是我们所学的"三线八角"的基本图形,需添加一些线(辅助线)把它们化成我们熟悉的基本图形.

解:如图5-153所示,过点P作射线PN∥AB.

因为AB∥CD(已知),

所以PN∥CD(平行于同一条直线的两直线平行).

所以∠4=∠2=25°(两直线平行,内错角相等).

因为PN∥AB(已作),

所以∠3=∠1=32°(两直线平行,内错角相等).

所以∠BPC=∠3+∠4=32°+25°=57°.

图5-153

【注意】 构造基本图形就是将残缺的基本图形补全.

3.基本图形的组合

(1)平行线与角平分线的组合.

例4 如图5-154所示,已知AB∥CD,EF交AB,CD于G,H,GM,HN分别平分∠AGF,∠EHD.试说明GM∥HN.

〔分析〕 要说明GM∥HN,可说明∠1=∠2,而由GM,HN分别为∠AGF,∠EHD的平分线,可知∠1=$\frac{1}{2}$∠AGF,∠2=$\frac{1}{2}$∠EHD,又由AB∥CD,有∠AGF=∠EHD,故有∠1=∠2,从而结论成立.

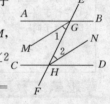

图5-154

解:因为GM,HN分别平分∠AGF,∠EHD(已知),

所以∠1=$\frac{1}{2}$∠AGF,∠2=$\frac{1}{2}$∠EHD(角平分线定义).

又因为AB∥CD(已知),

所以∠AGF=∠EHD(两直线平行,内错角相等),

所以∠1=∠2,

所以GM∥HN(内错角相等,两直线平行).

(2)平行线与平行线的组合.

例5 如图5-155所示,已知AB∥CD,BC∥DE.试说明∠B=∠D.

〔分析〕 条件为直线平行,故可根据平行线的性质说明.

解:因为AB∥CD(已知),

所以∠B=∠C(两直线平行,内错角相等).

因为BC∥DE(已知),

所以∠C=∠D(两直线平行,内错角相等).

图5-155

所以∠B＝∠D(等量代换).

(3)平行线与相交线的组合.

例6　如图5-156所示,已知AB∥CD,G为AB上任一点,GE,GF分别交CD于E,F.试说明∠1＋∠2＋∠3＝180°.

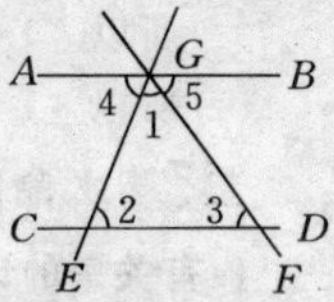

〔分析〕　要说明180°问题,想到了"平角"和"两直线平行,同旁内角互补"这两个知识点,故可用它们解决问题.

图5-156

解:因为AB∥CD(已知),

所以∠4＝∠2,∠3＝∠5(两直线平行,内错角相等).

因为∠4＋∠1＋∠5＝180°(平角定义),

所以∠2＋∠1＋∠3＝180°(等量代换).

(4)相交线与角平分线的组合.

例7　如图5-157所示,AB,DC相交于点O,OE,OF分别平分∠AOC,∠BOC.试说明OE⊥OF.

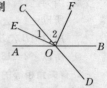

图5-157

解:因为OE,OF分别平分∠AOC与∠BOC(已知),

所以∠1＝$\frac{1}{2}$∠AOC,∠2＝$\frac{1}{2}$∠BOC(角平分线定义).

所以∠1＋∠2＝$\frac{1}{2}$∠AOC＋$\frac{1}{2}$∠BOC

＝$\frac{1}{2}$(∠AOC＋∠BOC).

又因为∠AOC＋∠BOC＝180°(邻补角定义),

所以∠1＋∠2＝$\frac{1}{2}$×180°＝90°.

所以OE⊥OF(垂直定义).

(5)垂直与平行线的组合.

例8　如图5-158所示,已知AB∥CD,∠CED＝90°.试说明∠1＋∠2＝90°.

解:因为AB∥CD(已知),

所以∠3＝∠1,∠4＝∠2(两直线平行,内错角相等).

因为∠3＋∠4＋∠CED＝180°(平角定义),

∠CED＝90°(已知),

所以∠3＋∠4＝90°.

所以∠1＋∠2＝90°(等量代换).

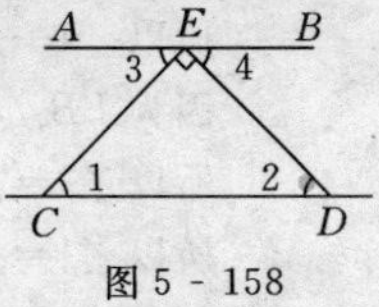

图5-158

(6)多种基本图形的组合.

例9　如图5-159所示,在三角形ABC中,CD⊥AB于D,FG⊥AB于G,ED∥BC.试说明∠1＝∠2.

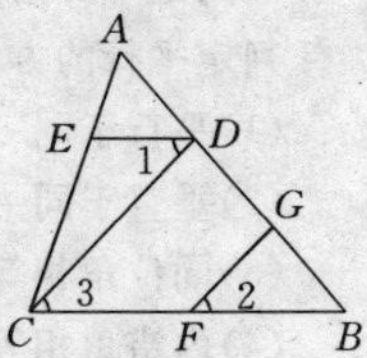

解:因为CD⊥AB,FG⊥AB(已知),

所以∠CDB＝∠FGB＝90°(垂直定义).

所以CD∥FG(同位角相等,两直线平行).

图5-159

所以∠2＝∠3(两直线平行,同位角相等).

因为 DE∥BC(已知),

所以∠1＝∠3(两直线平行,内错角相等).

所以∠1＝∠2(等量代换).

二、基本命题的计算与证明

1.有关角的计算

例10 如图5－160所示,已知∠4＝70°,∠3＝110°,∠1＝46°,求∠2 的度数.

图 5 - 160

〔分析〕 由∠3＋∠4＝180°,知 AB∥CD,故∠2＝180°－∠1.

解: 因为∠4＝70°,∠3＝110°(已知),

所以∠4＋∠3＝180°.

所以 AB∥CD(同旁内角互补,两直线平行).

所以∠2＝180°－∠1＝180°－46°＝134°(两直线平行,同旁内角互补).

2.有关角相等的判定

判定角相等的方法有:

(1)同角(等角)的余角相等;

(2)同角(等角)的补角相等;

(3)对顶角相等;

(4)角平分线定义;

(5)两直线平行,同位角相等;

(6)两直线平行,内错角相等.

例11 如图5－161所示,AB∥CD,EB∥DF.试说明∠1＝∠2.

解: 因为 AB∥CD(已知),

所以∠1＋∠3＝∠2＋∠4(两直线平行,内错角相等).

因为 EB∥DF(已知),

所以∠3＝∠4(两直线平行,内错角相等).

所以∠1＝∠2(等式性质).

图 5 - 161

3.判定平行问题

判定平行的方法有:

(1)平行于同一条直线的两直线平行;

(2)垂直于同一条直线的两直线平行;

(3)同位角相等,两直线平行;

(4)内错角相等,两直线平行;

(5)同旁内角互补,两直线平行.

例 12 如图 5 - 162 所示，$DF /\!/ AC$，$\angle 1 = \angle 2$. 试说明 DE $/\!/ AB$.

〔分析〕 要说明 $DE /\!/ AB$，可说明 $\angle 1 = \angle A$，而由 $DF /\!/ AC$，有 $\angle 2 = \angle A$. 又因为 $\angle 1 = \angle 2$，故有 $\angle 1 = \angle A$，从而得出结论.

解： 因为 $DF /\!/ AC$（已知），

所以 $\angle 2 = \angle A$（两直线平行，同位角相等）.

因为 $\angle 1 = \angle 2$（已知），

所以 $\angle 1 = \angle A$（等量代换）.

所以 $DE /\!/ AB$（同位角相等，两直线平行）.

图 5 - 162

4. 判定垂直问题

判定垂直的方法有：

(1) 说明两条相交线的一个交角为 $90°$；

(2) 说明邻补角相等；

(3) 垂直平行线中的一条，也必垂直于另一条.

例 13 如图 5 - 163 所示，$\angle 1 = \angle 2$，$CD /\!/ EF$. 试说明 EF $\perp AB$.

〔分析〕 要说明 $EF \perp AB$，可说明 $\angle 2 = 90°$，而由 $CD /\!/ EF$，有 $\angle 1 + \angle 2 = 180°$，又 $\angle 1 = \angle 2$，所以有 $\angle 1 = \angle 2 = 90°$，从而得出结论.

解： 因为 $CD /\!/ EF$（已知），

所以 $\angle 1 + \angle 2 = 180°$（两直线平行，同旁内角互补）.

又因为 $\angle 1 = \angle 2$（已知），

所以 $\angle 1 = \angle 2 = 90°$.

所以 $EF \perp AB$（垂直定义）.

图 5 - 163

5. 判定共线问题

判定三点共线问题的方法有：

(1) 构成平角；

(2) 利用平行公理说明；

(3) 利用垂线的性质说明.

例 14 如图 5 - 164 所示，直线 AB，CD 相交于点 O，OE 平分 $\angle AOC$，OF 平分 $\angle BOD$. 试说明 E，O，F 三点在一条直线上.

〔分析〕 要说明 E，O，F 三点共线，只需说明 $\angle EOF = 180°$.

解： 因为 AB，CD 相交于点 O（已知），

所以 $\angle AOC = \angle BOD$（对顶角相等）.

因为 OE，OF 分别平分 $\angle AOC$ 与 $\angle BOD$（已知），

所以 $\angle 1 = \dfrac{1}{2} \angle AOC$，$\angle 2 = \dfrac{1}{2} \angle BOD$（角平分线定义），

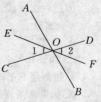

图 5 - 164

所以∠1=∠2(等量代换).

因为∠1+∠EOD=180°(邻补角定义),

所以∠2+∠EOD=180°(等量代换),

即∠EOF为平角.

所以 E,O,F 三点共线.

本章综合评价 走向成功

(一)

一、训练平台

1. 已知两个角的两边分别平行,其中一个角比另一个角的 3 倍还多 36°,则这两个角的度数是 （　　）

  A. 20°和 96°　　　　　　　　　　B. 36°和 144°

  C. 40°和 156°　　　　　　　　　　D. 不能确定

2. 下列命题不正确的是 （　　）

  A. 若两个相等的角有一组边平行,则另一组边也平行

  B. 两条直线相交,所成的两组对顶角的平分线互相垂直

  C. 两条平行线被第三条直线所截,同旁内角的平分线互相垂直

  D. 经过直线外一点,有且只有一条直线与已知直线平行

3. 如图 5 - 165 所示,直线 a,b 都和直线 c 相交,给出下列条件:

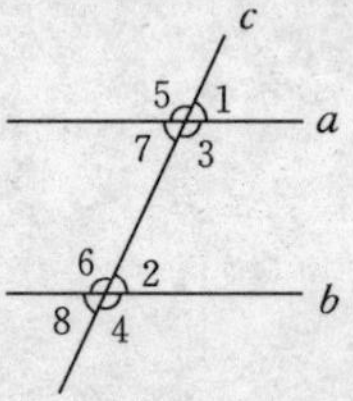

图 5 - 165

①∠1=∠2;②∠3=∠6;③∠4+∠7=180°;④∠5+∠8=180°. 其中能判断 a // b 的是 （　　）

  A. ①③　　　　　　　　　　　　　B. ②④

  C. ①③④　　　　　　　　　　　　D. ①②③④

4. 下列命题不正确的是 （　　）

  A. 如果两条直线都和第三条直线平行,那么这两条直线也平行

  B. 两条直线被第三条直线所截,如果内错角相等,那么这两条直线平行

  C. 两条直线被第三条直线所截,如果同位角互补,那么这两条直线平行

D. 两条直线被第三条直线所截,如果同旁内角互补,那么这两条直线平行

5. 如图 5 - 166 所示,直线 AB,CD 相交于点 O,$\angle AOD = 105°$,则 $\angle BOC=$ _____,$\angle AOC=$ _____,$\angle BOD=$ _____.

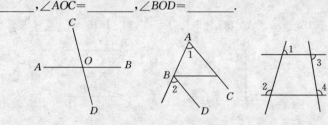

图 5 - 166　　　　　图 5 - 167　　　　　图 5 - 168

6. 如图 5 - 167 所示,$\angle 1$ 和 $\angle 2$ 是_____,_____被第三条直线_____所截的_____角.

7. 把"两直线平行,同位角相等"改写成"如果……那么……"的形式是_____.

8. 如图 5 - 168 所示,$\angle 1=56°$,$\angle 2=124°$,$\angle 3=85°$,则 $\angle 4=$ _____.

二、探究平台

1. 两个邻补角的平分线所成的角是　　　　　　　　　　　　　　　　　　　　(　　)
   A. 小于 $90°$ 的角　　　　　　　　　B. 等于 $90°$ 的角
   C. 大于 $90°$ 的角　　　　　　　　　D. 不能确定

2. 如图 5 - 169 所示,直线 AB,CD 相交于点 O,$EO \perp AB$ 于 O,则图中 $\angle 1$ 与 $\angle 2$ 的关系是　　　　　　　　　　　　　　　　　　　　　　　　　　　　(　　)
   A. 对顶角　　　　　　　　　　　　B. 互补的角
   C. 互余的角　　　　　　　　　　　D. 一对相等的角

3. 如图 5 - 170 所示,已知直线 a,b 被直线 c 所截,且 $a \parallel b$,$\angle 1=65°$,那么 $\angle 2$ 等于　　　　　　　　　　　　　　　　　　　　　　　　　　　　　　　　(　　)
   A. $145°$　　　　　　　　　　　　B. $65°$
   C. $55°$　　　　　　　　　　　　　D. $35°$

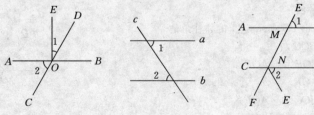

图 5 - 169　　　　　图 5 - 170　　　　　图 5 - 171

4. 如图 5 - 171 所示,$AB \parallel CD$,EF 分别交 AB,CD 于 M,N,NE 平分 $\angle DNF$,$\angle 1=60°$,则 $\angle 2$ 等于　　　　　　　　　　　　　　　　　　　　(　　)
   A. $40°$　　　　　　　　　　　　B. $50°$

C. 60°   D. 70°

5. 从钝角∠AOB的顶点引射线OP⊥OA,若∠BOP:∠AOP=2:3,则∠AOB
= _____.

6. 如图5-172所示,OA⊥BC,∠2-∠1=30°,则∠BOD= _____ 度.

图5-172   图5-173

7. 如图5-173所示,AB∥CD,且∠BAP=60°-α,∠APC=45°+α,∠PCD=30°
-α,则α= _____.

三、交流平台

1. 如图5-174所示,已知∠1=∠2,∠3+∠4=180°.试说明 AB∥EF.

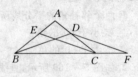

图5-174   图5-175   图5-176

2. 如图5-175所示,∠1=∠2,CD⊥AB,FG⊥AB.试说明 DE∥BC.

3. 如图5-176所示,∠ABC=∠ACB,BD平分∠ABC,CE平分∠ACB,∠DBF
=∠F,则 CE与 DF平行吗?若平行,请给出证明;若不平行,请说明理由.

(二)

一、训练平台

1. 如图5-177所示,∠1的邻补角是   (   )

    A. ∠BOC

    B. ∠BOE 和∠AOF

    C. ∠AOF

    D. ∠BOC 和∠AOF

2. 下列语句正确的有   (   )

    ①如果两个角相等,那么这两个角是对顶角;

    ②对顶角的平分线在同一条直线上;

    ③如果两个角有公共顶点,且角平分线互为反向延长线,那么这两个角是对

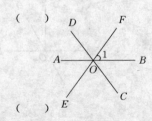

图5-177

顶角；

④如果两个角是对顶角,那么这两个角相等.

A.0 个 　　　　　　　　　　　B.1 个

C.2 个 　　　　　　　　　　　D.3 个

3. 点到直线的距离是指 　　　　　　　　　　　　　　　　　（　　）

A.直线外一点到这条直线的垂线的长度

B.直线外一点与这条直线的任意一点的距离

C.直线外一点到这条直线的垂线段

D.直线外一点到这条直线的垂线段的长度

4. 下列语句正确的是 　　　　　　　　　　　　　　　　　　（　　）

A.两条直线相交成四个角,如果有两组角相等,那么这两条直线垂直

B.两条直线相交成四个角,如果有三个角相等,那么这两条直线垂直

C.不相交的两条直线叫平行线

D.在同一平面内,两条线段无交点,则这两条线段必平行

5. 如图 5-178 所示,内错角有 　　　　　　　　　　　　　　（　　）

A.4 对 　　　　　　　　　　　B.6 对

C.8 对 　　　　　　　　　　　D.10 对

图 5-178

图 5-179

6. 如图 5-179 所示,已知∠3=∠4,若要使∠1=∠2,则需 　　（.　　）

A.∠1=∠3 　　　　　　　　　B.∠2=∠3

C.∠1=∠4 　　　　　　　　　D.$AB/\!/CD$

7. 下列说法正确的有 　　　　　　　　　　　　　　　　　　（　　）

①同位角相等;

②过一点有且只有一条直线与已知直线垂直;

③过一点有且只有一条直线与已知直线平行;

④三条直线两两相交,总有三个交点;

⑤若 $a/\!/b, b/\!/c$,则 $a/\!/c$.

A.1 个 　　　　　　　　　　　B.2 个

C.3 个 　　　　　　　　　　　D.4 个

8. 如图 5 - 180 所示，直线 AB,CD 相交于点 O，$OE\perp CD$，$\angle 1$ 与 $\angle 2$ _____，$\angle 2$ 与 $\angle 3$ 是 _____，$\angle 2$ 与 $\angle 4$ _____，$\angle 1$ 与 $\angle 3$ _____.

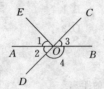

图 5 - 180 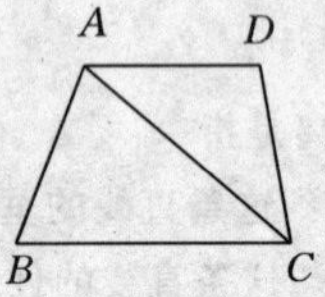　　　　　图 5 - 181

9. 如图 5 - 181 所示，$AD\parallel BC$，$\angle D = 100°$，AC 平分 $\angle BCD$，则 $\angle DAC = $ _____

10. 在同一平面内，两条直线的位置关系有 _____ 和 _____ 两种.

二、探究平台

1. 如图 5 - 182 所示，下列推理正确的是 （　　）

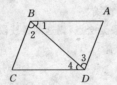

图 5 - 182

A. 因为 $\angle 1 = \angle 4$，所以 $BC\parallel AD$

B. 因为 $\angle 2 = \angle 3$，所以 $AB\parallel CD$

C. 因为 $AD\parallel BC$，所以 $\angle BCD + \angle ADC = 180°$

D. 因为 $\angle 1 + \angle 2 + \angle C = 180°$，所以 $BC\parallel AD$

2. 如果两条平行线被第三条直线所截，那么其中一组内错角的角平分线 （　　）

　　A. 互相垂直　　　　　　　　　B. 相交

　　C. 互相平行　　　　　　　　　D. 不能确定

3. 如图 5 - 183 所示，过 A 点作与直线 BC 垂直的线段，A 点到 BC 的距离是线段 _____ 的长，过 B 点作直线 AC 的垂线段，点 B 到 AC 的距离是线段 _____ 的长.

4. 从点 O 引出四条射线 OA,OB,OC,OD，如果 $\angle AOB:$ $\angle BOC:\angle COD:\angle DOA = 1:2:3:4$，那么这四个角的度数是 $\angle AOB = $ _____，$\angle BOC = $ _____，$\angle COD = $ _____，$\angle DOA = $ _____.

图 5 - 183

三、交流平台

1. 已知直线 AB 和 CD 相交于 O 点，射线 $OE\perp AB$ 于 O，射线 $OF\perp CD$ 于 O（OE，OF 在 AB 的同侧），且 $\angle BOF = 25°$，求 $\angle AOC$ 与 $\angle EOD$ 的度数.

2. 如图 5-184 所示,直线 AB,CD,EF 相交于 O 点,$AB\perp CD$,OG 平分 $\angle AOE$,$\angle FOD=28°$,求 $\angle AOG$ 的度数.

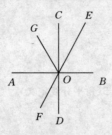

图 5-184

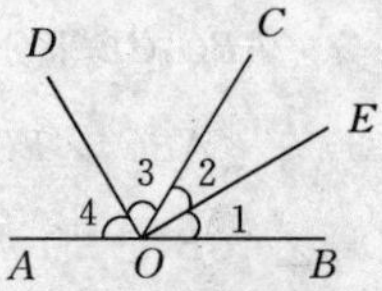

图 5-185

3. 如图 5-185 所示,点 A,O,B 在一条直线上,OE 平分 $\angle COB$,$OD\perp OE$ 于 O. 试说明 OD 平分 $\angle AOC$.

4. 如图 5-186 所示,已知 $\angle 1=\angle 2$,$\angle 3=\angle 4$,$\angle 5=\angle 6$. 试说明 $AD\!/\!/BC$.

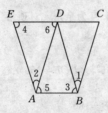

图 5-186

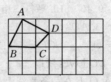

图 5-187

5. 如图 5-187 所示,将四边形 $ABCD$ 先向右平移 3 个单位,再向下平移 1 个单位.(每个小正方形的边长为 1 个单位)

😊 评价与标准 ☹

(一)

一、1. B 2. A 3. D 4. C 5. 105° 75° 75° 6. AC BD AB 同位 7. 如果两条平行直线被第三条直线所截,那么同位角相等 95°

二、1. B 2. C 3. B 4. C 5. 150° 6. 120 7. 15°

三、1. 解:因为 $\angle 1=\angle 2$(已知),

所以 $AB\!/\!/CD$(同位角相等,两直线平行).

因为 $\angle 3+\angle 4=180°$(已知),

所以 $CD\!/\!/EF$(同旁内角互补,两直线平行).

所以 $AB\!/\!/EF$(平行于同一条直线的两直线平行).

2. 解:因为 $CD\perp AB$,$FG\perp AB$,

所以 $CD\!/\!/FG$(垂直于同一条直线的两直线平行).

所以∠2=∠BCD(两直线平行,同位角相等).

因为∠1=∠2(已知),

所以∠1=∠BCD(等量代换).

所以 DE//BC(内错角相等,两直线平行).

3.解:平行.理由如下:

因为 DB 平分∠ABC,CE 平分∠ACB,

所以∠DBC=$\frac{1}{2}$∠ABC,∠ECB=$\frac{1}{2}$∠ACB(角平分线定义).

因为∠ABC=∠ACB(已知),

所以∠DBC=∠ECB(等式性质).

又因为∠DBC=∠F(已知),

所以∠ECB=∠F(等量代换).

所以 CE//DF(同位角相等,两直线平行).

(二)

一、1.B 2.C 3.D 4.B 5.B 6.D 7.B 8.互为余角 对顶角 互为邻补角
互为余角 9.40° 10.平行 相交

二、1.C 2.C 3.AD BE 4.36° 72° 108° 144°

三、1.∠AOC=115°,∠DOE=25°(或∠AOC=65°,∠DOE=155°). 2.59°.

3.解:因为 DO⊥OE,所以∠2+∠3=90°.

又因为点 A,O,B 在一条直线上,所以∠AOB=180°,

所以∠4+∠1=90°.

又因为 OE 平分∠BOC,所以∠1=∠2.

所以∠3=∠4,所以 OD 平分∠AOC.

4.解:因为∠5=∠6,所以 EC//AB.所以∠CDB=∠3.

因为∠3=∠4,所以∠4=∠CDB.

所以 BD//AE.所以∠2=∠ADB.

因为∠1=∠2,所以∠1=∠ADB.所以 AD//BC.

5.解:如图 5-188 所示,四边形 EFGH 即为所求.

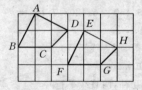

图 5-188

第六章

平面直角坐标系

一、课标要求与内容分析

1.本章的课标要求是:了解有序数对确定位置的功能;掌握平面内点的坐标的表示方法及求法;知道有序数对与平面直角坐标系中点的对应关系,通过观察、尝试、交流得出象限内和坐标轴上点的坐标的特征;能建立适当的坐标系来描述某些点所处的地理位置.

2.本章的主要内容是:通过联系实际生活中的用有序数对表示物体的位置,引出平面直角坐标系及用坐标表示地理位置和平移的应用.

3.教材紧密联系生活中的实际例子,从这些实例出发引入平面直角坐标系,接着介绍了横轴、纵轴、点的坐标的表示方法,及根据坐标判断点的位置,还介绍了坐标平面的四个象限.

4.本章重点是用坐标表示平面上的点,会判断坐标平面上点的坐标,会用坐标表示地理位置及平移的应用.其中用坐标表示平面内点的位置及判断坐标平面上点的坐标是难点.

二、学法指导

学习本章的关键是正确理解有序数对的含义,熟悉平面直角坐标系的组成.在学习中,注意随时复习有关队列、方阵、班级座位以及在小学了解的正方形的性质、长方形的性质,还要复习垂线和垂直的含义.

在本章的学习中更加体现了数形结合的思想,体会用数表示物体位置的必要性.

6.1　平面直角坐标系

教材解读　精华要义

数学与生活

你去过电影院吗？还记得在电影院是怎么找座位吗？

思考讨论　因为电影票上都标有"×排×座"的字样，所以找座位时，先找到第 n 排，再找到这一排的第 n 座就可以了，也就是说，电影院里的座位完全可以由两个数确定下来，同时，让我们想一想，若不指明排和座的顺序，仅给两个数，你还能准确找到座位吗？

知识详解

知识点 1　有序数对

有顺序的两个数 a 与 b 组成的数对，叫做有序数对，记作 (a,b).

例如，电影院的座位 9 排 7 号，可以写成有序数对 $(9,7)$，这里的 9 和 7 所表示的意义是不同的.前面的数 9 表示排数，后面的数 7 表示号数，因此 $(9,7)$ 和 $(7,9)$ 表示的位置不同，$(7,9)$ 表示 7 排 9 号.

【说明】　一般表示平面上的物体的位置时常用有序数对.如队列中的 3 列 6 行的位置可以表示为 $(3,6)$.

知识点 2 平面直角坐标系

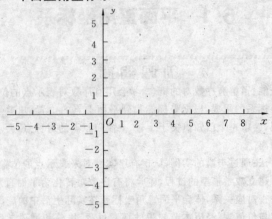

图 6 - 1

两条互相垂直、原点重合的数轴,组成平面直角坐标系,如图 6 - 1 所示.

水平的数轴称为 x 轴或横轴,竖直的数轴称为 y 轴或纵轴,两坐标轴的交点为平面直角坐标系的原点,建立了坐标系的平面叫做坐标平面.

【说明】 平面直角坐标系中的横轴通常取向右为正方向;纵轴通常取向上为正方向. 通常两个数轴的单位长度一致,4 个半轴根据实际问题可画得长些或短些,但原点必须画出.

知识点 3 用坐标表示平面内的点

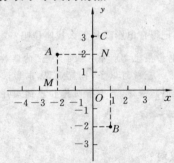

图 6 - 2

如图 6 - 2 所示,平面内的点 A 就可用有序数对来表示. 方法是:从点 A 向 x 轴作垂线,垂足 M 在 x 轴上的位置是 -2,我们就说点 A 的横坐标为 -2;从点 A 向 y 轴作垂线,垂足 N 的位置是 2,我们就说点 A 的纵坐标是 2,这样点 A 的位置就可以用有序数对 $(-2,2)$ 来表示,记作 $A(-2,2)$,其中 $(-2,2)$ 就是点 A 的坐标,写在前面的是横坐标.

探究交流

❓ (1)如图6-2所示,点B的坐标写成B(-2,1),对吗?

(2)图6-2中的点C没有横坐标,这句话对吗?

点拨 (1)横、纵坐标混淆不清.从点B向x轴作垂线,垂足对应的点为横坐标,所以点B的横坐标为1.同理,纵坐标为-2,所以点B(1,-2).

(2)不对.还像在小学一样把0看成没有,实际上,在数轴上O(0,0)表示原点,也表示一个位置,所以点C(0,3).

知识点4 已知坐标确定平面内的点

例如,在图6-3中描出点A(-3,-1).

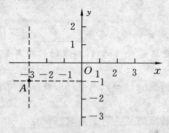

图6-3

点A的横坐标为-3,因此过x轴上表示-3的点作x轴的垂线.同理,过y轴上表示-1的点作y轴的垂线,两条直线的交点即为点A的位置.

知识点5 坐标平面的四个象限

如图6-4所示,两坐标轴正半轴之间的部分称坐标平面的第一象限;x轴负半轴和y轴正半轴之间的部分称第二象限;两轴负半轴之间的部分称第三象限;x轴正半轴和y轴负半轴之间的部分称第四象限.

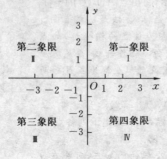

图6-4

【说明】 (1)两个坐标轴上的点不属于任何一个象限.

(2)第一象限内的点的横、纵坐标皆为正数(＋,＋);第二象限内的点的横坐标为负数,纵坐标为正数(－,＋);第三象限内的点的横、纵坐标皆为负数(－,－);第四象限内的点的横坐标为正数,纵坐标为负数(＋,－).

(3)x轴上的点的坐标为$(a,0)$,y轴上的点的坐标为$(0,b)$.

(4)关于x轴对称的两点,横坐标相等,纵坐标互为相反数,如$M(2,1)$和$N(2,-1)$;关于y轴对称的两点,纵坐标相等,横坐标互为相反数,如$A(2,1)$和$B(-2,1)$;关于原点对称的两点,横、纵坐标分别互为相反数,如$P(1,2)$和$Q(-1,-2)$.

知识点6 点到两轴的距离

点$P(x,y)$到x轴的距离为$|y|$,到y轴的距离为$|x|$.例如点$P(2,3)$到x轴的距离是3,到y轴的距离是2.

探究交流

？ 点$(-3,-4)$到x轴距离是_____,到y轴的距离是_____.

点拨 到x轴的距离是$|-4|=4$,到y轴的距离是$|-3|=3$.

【说明】 (1)点$P(a,b)$到x轴的距离是$|b|$,到y轴的距离为$|a|$,二者顺序不要颠倒.

(2)点$P(a,b)$到两轴的距离是一个非负数,例如点$(-3,4)$到y轴的距离是3,而不是-3.

(3)点到坐标原点的距离在我们学习了勾股定理后可求.

典例剖析 师生互动

基本概念题

主要考查对平面直角坐标系及相关概念的理解.

例1 如图6-5所示,写出点A,B,C的坐标.

〔分析〕 首先确定横坐标,方法是从该点向x轴作垂线,垂足对应的点即为该点的横坐标,如点A的横坐标为3.再从该点向y轴作垂线,垂足对应的点为该点的纵坐标,如点A的纵坐标为2.B,C两点依此类推.

解:$A(3,2)$,$B(-2,1)$,$C(1,-2)$.

例2 在平面直角坐标系中,描出下列各点:$A(2,2)$,$B(-2,2)$,$C(-2,-3)$.

〔分析〕 要描出给出坐标的已知点,可先在x轴上找到该点横坐标的对应点,从该点作x轴的垂

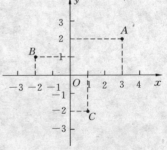

图6-5

线;在 y 轴上找到该点纵坐标的对应点,从该点再作 y 轴的垂线,两直线的交点即该点的位置.

解:各点的位置如图 6-6 所示.

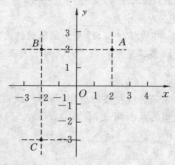

图 6-6

基础知识应用题

主要考查对平面直角坐标系及象限概念的理解.

例 3 若点 $P(m,n)$ 在第二象限,则点 $Q(-m,-n)$ 在第_____象限.

〔分析〕 由点 $P(m,n)$ 在第二象限可知,$m<0,n>0$,则点 $Q(-m,-n)$ 坐标的符号特征为 $-m>0,-n<0$,故点 Q 在第四象限.

学生做一做 (1)若点 $M(m,n)$ 在第三象限,则点 $N(-m,n)$ 在第_____象限.

(2)若点 $A(m,n)$ 在第三象限,则点 $B(m,-n)$ 在第_____象限.

例 4 如果点 A 的坐标为 $(a^2+1,-1-b^2)$,那么点 A 在第几象限?

〔分析〕 已知 $a^2+1>0,-1-b^2<0$,横坐标为正数,纵坐标为负数,可根据坐标平面的四个象限的特点判断点 A 的位置.

解:因为 $a^2+1>0,-1-b^2<0$,

所以点 A 在第四象限.

学生做一做 如果点 $A\left(\dfrac{b}{a},1\right)$ 在第一象限内,则点 $B(-a^2,ab)$ 所在的象限是 (   )

A.第一象限   B.第二象限

C.第三象限   D.第四象限

老师评一评 因为点 $A\left(\dfrac{b}{a},1\right)$ 在第一象限,则 $\dfrac{b}{a}>0$,即 a,b 同号,所以 $-a^2<0,ab>0$,所以点 $B(-a^2,ab)$ 在第二象限.

例 5 点 $M(3,-4)$ 关于 x 轴的对称点 M' 的坐标是 (   )

A.$(3,4)$ B.$(-3,-4)$

C.$(-3,4)$ D.$(-4,3)$

〔分析〕 关于 x 轴对称的两个点,横坐标相同,纵坐标互为相反数,故 $M'(3,4)$,选 A.

 学生做一做 (1)点 $P(3,-4)$ 关于 y 轴对称的点的坐标为_____,点 $Q(-3,4)$ 关于原点对称的点的坐标为_____.

(2)在平面直角坐标系中,点 $P(-1,1)$ 关于 x 轴对称的点在 (   )

A.第一象限   B.第二象限   C.第三象限   D.第四象限

综合应用题

主要考查点的坐标与角平分线性质的应用,与平行线知识的应用.

例 6 已知平面直角坐标系内两点 $M(5,a),N(b,-2)$.

(1)若 MN∥x 轴,则 a _____,b _____;

(2)若 MN∥y 轴,则 a _____,b _____.

〔分析〕 (1)如图 $6-7(1)$ 所示,直线 m∥x 轴,点 M,N 是直线 m 上两点,我们不难发现:这两点的纵坐标是相同的,但其横坐标不相等,因此,$a=-2,b\neq5$.

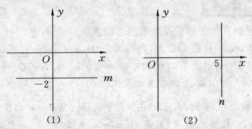

图 $6-7$

(2)如图 $6-7(2)$ 所示,直线 n∥y 轴,点 M,N 是直线 n 上两点,类似于(1),我们不难发现:这两点的横坐标是相同的,但其纵坐标不相等,因此,$a\neq-2,b=5$.

小结 在平面直角坐标系中,平行于 x 轴的直线(或 x 轴)上各点的横坐标不相等,纵坐标相等;平行于 y 轴的直线(或 y 轴)上各点的横坐标相等,但纵坐标不相等.

例 7 求下列符合条件的 B 点的坐标.

(1)已知 $A(2,0),|AB|=4,B$ 点和 A 点在同一坐标轴上;

(2)已知 $A(0,0),|AB|=4,B$ 点和 A 点在同一坐标轴上.

〔分析〕 初看本例的两个小题差不多,只是 A 点的坐标不同,但仔细分析却有很大的差别,第(1)小题中的 B 点只能在 x 轴上,第(2)小题中的 B 点既可以在 x 轴上,又可以在 y 轴上.

解:(1)根据题意,得 B 点在 x 轴上,

①当 B 点在点 A 的左侧时,因为 $A(2,0)$,且 $|AB|=4$,所以点 B 的坐标为 $(-2,0)$.

②当 B 点在点 A 的右侧时,因为 $A(2,0)$,且 $|AB|=4$,所以点 B 的坐标为 $(6,0)$.

(2)根据题意,得 B 点既可以在 x 轴上,也可以在 y 轴上,

①当 B 点在 x 轴上时,B 的坐标为 $(4,0)$ 或 $(-4,0)$.

②当 B 点在 y 轴上时,B 的坐标为 $(0,4)$ 或 $(0,-4)$.

【说明】 解本题时,注意考虑问题要全面.

例 8 在平面直角坐标系中,$A(-3,4)$,$B(-1,2)$,O 为原点,如图 6 - 8 所示. 求三角形 AOB 的面积.

〔分析〕 在平面直角坐标系中求图形的面积,通常将图形面积转化成边长在两轴上的图形的面积的和或差,这样可以充分利用点的坐标求出图形中线段的长度.

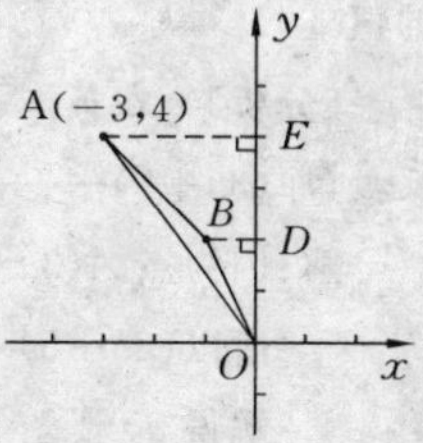

解:作 $AE \perp y$ 轴于 E,$BD \perp y$ 轴于 D.

因为 $A(-3,4)$,$B(-1,2)$,

所以 $E(0,4)$,$D(0,2)$,

所以 $OD=2$,$BD=1$,$AE=3$,$DE=OE-OD=4-2$
$=2$,

所以 $S_{\text{三角形}AOB}=S_{\text{三角形}AOE}-S_{\text{三角形}OBD}-S_{\text{梯形}BDEA}$

$$=\frac{1}{2} \cdot AE \cdot EO-\frac{1}{2} \cdot BD \cdot OD-\frac{1}{2}(BD+AE) \cdot DE$$

$$=\frac{1}{2} \cdot 3 \cdot 4-\frac{1}{2} \cdot 1 \cdot 2-\frac{1}{2} \cdot (1+3) \cdot 2$$

$$=6-1-4$$

$$=1.$$

图 6 - 8

探索与创新题

例 9 如图 6 - 9 所示,坐标平面内 $A(-1,4)$,$B(0,3)$,$C(1,2)$,$D(2,1)$,$E(3,0)$,$F(4,-1)$ 这 6 个点的位置关系怎样? 它们的横坐标 x 和纵坐标 y 之间有什么关系吗?

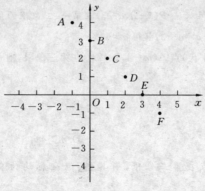

图 6 - 9

〔分析〕 通过观察不难发现,这6个点在一条直线上,任何一点的横、纵坐标的和都是3,即 $x+y=3$.

解:(1)这6个点在一条直线上.

(2)横坐标 x 和纵坐标 y 之间的关系是: $y=-x+3$.

例 10 已知点 $A(3a+5,-6a-2)$ 在第二、四象限的角平分线上,求 $a^{2005}-a$ 的值.

〔分析〕 在第二、四象限角平分线上的点的坐标特征是横坐标与纵坐标互为相反数,即 $(3a+5)+(-6a-2)=0$. 求得 a,进而求出代数式的值.

解:因为点 $A(3a+5,-6a-2)$ 在第二、四象限的角平分线上,

所以 $(3a+5)+(-6a-2)=0$,

解得 $a=1$.

当 $a=1$ 时, $a^{2005}-a=1^{2005}-1=0$.

【说明】 点在象限角平分线上,这个点的坐标之间的关系是:设角平分线上的点 $P(x,y)$,由角平分线的性质,角平分线上的点到角的两边距离相等,角的两边即坐标系的两轴,得 $|y|=|x|$,分两种情况讨论:

①当点 $P(x,y)$ 在第一、三象限角平分线上时, x,y 同号,所以 $y=x$,即横、纵坐标相等.

②当点 $P(x,y)$ 在第二、四象限角平分线上时, x,y 异号,所以 $y=-x$,即横、纵坐标互为相反数.

学生做一做 若点 $P(5-a,a-3)$ 在第一、三象限角平分线上,则 a 的值等于_____.

老师评一评 由于点 $P(5-a,a-3)$ 在第一、三象限的角平分线上,则该点的横、纵坐标相等,即 $5-a=a-3$,解得 $a=4$.

例 11 (2005·重庆)点 $A(m-4,1-2m)$ 在第三象限,则 m 的取值范围是 (　　)

A. $m>\dfrac{1}{2}$　　　　　　　B. $m<4$

C. $\dfrac{1}{2}<m<4$　　　　　　D. $m>4$

〔分析〕 因为点在第三象限,则其横、纵坐标均为负值,由题中已知得 $\begin{cases}m-4<0,\\1-2m<0,\end{cases}$ 所以 $\dfrac{1}{2}<m<4$. 故选 C.

例 12 (2005·河南)在一次科学探测活动中,探测人员发现一目标在如图 6-10所示的阴影区域内,则目标的坐标可能是 ( )

A. $(-3,300)$ B. $(7,-500)$

C. $(9,600)$ D. $(-2,-800)$

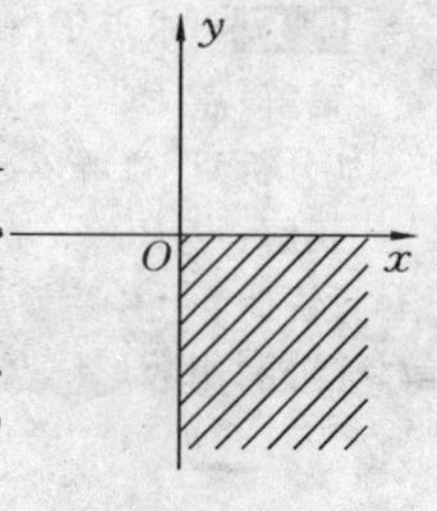

〔分析〕 由平面直角坐标系可以看到,阴影部分在第四象限,而第四象限点的坐标特点是横坐标为正,纵坐标为负,由此我们可以得到这个坐标可能是 B 项。

例 13 (2005·黑龙江)在平面直角坐标系中,点 $P(-2,3)$关于 x 轴的对称点在 ( )

A. 第一象限   B. 第二象限

C. 第三象限   D. 第四象限

图 6-10

〔分析〕 由点的对称点坐标特点可知,点 $P(-2,3)$关于 x 轴的对称点坐标为 $(-2,-3)$,易知这个对称点在第三象限。

学生做一做 (1)(2005·海南)下列各点中,在第一象限的点是 ( )

A. $(2,3)$ B. $(2,-3)$ C. $(-2,3)$ D. $(-2,-3)$

(2)(2005·宁夏回族自治区)点 $A(-2,-4)$关于 x 轴对称的点的坐标是_____.

老师评一评 (1)A (2)$(-2,4)$

例 14 (2005·包头)坐标平面内点 $P(m,2)$与点 $Q(3,-2)$关于原点对称,则 m=_____.

〔分析〕 点 (x,y)关于原点对称的点的坐标为 $(-x,-y)$,因为点 $P(m,2)$与点 $Q(3,-2)$关于原点对称,则 $m=-3$.

学生做一做 (2005·云南)在平面直角坐标系内,点 $P(-3,5)$关于原点对称的点的坐标为 ( )

A. $(5,-3)$ B. $(3,5)$ C. $(-3,-5)$ D. $(3,-5)$

老师评一评 D

例 15 (2005·大连)在平面直角坐标系中,下列各点在第四象限的是 ( )

A. $(2,1)$ B. $(-2,1)$ C. $(2,-1)$ D. $(-2,-1)$

〔分析〕 由平面直角坐标系中各象限中点的坐标特点可知,第四象限中的点的横坐标为正,纵坐标为负,则可知第四象限的点是 $(2,-1)$,故选 C 项。

易错与疑难题

例 16 若点 $P(x,y)$满足 $xy>0$,则点 P 在第几象限?

错解:因为 $xy>0$,所以 $x>0,y>0$,

所以点 P 在第一象限.

〔分析〕 错解的原因在于考虑问题不全面.$xy>0$ 还有一种情况 $x<0,y<0$,此时点 P 在第三象限.

正解:由于 $xy>0$,所以 x 与 y 同号.

当 $x>0,y>0$ 时,点 P 在第一象限;

当 $x<0,y<0$ 时,点 P 在第三象限.

例17 求点 $P(-a,b)$ 与两坐标轴之间的距离.

错解: 点 $P(-a,b)$ 到 x 轴的距离为 b,到 y 轴的距离为 a.

〔**分析**〕 错误以为 $-a$ 为负数,b 为正数,因此作出错误解答.

正解: 点 $P(-a,b)$ 到 x 轴的距离为 $|b|$,到 y 轴的距离为 $|-a|=|a|$.

【**说明**】 主要考查对平面直角坐标系内点到直线的距离和两点间距离概念的理解,充分利用数形结合的思想方法,结合图形解决问题.

中考展望　点击中考

中考命题总结与展望

近年中考平面直角坐标系的内容在各省市的试题中都有出现.试题形式常以填空题、选择题为主,基本是关于坐标轴对称的情况、选择点所在象限的情况.

中考试题预测

例1 (2004·哈尔滨)已知坐标平面内点 $A(m,n)$ 在第四象限,那么点 $B(n,m)$ 在 （　　）

　　A.第一象限　　　　　　　　　B.第二象限

　　C.第三象限　　　　　　　　　D.第四象限

〔**分析**〕 解答本题可采用下列两种方法.

方法1:因为 $A(m,n)$ 在第四象限,所以 $m>0,n<0$,对于点 $B(n,m)$,此点在第二象限,故正确答案为 B.

方法2:用特殊值法,令 $m=1,n=-2$,可知 B 点的坐标为 $(-2,1)$,在第二象限,故此正确答案为第二象限,故选 B 项.

例2 (2004·大连)在平面直角坐标系中,点 $(-1,-2)$ 所在的象限是 （　　）

　　A.第一象限　　　B.第二象限　　　C.第三象限　　　D.第四象限

〔**分析**〕 根据各象限内点的坐标符号特征,容易判断.故选 C.

例3 (2004·宁波)当 $\frac{2}{3}<m<1$ 时,点 $P(3m-2,m-1)$ 在 （　　）

　　A.第一象限　　　B.第二象限　　　C.第三象限　　　D.第四象限

〔**分析**〕 本题除考查点所在象限知识外,同时也考查不等式的有关性质.因为 $\frac{2}{3}<m<1$,所以 $3m-2>0,m-1<0$,所以点 $P(3m-2,m-1)$ 在第四象限.故选 D.

例4 (2004·江西)在平面直角坐标系中,点 $(-1,m^2+2)$ 一定在第_____象限.

〔**分析**〕 因为 $m^2\geq 0$,所以 $m^2+2>0$,又因为 $-1<0$,所以点 $(-1,m^2+2)$ 在第二象限.

课堂小结 本节归纳

1.本节学习了有序数对及平面直角坐标系.有序数对可确定物体在平面上的位置,这是典型的数形结合思想.

2.本节要重点掌握具体某个象限中,横、纵坐标的正、负性及关于 x 轴、y 轴、原点对称的点之间的横、纵坐标之间的关系及点到两坐标轴的距离.

习题选解 课本习题

课本第 50～52 页

习题 6.1

5. 提示:这些点的横、纵坐标分别相等.

8. 解:点 C 的纵坐标为 4.

(1)如果一些点在平行于 x 轴的直线上,那么这些点的纵坐标都相等.

(2)如果一些点在平行于 y 轴的直线上,那么这些点的横坐标都相等.

10. 解:(1)当 $x>0$,$y>0$ 时,点 P 在第一象限;

当 $x<0$,$y<0$ 时,点 P 在第三象限.

(2)当 $x>0$,$y<0$ 时,点 P 在第四象限;

当 $x<0$,$y>0$ 时,点 P 在第二象限.

12. 移动后和移动前同一点的纵坐标不变,移动后的所有点的横坐标比移动前增加的数相同.

自我评价 知识巩固

1.点 $A(2,-4)$ 和点 $B(2,4)$ 的位置关系是 ( )

　　A.关于 x 轴对称　　　　　　　　B.关于 y 轴对称

　　C.关于原点对称　　　　　　　　D.互相重合

2.点 $M(3,7)$ 和 $N(7,3)$ 的位置关系是 ( )

　　A.关于 x 轴对称

　　B.关于 y 轴对称

　　C.关于第一、三象限的角平分线对称

　　D.互相重合

3.点 $M(a^2,b^2)$ 一定 ( )

　　A.在第一象限内　　　　　　　　B.不在第二、三、四象限

　　C.不在第一、三、四象限　　　　D.不在第一、二、四象限

4.点 $P(1,5)$ 和点 $Q(-1,-5)$ 的连线 ( )

　　A.与 x 轴平行　　　　　　　　B.与 y 轴平行

　　C.与 x 轴成 50°角　　　　　　D.经过原点

5.点 $M(1,4)$,$O(2,3)$,$N(5,0)$ 的位置关系是 ( )

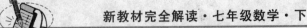

A. 在一条直线上　　　　　　　　B. 构成直角三角形

C. 构成钝角三角形　　　　　　　D. 构成锐角三角形

6. 点 $P(-4,2)$ 在第_____象限,关于 y 轴对称的点的坐标为_____.

7. 点 $A(a,b)$ 关于原点对称的点 A' 的坐标为_____.

8. $P(3,5)$,$Q(6,-5)$ 两点到 x 轴的距离_____,点 P 到 y 轴的距离是点 Q 到 y 轴的距离的_____.

9. 已知点 $A(-1,2)$,$B(-1,5)$,则直线 AB 和 x 轴_____,和 y 轴_____.

10. 点 $A(a^2,b^2+1)$ 在坐标平面上的位置关系如何?请说明理由.

11. 如果点 $C(x-2,5)$ 和 $D(4,y-1)$ 关于原点对称,求 x,y 的值.

12. 如果 $|3x+2|+|2y-1|=0$,那么点 $P(x,y)$ 和 $Q(x+1,y-2)$ 分别在哪个象限?

评价标准

1. A　2. C　3. B　4. D　5. A　6. 二　　(4,2)　7. $(-a,-b)$　8. 相等　$\dfrac{1}{2}$　9. 垂直

平行

10. 提示:当 $a=0$ 时,点 A 在 y 轴正半轴上;当 $a\neq0$ 时,点 A 在第一象限.

11. 提示:$x-2+4=0,5+(y-1)=0$,所以 $x=-2,y=-4$.

12. 解:根据题意,得 $3x+2=0,2y-1=0$,所以 $x=-\dfrac{2}{3},y=\dfrac{1}{2}$.

所以点 $P\left(-\dfrac{2}{3},\dfrac{1}{2}\right)$ 在第二象限.

又 $x+1=\dfrac{1}{3},y-2=-\dfrac{3}{2}$,所以点 $Q\left(\dfrac{1}{3},-\dfrac{3}{2}\right)$ 在第四象限.

6.2　坐标方法的简单应用

新课指南

1. **知识与技能**:通过具体实例,帮助学生掌握建立适当的直角坐标系描述地理位置的方法,同时,使学生掌握在平面坐标系中点的平移与点的坐标的变化关系.

2. **过程与方法**:通过用直角坐标系表示地理位置和点的平移与坐标的关系,培养学生观察问题、分析问题和解决问题的能力,以及把实际问题转化为数学问题的能力.

3. **情感态度与价值观**:通过本节知识的学习,使学生体会平面直角坐标系在实际生活中的应用,体验数学活动充满创造与探索,体现数形结合的思想方法的广泛应用.

4. **重点与难点**:建立适当的坐标系表示地理位置和点的平移与坐标之间的变化关系是本节重点,也是难点.

教材解读　精华要义

数学与生活

如图 6 - 11 所示的是某公园门口看到的平面示意图,你能用坐标表示它们的地理位置吗?

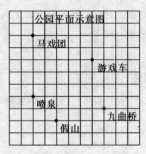

图 6 - 11

知识详解

知识点 1　利用平面直角坐标系绘制地图的过程

(1)选择一个适当的参照点为原点,确定 x 轴、y 轴的正方向,建立坐标系;

(2)根据具体问题确定适当的比例尺,在坐标轴上标出单位长度;

(3)在坐标平面内画出这些点,写出各点的坐标和各个地点的名称.

【说明】 (1)一般地,两轴单位长度要统一.

(2)选定比例尺后,画图尽可能要准确.

知识点 2　确定图形平移后各点坐标

在平面直角坐标系内,如果把一个图形各个点的横坐标都加上(或减去)一个正数 a,相应的新图形就是把原图形向右(或向左)平移 a 个单位长度;如果把各个点的纵坐标都加上(或减去)一个正数 a,相应的新图形就是把原图形向上(或向下)平移 a 个单位长度.

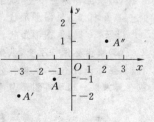

图 6 - 12

如图 6 - 12 所示,将点 $A(-1,-1)$ 的横坐标减去 2,纵坐标减去 1,变为 $A'(-3,-2)$.如果点 A 的横坐标加上 3,纵坐标加上 2,变为 $A''(2,1)$.

探究交流

? 根据以下条件画一幅示意图,标出学校和小刚家、小强家、小敏家的位置:

小刚家:出校门向东走 150 m,再向北走 200 m;

小强家:出校门向西走 200 m,再向北走 300 m;

小敏家:出校门向南走 100 m,再向东走 100 m,最后向南走 50 m.

点拨 以校门为坐标原点,向东为 x 轴的正方向,向北为 y 轴的正方向,建立平面直角坐标系,如图 6 - 13 所示.

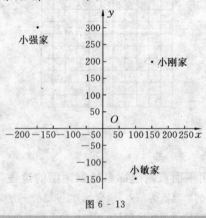

图 6 - 13

知识规律小结 在平面直角坐标系中,图形的位置变化与坐标的变化规律:

(1)纵坐标保持不变,横坐标分别加 k,

当 $k>0$ 时,原图形形状、大小不变,向右平移 k 个单位长度.

当 $k<0$ 时,原图形形状、大小不变,向左平移 $|k|$ 个单位长度.

(2)横坐标保持不变,纵坐标分别加 k,

当 $k>0$ 时,原图形形状、大小不变,向上平移 k 个单位长度,

当 $k<0$ 时,原图形形状、大小不变,向下平移 $|k|$ 个单位长度.

(3)横坐标保持不变,纵坐标分别乘以 -1,所得图形与原图形关于 x 轴成轴对称;纵坐标保持不变,横坐标分别乘以 -1,所得图形与原图形关于 y 轴成轴对称;横、纵坐标乘以 -1,所得图形与原图形关于原点成中心对称.

典例剖析 师生互动

基本概念题

主要考查学生对图形平移时坐标的变化规律的理解.

例 1　请你把图 6 - 14①中的三角小旗降到旗杆底部,并写出下降后小旗各顶点的坐标,你发现各点的纵坐标发生了哪些变化?

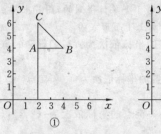
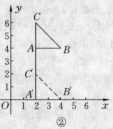

图 6 - 14

〔分析〕　把图①中的小旗降到旗杆底部,即把三角形 ABC 平移到三角形 $A'B'C'$ 的位置,由图②可知:在三角形 $A'B'C'$ 中,A',B',C' 的横坐标分别与 A,B,C 的横坐标相同. 即 $A'(2,0)$,$B'(4,0)$,$C'(2,2)$. 原三角形 ABC 的各顶点坐标分别为 $A(2,4)$,$B(4,4)$,$C(2,6)$. 观察得到从三角形 ABC 到三角形 $A'B'C'$,各对应顶点的横坐标相同,纵坐标都比原坐标的纵坐标小 4.

例 2　如图 6 - 15 所示,三角形 ABC 中的点 $A(-3,-1)$,$B(-2,-3)$,$C(-1,-2)$ 分别是通过三角形 $A'B'C'$ 中的各点向下平移 2 个单位,又向左平移 3 个单位得到的,试画出三角形 $A'B'C'$ 的位置.

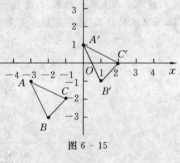

〔分析〕　三角形 $A'B'C'$ 的位置相当于三角形 ABC 向上平移 2 个单位,再向右平移 3 个单位. 所以三角形 ABC 三个顶点的横坐标都分别加上 3,纵坐标都分别加上 2,即可得 A',B',C' 三点.

解:由已知可得 $A'(0,1)$,$B'(1,-1)$,$C'(2,0)$,

图 6 - 15

所以三角形 $A'B'C'$ 的位置如图 6 - 15 所示.

例 3　观察图 6 - 16,图②③与图①相比有哪些变化? 点的坐标发生了什么变化? 并写出各关键点的新坐标.

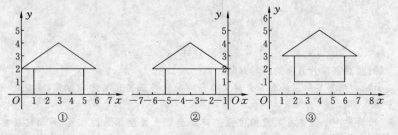

图 6 - 16

〔分析〕 图②是由图①向左平移6个单位得到的,因此,图②中各点的坐标是由图①各对应点的横坐标减去6(或加上-6),纵坐标不变而形成的.图③是由图①先向右平移1个单位,再向上平移1个单位得到的,图③中各点的坐标是由图①中各对应点的横坐标加上1,纵坐标加上1而形成的.

解:由图①可知:图中各关键点的坐标依次为:(1,0),(5,0),(5,2),(6,2),(3,4),(0,2),(1,2),

图②中,与图①对应的各关键的坐标依次为:(-5,0),(-1,0),(-1,2),(0,2),(-3,4),(-6,2),(-5,2).

图③中,与图①中对应的各关键点的坐标依次为:(2,1),(6,1),(6,3),(7,3),(4,5),(1,3),(2,3).

基础知识应用题

主要考查灵活运用平面直角坐标系的知识,建立适合题的平面直角坐标系,解决实际问题.

例4 芳芳放学从校门向东走400米,再向北走200米到家,而丽丽放学向东走200米到家,问丽丽家在芳芳家的什么方向上?

〔分析〕 可选校门为参照点,即坐标原点,分别以正东、正北方向为 x 轴、y 轴正方向建立平面直角坐标系,如图6-17所示,可取100米为一个单位长度,描出芳芳家、丽丽家的位置,显然丽丽家在芳芳家西南方向.

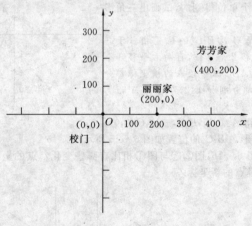

图6-17

解:丽丽家在芳芳家的西南方向.

小结 根据实际问题和背景建立恰当的坐标系来描述某地理位置,注意以下几个方面.

(1)确定一个物体或某地的位置关键是选好直角坐标系的位置,再通过观察图形,找出物体或某地所在点的坐标.

(2)表示一个点(或物体)的位置的方法,一是准确且恰当地建立直角坐标系,二是正确写出物体或某地所在的坐标.

(3)选择的坐标系原点不同,建立的直角坐标系也不同,得到的点的坐标也不同.

(4)无论怎样选择坐标原点,虽然得到的点的坐标不同,但它们的相对位置却始终不变.

学生做一做 某校夏令营举行野外活动,老师交给大家一张地图(如图6-18①所示),地图上画了一个直角坐标系,作为定向标记,给出了四座农舍的坐标依次是(1,2),(-2,4),(-4,-3),(0,4),目的地位于连接第一座与第三座农舍的直线和连接第二座与第四座农舍的直线的交点,利用平面直角坐标系,同学们很快就到达了目的地,请你在图中画出目的地的位置.

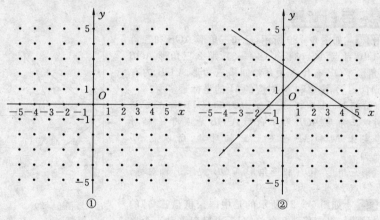

图6-18

老师评一评 为解决本题,首先在已知平面直角坐标系中描出这四个点,然后分别连接第一个与第三个点,第二个与第四个点,它们所在直线的交点即为目的地,如图6-18②所示.

综合应用题

主要考查平面直角坐标系与三角形面积的综合应用.

例5 如图6-19所示,已知坐标平面内的三个点 $A(1,3)$,$B(3,1)$,$O(0,0)$,求三角形 ABO 的面积.

〔分析〕 如果试图求某一边长,再求这边上的高,则很难求出.或者说现在还做不到,要另寻其他途径.可过点 B,A 分别作 x 轴、y 轴的垂线,得到矩形 $OCDE$,矩形 $OCDE$ 的面

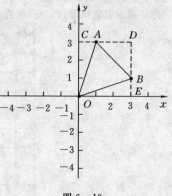

图6-19

积可求,三角形 ACO,ABD,BEO 的面积皆可求,则三角形 ABO 的面积为矩形面积去掉三个三角形的面积.

解:如图 6-19 所示,过点 A,B 分别作 y 轴、x 轴的垂线,垂足为 C,E,两线交于点 D.

则矩形 $OCDE$ 的面积为 $3^2=9$,

三角形 ACO 和三角形 BEO 的面积皆为 $\frac{1}{2}\times 3\times 1=\frac{3}{2}$,

三角形 ABD 的面积为 $\frac{1}{2}\times 2\times 2=2$,

所以三角形 ABO 的面积为 $9-2\times\frac{3}{2}-2=4$.

探索与创新题

例 6 如图 6-20 所示,已知三角形 AOB 和三角形 $A'OB$,且点 $A(4,3)$,$A'(4,-3)$,那么三角形 AOB 和三角形 $A'OB$ 有什么关系?如果三角形 $A'OB$ 内有一点 $M(x,y)$,那么和 M 对应的 M' 的坐标是多少?

〔分析〕 A 和 A' 关于 x 轴对称,O,B 都在 x 轴上,所以三角形 AOB 和三角形 $A'OB$ 也关于 x 轴对称.事实上 M 和 M' 也关于 x 轴对称,所以点 M' $(x,-y)$.

解:三角形 AOB 和三角形 $A'OB$ 关于 x 轴对称;
点 M' 坐标为 $(x,-y)$.

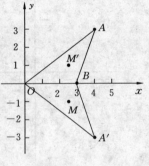

图 6-20

例 7 如图 6-21 所示的是中国象棋盘,"马"的行走规则是:纵向移动 2 个单位长,再横向移动一个单位长(或横向移动 2 个单位长,再纵向移动 1 个单位长)算走一步(即"马"走"日"),在图中不考虑其他情况,问"马"能否经过 19 步吃到对方的"炮"?

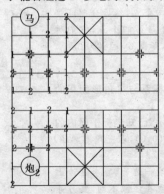

图 6-21

〔分析〕　如图 6-21 所示,我们把"马"经过奇数步能走到的位置都标上"1";"马"经过偶数步能走到的位置都标上"2".而现在"炮"的位置标的是"2".所以不可能经过奇数步走到,因此"马"也就不可能经过 19 步吃到"炮".

解:"马"不可能经过 19 步吃到对方的"炮".

例 8　如图 6-22①所示,铅笔图案的五个顶点的坐标分别是 $(0,1)$,$(4,1)$,$(5,1.5)$,$(4,2)$,$(0,2)$,将图案向下平移 3 个单位长度,画出相应的图案,并写出平移后相应的 5 个点的坐标.

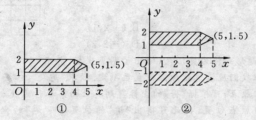

图 6-22

解:如图 6-22②所示,平移后相应的 5 个顶点的坐标是:$(0,-2)$,$(4,-2)$,$(5,-1.5)$,$(4,-1)$,$(0,-1)$.

易错与疑难题

例 9　已知坐标平面内点 $A(-2,4)$,如果将坐标系向左平移 3 个单位,再向上平移 2 个单位,那么变化后点 A 的坐标是多少?

错解:因为 $-2-3=-5$,$4+2=6$,
　　　所以平移后点的坐标为 $A(-5,6)$.

〔分析〕　将坐标系的平移与点的平移相混淆,实际上坐标系向左平移相当于点向右平移,坐标系向上平移相当于点向下平移,所以本题可以看作坐标不动,点 A 向右平移 3 个单位长度,再向下平移 2 个单位长度.

正解:因为 $-2+3=1$,$4-2=2$,
　　　所以平移后点的坐标为 $A(1,2)$.

中考展望　点击中考

中考命题总结与展望

纵览近年中考,本节知识的考查主要是基础知识的实际应用,即联系比例尺计算有关地图问题.题型以填空题、选择题为主,所占分值不多.

中考试题预测

例 1　(2003·聊城)如图 6-23 所示的是我市市区几个旅游景点示意图(图中每个小正方形的边长为 1 个单位

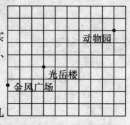

图 6-23

长度),请以某景点为原点,画出直角坐标系,光岳楼 _____,金风广场 _____,动物园 _____.

〔分析〕 该题答案不惟一,若以光岳楼为原点建立坐标系,则光岳楼(0,0),金风广场$(-3,-1.5)$,动物园$(6,3)$,当然,也可以选择其他景点作出坐标原点,同时,其他各点的坐标也随之发生相应的变化.

例2 (2004·衢州)如图 6 - 24 所示,若在象棋盘上建立直角坐标系,使"将"位于点$(1,-2)$,象位于$(3,-2)$,则"炮"点位于 ( )

A.$(1,3)$ B.$(-2,1)$
C.$(-1,2)$ D.$(-2,2)$

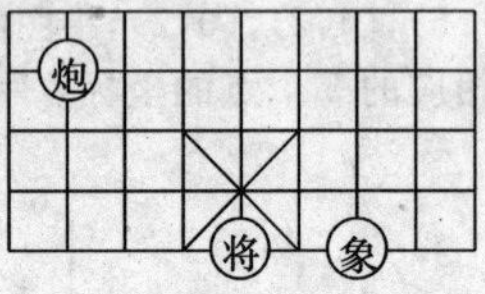

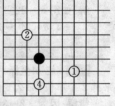

图 6 - 24

〔分析〕 本题形式较为灵活,只给出了两点坐标,并未给出原点位置.但我们应清楚此原点位置已确定.欲求"炮"的位置,应先找出原点,可根据"将"的坐标得到其上面第二行为 x 轴,左面第一列为 y 轴,其交点即为原点位置,由此可得出"炮"的位置,即"炮"的坐标,正确答案为 B 项.

例3 (2005·杭州)如图 6 - 25 所示的围棋盘放置在某个平面直角坐标系内,白棋②的坐标为$(-7,-4)$,白棋④的坐标为$(-6,-8)$,那么黑棋①的坐标应该是 _____.

〔分析〕 由图可知,白棋②的坐标为$(-7,-4)$,则①的坐标为$(-7+4,-4-3)$,即①的坐标为$(-3,-7)$.

小结 确定点的坐标有两种方法,一种是首先确定直角坐标系,进而确定点;另一种是根据点的平移坐标的变化规律来确定.

图 6 - 25

课堂小结 本节归纳

1.本节学习了用坐标表示地理位置及坐标平面内图形的平移.

2.用坐标表示地理位置首先要选好参考点作为原点建立平面直角坐标系,然后用适当的比例尺在坐标轴上确定单位长度,最后根据坐标正确描点.

3.图形平移时,横坐标右加左减,纵坐标上加下减.

习题选解 课本习题

课本第59～61页

习题 6.2

3.$A(-5,2),B(-5,-2),C(1,-2),D(1,2)$;
　$A(-3,5),B(-3,1),C(3,1),D(3,5)$.图略.

4.C

7.$A_1(3,6),B_1(1,2),C_1(7,3)$.

8. 三角形 AOB 的面积为 10.

9. 点 A 与点 C 的横坐标相等,纵坐标互为相反数;$N(x,-y)$.

自我评价　知识巩固

1. 从车站向东走 400 米,再向北走 500 米到小红家,小强家向南走 500 米,再向东走 200 米到车站,则小强家在小红家的 　　　　　(　).
　　A. 正东方向　　　B. 正西方向　　　C. 正南方向　　　D. 正北方向

2. 公园在火车站东南 1000 米处,医院在火车站西南 1000 米处,那么医院在公园的 　　　　　　　　　　(　)
　　A. 正东方向　　　B. 正西方向　　　C. 西北方向　　　D. 东北方向

3. 已知三角形内一点 $P(-3,2)$,如果将该三角形向右平移 2 个单位,再向下平移 1 个单位,那么点 P 的对应点 P' 的坐标是 　　　　　(　)
　　A. $(-1,1)$　　　　　　　　　B. $(-5,3)$
　　C. $(-5,1)$　　　　　　　　　D. $(-1,3)$

4. 已知正方形的一个顶点 $A(-4,2)$,当把坐标系向上平移 2 个单位,再向左平移 3 个单位时,A 点坐标变为 　　　　　(　)
　　A. $(-7,4)$　　　　　　　　　B. $(-1,0)$
　　C. $(-7,0)$　　　　　　　　　D. $(-1,4)$

5. 小明闭上眼睛前行 10 步,右转前行 10 米,左转前行 15 步,左转前行 30 米,左转前行 25 步,这时他的位置在出发点的 　　　　　(　)
　　A. 左 10 步处　　B. 左 20 米处　　C. 右 20 米处　　D. 和出发点重合

6. 从小丽家乘车出发向南行驶 3000 米,再向西行驶 2000 米到公园.从小刚家乘车出发向南行驶 2000 米,再向西行驶 1000 米也到该公园,那么小丽家在小刚家的 　　　　　　方向上.

7. 司机小刘从家开车出发向南行驶 1 千米,又向西行驶 3 千米到达火车站,而司机老李从家出发,向北行驶 5 千米,又向东行驶 3 千米到达火车站,则小刘家在老李家的 　　　　　　方向上.

8. 已知三角形 ABC,$A(-3,2)$,$B(1,1)$,$C(-1,-2)$,现将三角形 ABC 平移,使点 A 到位置 $(1,-2)$ 处,则点 B,C 的坐标分别为 B 　　　　　,C 　　　　　.

9. 小红上学时在路口 A 处左转,那么放学时在这个路口处 　　　　　转.

10. 学校的东北方向是公园,电影院在公园的东南方向,并在学校的正东方向,已知学校到公园约 300 米,请你画一张比例尺为 1:10000 的地图,并在该图上准确地标出学校、公园和电影院的位置.

11. 三角形 $A'B'C'$ 是三角形 ABC 平移后得到的,三角形 ABC 内一点 $P(x,y)$,平移后对应点 P' 的坐标为 $(x+2,y-3)$,已知 $A'(2,3)$,$B'(1,0)$,$C'(5,1)$,求 A,B,C 三点的坐标.

12. 你能想象出从你家到学校这段路路边的情景吗?请按一定的比例尺画一张反映你家到学校这段路路边情况的地图,看谁画得比较合乎实际.

1. B **2.** B **3.** A **4.** B **5.** B **6.** 东北 **7.** 东北 **8.** (5,−3) (3,−6) **9.** 右
10. 略 **11.** $A(0,6),B(−1,3),C(3,4)$. **12.** 略

章末总结

知识网络图示

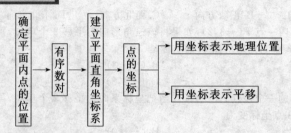

基本知识提炼整理

一、主要概念

1. 有序数对

有顺序的两个数 a 与 b 组成的数对,叫做有序数对,记作 (a,b).

2. 平面直角坐标系

两条互相垂直、原点重合的数轴,组成平面直角坐标系.

3. 象限

x 轴正半轴和 y 轴正半轴之间的部分称为第一象限;x 轴负半轴和 y 轴正半轴之间的部分称为第二象限;x 轴负半轴和 y 轴负半轴之间的部分称为第三象限;x 轴正半轴和 y 轴负半轴之间的部分称为第四象限.

二、主要性质

1. 象限和坐标的正负性

第一象限横、纵坐标都为正数;第二象限横坐标为负数,纵坐标为正数;第三象限横、纵坐标都为负数;第四象限横坐标为正数,纵坐标为负数. y 轴上的点横坐标为0,x 轴上的点纵坐标为0.

2. 利用坐标系绘制地图的过程

(1)选择一个适当的参照点为原点,确定 x 轴、y 轴的正方向建立坐标系.

(2)根据具体问题确定适当的比例尺,在坐标轴上标出单位长度.

(3)在坐标平面内画出这些点,写出各点的坐标和各个地点的名称.

3. 确定图形平移后各点的坐标

在平面直角坐标系中,将点(x,y)向右(或向左)平移a个单位长度,可以得到对应点$(x+a,y)$(或$(x-a,y)$);将点(x,y)向上(或向下)平移b个单位长度,可以得到对应点$(x,y+b)$(或$(x,y-b)$).

在平面直角坐标系内,如果把一个图形各个点的横坐标都加上(或减去)一个正数a,相应的新图形就是把原图形向右(或向左)平移a个单位长度;如果把它各个点的纵坐标都加上(或减去)一个正数a,相应的新图形就是把原图形向上(或向下)平移a个单位长度.

专题总结及应用

1. 平面直角坐标系中的点与坐标的对应关系

平面直角坐标系中,坐标与点的对应关系,即平面内一点M有惟一的一对有序数(x,y)和它对应;对于任意一对有序数(x,y),在坐标平面内都有惟一一点M和它对应.平面上点的坐标由横坐标和纵坐标确定,横、纵坐标的符号决定所在的象限,横坐标为0或纵坐标为0,说明点在y轴上或x轴上.

例1 建立直角坐标系,找出下列各点:
$A(5,3),B(-1.5,3.5),C(-4,-1),D(2,-3)$,
$E(3,0),F(0,-2)$,并写出图中下列各点的坐标:
$G(\quad),H(\quad),I(\quad),J(\quad),K(\quad)$.

解: 各点位置如图6-26所示.
$G(-3,1),H(2,2),I(-2,-4),J(3,-2),K(0,2)$.

图 6-26

2. 利用方程解题的方法

抓住平面直角坐标系的特征和点的坐标的意义是解决此类问题的关键.

例2 若点$(9-a,a-3)$在第一、三象限的角平分线上,求a的值.

解: 因为点$(9-a,a-3)$在第一、三象限的角平分线上,
所以有$9-a=a-3$,所以$a=6$.

小结 (1)四个象限内点的坐标特征:如图6-27所示.
若点$A(a,b)$在第一象限,则$a>0,b>0$;
若点$A(a,b)$在第二象限,则$a<0,b>0$;
若点$A(a,b)$在第三象限,则$a<0,b<0$;
若点$A(a,b)$在第四象限,则$a>0,b<0$.

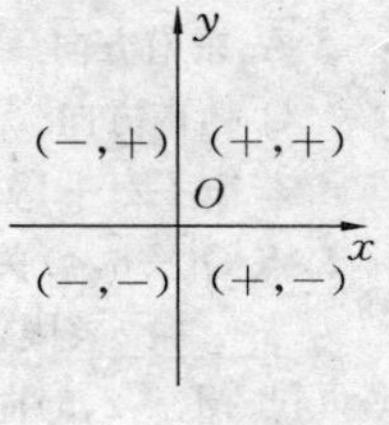

(2)两条坐标轴上点的坐标特征:
若点$A(a,b)$在x轴上,则a为任意实数,$b=0$;
若点$A(a,b)$在y轴上,则$a=0,b$为任意实数;
若点$A(a,b)$在原点,则$a=b=0$.

图 6-27

(3)两坐标轴夹角平分线上的点的坐标特征:

若点 $A(a,b)$ 在第一、三象限的角平分线上,则 $a=b$ 或 $a-b=0$;

若点 $A(a,b)$ 在第二、四象限的角平分线上,则 $a=-b$ 或 $a+b=0$.

(4)点到两坐标轴的距离:

点 $P(x,y)$ 到 x 轴的距离为 $|y|$;

点 $P(x,y)$ 到 y 轴的距离为 $|x|$.

(5)平行于坐标轴的直线上点的坐标特征:

平行于 x 轴的直线上,所有点的纵坐标相同;

平行于 y 轴的直线上,所有点的横坐标相同.

(6)点关于坐标轴及坐标原点对称的点的坐标特征:

点 $P(x,y)$ 关于 x 轴对称的点的坐标为 $(x,-y)$;

点 $P(x,y)$ 关于 y 轴对称的点的坐标为 $(-x,y)$;

点 $P(x,y)$ 关于原点对称的点的坐标为 $(-x,-y)$.

本章综合评价 走向成功

一、训练平台

1. 坐标平面内三点 $A(-1,-1),B(1,1),C(4,-1)$ 的关系是 （ ）

   A. 在一条直线上

   B. 能构成面积是 4 的三角形

   C. 能构成面积是 5 的三角形

   D. 能构成面积是 6 的三角形

2. 坐标平面内三点 $A(0,1),B(-2,-1),C(3,-1)$,则 AB,AC,BC 的长短关系为 （ ）

   A. $BC>AC>AB$ B. $BC>AB>AC$

   C. $AB>AC>BC$ D. $AB>BC>AC$

3. 市场在车站西 500 米,商场在车站南 500 米,则市场在商场的 （ ）

   A. 东南方向   B. 东北方向

   C. 西南方向   D. 西北方向

4. 若 $|x+2|+|y-1|=0$,则点 $P(x,y)$ 和点 $Q(2x+2,y-2)$ 关于_____对称.

5. 点 $Q(-6,4)$ 关于 x 轴的对称点在第_____象限,关于 y 轴的对称点在第_____象限,关于原点的对称点在第_____象限.

6. 点 $M(-2,5)$ 向右平移_____个单位长度,向下平移_____个单位长度,变为 $M'(0,1)$.

7. 如果点 $P(a-1,b+1)$ 在第四象限,那么点 $Q(ab,2)$ 在哪一象限?

二、探究平台

1. 点 $A(x+1,5)$ 和点 $B(2,y-1)$ 关于 x 轴对称,则 x,y 分别是　　　　(　　)

　　A.1 和 -4　　　　　　　　B.-3 和 6

　　C.1 和 6　　　　　　　　D.-3 和 -4

2. 已知关于 x 的方程 $x^{a+3}-5=0$ 是一元一次方程,则点 $P(a+1,-2)$ 在　　(　　)

　　A.第一象限　　　　　　　　B.第二象限

　　C.第三象限　　　　　　　　D.第四象限

3. 已知坐标平面内有点 $A(1,1),B(2,0),C(0,-1)$,则三角形 ABC 的面积为_____.

4. 顺次连接 $A(1,4),B(0,2),C(2,1),D(3,3)$ 这 4 个点,得到的图形是_____.

5. 坐标平面内有 4 个点 $A(1,2),B(-2,1),C(0,-1),D(2,0)$,顺次连接 $A,B,C,$ D,求四边形 $ABCD$ 的面积.

6. 点 $N(-3,-2)$ 在第几象限?如果将点 $N(-3,-2)$ 向右平移 2 个单位,再向上平移 3 个单位得到点 N',那么 N' 在第几象限?

三、交流平台

1. 在平面直角坐标系中,描出下列各点:$A(-2,-1),B(4,-1),M(1,1),P(1,-1)$.然后回答下列问题.

　　(1)你知道 P 是线段 AB 上的什么点吗?MP 和 AB 的位置关系如何?

　　(2)线段 MA 和线段 MB 的大小有什么关系?

2. 某校校门在北侧,进校门向南走 30 米是旗杆,再向南走 30 米是教学楼,从教学楼向东走 60 米,再向北走 20 米是图书馆,从教学楼向西走 60 米,再向北走 10 米是实验楼,请你选择适当的比例尺画出该楼的校园平面图.

☺评价标准☹

一、**1.** C　**2.** A　**3.** D　**4.** x 轴　**5.** 三　一　四　**6.** 2　4

　　7. 解:因为点 P 在第四象限,

　　　　所以 $a-1>0,b+1<0$,

　　　　所以 $a>1,b<-1$,

　　　　所以 a 是大于 1 的正数,b 是小于 -1 的负数,

　　　　所以 $ab<0$.

　　　　所以 $Q(ab,2)$ 在第二象限.

二、**1.** A　**2.** C　**3.** $\dfrac{3}{2}$　**4.** 正方形

5.解:如图6-28所示,分别过点B,D作x轴的垂线,过点A,C作y轴的垂线,得到长方形$EFGH$.

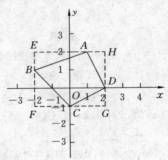

图6-28

则四边形$ABCD$的面积=长方形$EFGH$的面积-三角形EBA的面积-三角形HAD的面积-三角形GDC的面积-三角形FCB的面积,即四边形$ABCD$的面积$=3\times4-\dfrac{1}{2}\times1\times3-\dfrac{1}{2}\times1\times2-\dfrac{1}{2}\times1\times2-\dfrac{1}{2}\times2\times2=6.5$.

6.第三象限,第二象限.

三、1.解:各点的位置如图6-29所示.连接MA,MB,AB,MP.

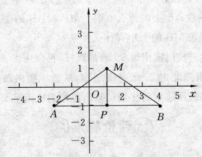

图6-29

(1)P是线段AB的中点,MP和AB垂直.

(2)$MA=MB$.

2.略

第七章

三角形

一、课标要求与内容分析

1.本章的课标要求是:了解三角形的有关概念(内角、外角、中线、高、角平分线),会画出任意三角形的角平分线、中线和高,了解三角形的稳定性,通过探索平面图形的嵌镶,知道任意一个三角形、四边形或六边形可以镶嵌平面,并能运用这几种图形进行简单的镶嵌设计.

2.本章主要学习与三角形有关的线段、角及多边形的内角和等内容.三角形是几何知识中的重要内容,也是几何学的基础.

3.本章从三角形出发,先学习三角形的有关线段和角,再到多边形,其中又包括三角形的内角和、外角和及多边形的内角和等知识,最后到多边形的实际应用.

4.本章分四大节:第一节是与三角形有关的线段;第二节是与三角形有关的角;第三节是多边形及其内角和;第四节是课题学习——镶嵌.本章重点是三角形的有关线段和角.

二、学法指导

学习本章的关键是正确理解三角形的有关概念,掌握有关性质.在学习过程中,要注意观察、搜集资料,多与同学交流,注重新旧知识的内在联系,学会将新知识转化到旧知识上去,再进行归纳、整理、分析.

在本章的学习中,要深刻理解并掌握归纳、类比的方法,对所学知识要及时归纳和总结.

7.1 与三角形有关的线段

新课指南

1. **知识与技能**:通过具体实例,进一步认识三角形的概念及其基本要素,学会三角形的表示方法及掌握对边与对角的关系,掌握三角形三边之间关系,培养学生动手操作能力和大胆猜想的能力.

2. **过程与方法**:通过观察、操作、想象、推理、交流等活动,发展学生的空间观念,培养推理能力和表达能力.

3. **情感态度与价值观**:经过本节知识的学习,深刻理解并掌握归纳、类比的思想方法,进一步体会数学知识来源于实际生产和生活,反之又服务于生产生活.

4. **重点与难点**:重点是了解三角形的定义、三角形的三边关系;难点是理解"首尾相连"等关键语句.

教材解读 精华要义

数学与生活

如图 7-1 所示,以 3 根火柴为边,可以组成一个三角形,那么以 6 根火柴为边,最多可以组成几个三角形? 9 根火柴为边最多能组成几个三角形?

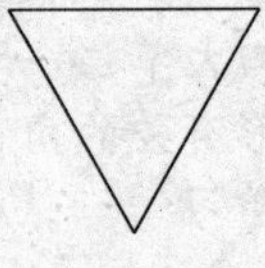

图 7-1

知识详解

知识点 1 三角形的概念

1 由不在同一条直线上的三条线段首尾顺次相接所组成的图形叫做三角形.

组成三角形的三条线段叫做三角形的边.相邻两边的公共顶点叫做三角形的顶点.

相邻两边组成的夹角,叫做三角形的内角(简称三角形的角).

Ⅱ 三角形的特征.

(1)三条线段;

(2)不在同一条直线上;

(3)首尾顺次相接.

以上三点表明三角形是一个封闭的平面图形.如图 7-2 所示的图形就不是三角形,它不具备三角形的第 3 条特征.

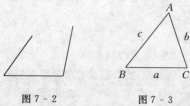

图 7-2   图 7-3

Ⅲ 三角形的表示方法.

"三角形"用符号"△"表示,顶点是 A,B,C 的三角形,记作"△ABC",读作"三角形 ABC",如图 7-3 所示.

【说明】 如图 7-3 所示,三角形有三个顶点 A,B,C;有三条边:AB,BC,AC(或 a,b,c);有三个角∠A,∠B,∠C.

△ABC 的三边用 a,b,c 表示时,∠A 所对的边 BC 用 a 表示,∠B 所对的边 AC 用 b 表示,∠C 所对的边 AB 用 c 表示.

知识点 2 三角形的三边关系

Ⅰ 三角形的三边关系.

三角形两边的和大于第三边.

如图 7-3 所示,上述内容可表示为 $a+b>c,b+c>a,a+c>b$.

【说明】 三角形两边之和是指任意两边之和.

理论根据:两点之间线段最短.

推论:由 $a+b>c$,根据不等式的基本性质,得 $c-b<a$.

即三角形两边之差小于第三边.

Ⅱ 三角形三边关系的作用.

(1)已知三角形两边,求第三边的取值范围.

例如:已知三角形一边为 5,另一边为 3,求第三边 c 的取值范围.

解:因为 $5-3<c<5+3$,即 $2<c<8$,

所以第三边 c 的取值范围是 $2<c<8$.

(2)判断三条线段能否组成三角形.

例如,三条线段 $a=2$ cm,$b=3$ cm,$c=4$ cm 能组成三角形,因为 $2+3>4$.而三条

线段 $d=2$ cm，$e=3$ cm，$f=5$ cm 就不能组成三角形，因为 $2+3=5$(cm)，即两条线段的和不大于第三条线段，就不能组成三角形.

知识点3　三角形的三条重要线段

Ⅰ 三角形的高.

(1)定义：从三角形一个顶点向它的对边所在直线画垂线，顶点和垂足间的线段叫做三角形的高线(简称三角形的高).

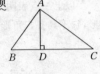

图7-4

(2)高的叙述方法．如图7-4所示：

①AD 是 $\triangle ABC$ 的高.

②$AD\perp BC$，垂足为 D.

③D 点在 BC 上，且 $\angle BDA=\angle CDA=90°$.

【说明】　钝角三角形、锐角三角形、直角三角形都有三条高.锐角三角形的三条高在三角形内部，相交于一点，如图7-5所示；直角三角形有两条高与直角边重合，另一条高在三角形内部，它们的交点是直角顶点，如图7-6所示；钝角三角形有两条高在三角形外部，一条高在三角形内部，三条高不相交，但三条高所在直线相交于三角形外一点，如图7-7所示.

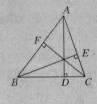

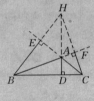

图7-5　　　　图7-6　　　　图7-7

(3)推理方法.

如图7-4所示，

因为 AD 是 $\triangle ABC$ 的高(已知)，

所以 $AD\perp BC$ 于 D(或 $\angle ADB=\angle ADC=90°$).

逆向：因为 $AD\perp BC$ 于 D(或 $\angle ADB=\angle ADC=90°$)(已知)，

所以 AD 是 $\triangle ABC$ 边 BC 上的高(高的定义).

(4)高的画法.

可根据高线的定义，利用三角板作直角.

Ⅱ 三角形的中线.

(1)定义：在三角形中，连接一个顶点和它对边中点的线段叫做三角形的中线.

【说明】　(1)一个三角形有三条中线，并且都在三角形内部，相交于一点.

(2)三角形的中线是一条线段.

(3)三角形的一条中线把三角形分成面积相等的两个三角形.

(2)推理方法.

如图 7-8 所示，

因为 AD 是 $\triangle ABC$ 边 BC 上的中线(已知)，

所以 $BD=DC=\dfrac{1}{2}BC$；

或 $BC=2BD=2DC$；

或 D 为 BC 的中点.

图 7-8

逆向：因为 $BD=DC\left(\text{或 }BD=DC=\dfrac{1}{2}BC, 2DB=2DC=BC, D\right.$

为 BC 的中点$\Big)$(已知)，

所以线段 AD 为 BC 边上的中线(中线定义).

(3)中线的画法.

画三角形中线时，需要连接顶点及对边中点.如图 7-8 所示，D 为 BC 边的中点，AD 就是 $\triangle ABC$ 中 BC 边上的中线.

Ⅲ 三角形的角平分线.

(1)定义：三角形的一个角的平分线与这个角的对边相交，这个角的顶点和交点之间的线段叫做三角形的角平分线.

【说明】　(1)一个三角形有三条角平分线，并且都在三角形内部，相交于一点.

(2)三角形的角平分线是一条线段，而角的平分线是一条射线.

(2)推理方法.

如图 7-9 所示，

因为 AD 是 $\triangle ABC$ 的角平分线(已知)，

所以 $\angle 1=\angle 2=\dfrac{1}{2}\angle BAC$.

图 7-9

逆向：因为 $\angle 1=\angle 2\left(\text{或 }\angle 1=\dfrac{1}{2}\angle BAC, \angle 2=\dfrac{1}{2}\angle BAC\right)$(已知)，

所以线段 AD 是 $\triangle ABC$ 的角平分线(角平分线定义).

(3)角平分线的画法.

三角形角平分线的画法和角的画法相同，可以用量角器.

知识点 4　三角形的稳定性

三角形三边长一旦确定，三角形的形状就惟一确定，这个性质叫三角形的稳定性.

【说明】　(1)三角形的稳定性在生活和生产中应用很广，很多需要稳定的东西都制成三角形形状.

(2)四边以上的图形不具有稳定性.

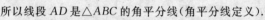

典例剖析　　师生互动

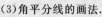

基本概念题

主要考查学生对三角形基本概念的理解.

例 1 下列说法正确的是 （ ）

A. 在△ABC 中，BC 边上的高线是过顶点 A 向对边所引的垂线

B. 在△ABC 中，BC 边上的中线是过点 A 和 BC 中点的直线

C. 在△ABC 中，∠A 的平分线是一条射线

D. 在△ABC 中，BC 边上的中线一定在△ABC 的内部

〔分析〕 三角形的角平分线、中线、高都是线段，故可排除 A，B，C。由于 BC 中点在 BC 上，故中线一定在内部，所以应选 D.

答案：D

例 2 如图 7 - 10 所示，完成下列问题.

(1) D 为 AC 边上的中点，则 AC 边上的中线是哪条线段？

(2) F 是 BD 边上的中点，则△ABD 的中线是哪条线段？

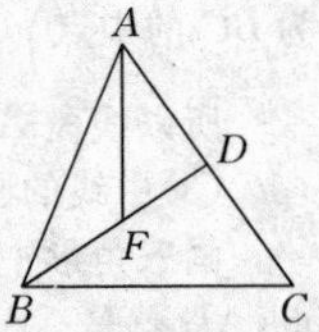

〔分析〕 三角形一边上的中线是指此边中点与该边相对顶点之间的线段，反之亦然.

解：(1) AC 边上的中线是线段 BD.

(2) △ABD 的中线是线段 AF.

图 7 - 10

例 3 如图 7 - 11 所示，这幅小猫图案包含着若干个三角形，请你开动脑筋，找一个规律，仔细数一数图中有多少个三角形.

〔分析〕 这幅小猫图案包含着若干个三角形，要想数出其中有几个三角形，并不是一种容易的事，弄不好就要漏掉一两个，我们可以用分类的方法计算，就可以解决此题了.

解：头部有 10 个三角形，身体和脚有 3 个三角形，尾部有 7 个三角形，所以图中共有 10＋3＋7＝20 个三角形.

基础知识应用题

图 7 - 11

主要考查三角形三边关系这一性质的应用.

例 4 如图 7 - 12 所示，完成下列问题.

(1) AD 是△ABC 的角平分线，则 _____＝_____

＝$\frac{1}{2}$_____；

(2) AE 是△ABC 的中线，则 _____＝_____

＝$\frac{1}{2}$_____；

(3) AF 是△ABC 的高，则_____＝_____＝90°.

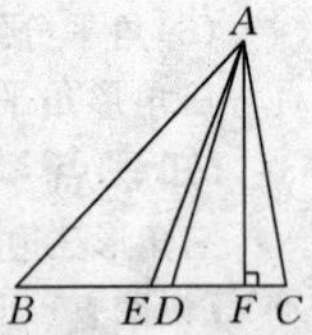

图 7 - 12

〔分析〕 此例题主要考查与三角形角平分线、中线、高相关的一些基础知识.

答案：(1) ∠BAD ∠CAD ∠BAC

(2) BE CE BC

(3) ∠AFB ∠AFC

例 5 三角形一边上的高 （ ）

A. 在三角形的内部   B. 在三角形的外部

C. 在三角形的一边上   D. 以上三种情况都有可能

〔分析〕 锐角三角形的三条高都在三角形内部;直角三角形斜边上的高在三角形内部,两条直角边是对边上的高;钝角三角形有一条高在三角形内部,两条高在三角形外部.

答案:D

例6 已知三角形两边的长分别是 2 cm 和 7 cm,求第三边长的取值范围.

〔分析〕 三角形中已知两边的长,求第三边长的取值范围,通常利用三角形的三边关系,即三角形的一边大于另外两边的差,小于另外两边的和.

解:设第三边的长为 x cm.

  由三角形的三边关系可知 $7-2 < x < 7+2$,

  即 $5 < x < 9$.

  故此三角形第三边的长大于 5 cm 且小于 9 cm.

学生做一做 (1)已知三角形的两边长分别为 2 cm 和 7 cm,第三边长为偶数,求第三边的长.

(2)已知三角形的两边长分别为 2 cm 和 7 cm,求周长的取值范围.

老师评一评 (1)6 cm 或 8 cm.

(2)三角形周长大于 14 cm 且小于 18 cm.

例7 下列各组中的数分别表示三条线段的长度,它们能组成三角形吗?

(1)$3k,4k,5k(k>0)$;

(2)$m+1,2m,m+1(m>0)$;

(3)$a,b,a+b+1(a>0,b>0)$.

〔分析〕 判断三条线段能否构成三角形,关键看三条线段是否满足:任意两边之和大于第三边.但通常并不需要一一验证 $a+b>c,b+c>a,a+c>b$ 这三个不等式.其简便方法是:两较短边之和大于较长边,或两较长边之差小于较短边.

解:(1)因为 $3k>5k-4k$,故此三条线段能构成三角形.

(2)因为 $(m+1)+(m+1)=2m+2>2m$,故此三条线段能构成三角形.

(3)因为 $a+b+1>a,a+b+1>b$,

  所以 a,b 为较短边,又 $a+b<a+b+1$,故此三条线段不能构成三角形.

综合应用题

主要考查:(1)三角形与面积的综合应用;(2)三角形与绝对值知识的综合应用;(3)三角形与实际问题的综合应用.

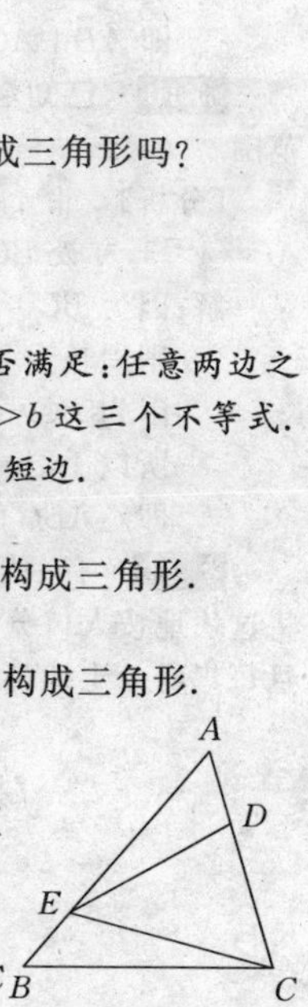

例8 如图 7-13 所示,D 为 $\triangle ABC$ 中 AC 边上一点,$AD=1,DC=2,AB=4$,E 是 AB 上一点,且 $\triangle ABC$ 的面积等于 $\triangle DEC$ 面积的2倍,则 BE 的长为多少?

图 7-13

〔分析〕 本题借助三角形的面积特点(同高的三角形面积比等于底边长的比),灵活地将三角形面积关系转化为底边的关系,从而可求.

解:设 $S_{\triangle DCE}=2k$,则 $S_{\triangle ABC}=4k$.

因为 $CD=2AD$,

所以 $S_{\triangle EAD}=\dfrac{1}{2}S_{\triangle ECD}=k$,

所以 $S_{\triangle CBE}=k$,

所以 $S_{\triangle ABC}=4S_{\triangle EBC}$,

所以 $BE=\dfrac{1}{4}AB=1$,

即 BE 的长为 1.

例 9 如图 7-14 所示,P 为 $\triangle ABC$ 内的一点.试说明 $AB+AC>PB+PC$.

〔分析〕 由题中已知条件只能得到 $AB+AC>BC$,$PB+PC>BC$,不能从根本上解决问题,因此必须重新构造三角形,添加辅助线.

解:延长 BP 交 AC 于点 D.

在 $\triangle ABD$ 中,$AB+AD>BD$,

即 $AB+AD>BP+PD$. ①

在 $\triangle CDP$ 中,$CD+PD>PC$. ②

①+②得 $AB+AD+CD+PD>BP+PC+PD$,

所以 $AB+AD+CD>BP+PC$,

即 $AB+AC>BP+PC$.

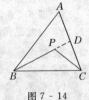

图 7-14

例 10 已知 $\triangle ABC$ 中,$AB=7$,$BC:AC=4:3$,求这个三角形周长的取值范围.

〔分析〕 由于 AB 边长已知,只要求得 BC,AC 边长的取值范围即可.由于 $BC:AC=4:3$,可设 $BC=4x$,$AC=3x$,再依据三角形的三边关系确定 x 的取值范围.

解:因为 $BC:AC=4:3$,故可设 $BC=4x$,$AC=3x(x>0)$,

则周长为 $4x+3x+7=7x+7$.

因为 $BC-AC<AB<BC+AC$,即 $4x-3x<7<4x+3x$,

所以 $1<x<7$,从而 $14<7x+7<56$,

即 $\triangle ABC$ 的周长小于 56 且大于 14.

例 11 有一肥沃的三角形地,其中一边与灌渠相邻,如图 7-15①所示,政府要将这块地按人口分给甲、乙、丙三家,若甲家有 6 口人,乙家有 5 口人,丙家有 4 口人,且每户所分土地都与灌渠相邻,请你帮助设计一个合理的分配图案.

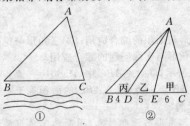

图 7-15

〔分析〕 此题要求把地分给甲、乙、丙三家,并且要求三家必须与灌渠相邻,也就是使三家土地的面积比为 6:5:4,与灌渠相邻,即把 BC 边分成(6+5+4)份,甲家有 6 份,乙家有 5 份,丙家有 4 份.

解:如图 7 - 15②所示,把线段 BC 分成 6+5+4=15(份),

其中 $BD:DE:EC=4:5:6$.

△AEC 分给甲家,△ADE 分给乙家,△ABD 分给丙家.

【说明】 若本题不要求三家都与灌渠相邻,则有许多分法.解决本题的关键是:若两个三角形高相同(或相等),则其面积比即为底边长之比.

探索与创新题

例 12 请根据表中三角形叠加的规律,探求三角形叠加的层数与三角形个数之间的关系,写出相应的关系式.

图形	层数	关系式
	1	$1=1^2$
	2	$1+3=2^2$
	3	$1+3+5=3^2$
	4	
...	...	...
	n	

解:第一层:$1=1^2$;第二层:$1+3=2^2$;第三层:$1+3+5=3^2$;第四层:$1+3+5+7=4^2$;

依此类推,可以得出第 n 层的三角形个数为:$1+3+5+7+\cdots+(2n-1)=n^2$.

小结 此题通过图形寻求三角形个数与层数之间的关系,一方面培养学生的读图能力,另一方面也是培养学生归纳、总结的能力.

✿学生做一做 如图 7 - 16 所示,观察图中的一组图形,根据其变化规律,可得到图中第 10 个图形中三角形的个数为 _____.

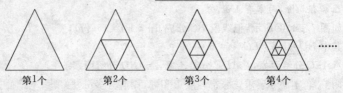

图 7 - 16

✿老师评一评 通过观察,所给四个图形的三角形的个数分别是:

$1=4\times1-3;5=4\times2-3;9=4\times3-3;13=4\times4-3;\cdots\cdots$

可以发现第 n 个图形中共有三角形的个数为 $4n-3$,

当 $n=10$ 时,$4\times10-3=37$(个).

所以,第 10 个图形中共有 37 个三角形.

例 13 如图 7 - 17 所示,$OA:OD:OC:OB=2:2:3:4$,求 $(S_{\triangle AOD}+S_{\triangle OBC})$ $:(S_{ABO}+S_{CDO})$.

〔分析〕 本题只给出图形中四条线段的比值,解这个题的 关键是运用三角形面积的性质:若两个三角形高相同(或相等),则其面积比即为高所对的底边之比.设 $\triangle ABD$ 的高为 h,则 h 也是 $\triangle ABO$,$\triangle ADO$ 的高.因为 $BO:OD=4:2$,所以 $S_{\triangle AOB}:S_{\triangle AOD}=4:2$,设 $S_{\triangle AOD}=2x$,则 $S_{\triangle AOB}=4x$,在 $\triangle ABC$ 中,$OA:OC=2:3$,则 $S_{\triangle AOB}:S_{\triangle BOC}=2:3$,所以 $S_{\triangle BOC}=6x$,同理 $S_{\triangle DOC}=3x$,所以 $S_{\triangle AOD}+S_{\triangle OBC}=2x+6x=8x$,$S_{\triangle AOB}+S_{\triangle DOC}=4x+3x=7x$,所以 $(S_{\triangle AOD}+S_{\triangle OBC}):(S_{\triangle OAB}+S_{\triangle DOC})=8x:7x=8:7$.

图 7 - 17

解:因为 $OA:OD:OC:OB=2:2:3:4$,

由三角形的性质可知 $S_{\triangle AOD}:S_{\triangle AOB}=2:4$,

设 $S_{\triangle AOD}=2x$,则 $S_{\triangle AOB}=4x$,$S_{OBC}=6x$,$S_{\triangle DOC}=3x$,

所以 $S_{\triangle AOD}+S_{\triangle OOB}=2x+6x=8x$,$S_{\triangle AOB}+S_{\triangle OOD}=4x+3x=7x$,

所以$(S_{\triangle AOD}+S_{\triangle OOB}):(S_{\triangle AOB}+S_{\triangle OOD})=8x:7x=8:7$.

✿学生做一做 如图 7 - 18 所示,$S_{\triangle AOD}=3$,$S_{\triangle AOB}=4$,$S_{\triangle OOD}=6$,求 $S_{\triangle OBC}$.

✿老师评一评 在 $\triangle AOD$ 与 $\triangle ODC$ 中,AO,OC 边上的高均是 $\triangle DAC$ 中 AC 边上的高,且 $S_{\triangle AOD}=3$,$S_{\triangle DOC}=6$,

所以 $AO:OC=3:6$,

在 $\triangle AOB$ 和 $\triangle BOC$ 中,$AO:OC=3:6$,

所以 $S_{\triangle AOB}:S_{\triangle BOC}=3:6$ 且 $S_{\triangle AOB}=4$,

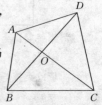

图 7 - 18

所以 $S_{\triangle BOC}=\dfrac{6 \cdot S_{\triangle AOB}}{3}=\dfrac{6 \times 4}{3}=8.$

小结 如图 7－19 所示,在任意四边形 $ABCD$ 中,AC 与 BD 相交于点 O,若 $S_{\triangle AOD}=a,S_{\triangle AOB}=b,S_{\triangle BOC}=c,S_{\triangle COD}=d$,则有 $ac=bd$.

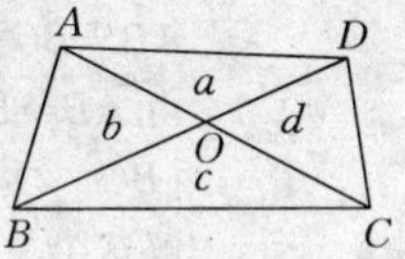

例14 已知 $\triangle ABC$ 中,三边长 a,b,c 都是整数,且满足 $a>b>c,a=8$,那么满足条件的三角形共有多少个?

图 7－19

〔分析〕 此题是典型的讨论题目.为了不重复,不漏解,可以采用列表法.

解:由三角形的三边关系知 $b+c>a$,而 $b>c,a=8$,可知 $b>4$,且 $b<8$,又 b 是整数,所以 $b=5,6,7$,如此分类得 c,列表讨论如下:

a	8	8	8
b	5	6	7
c	4	5,4,3	6,5,4,3,2

因此,满足条件的三角形共有 $1+3+5=9$(个).

例15 已知等腰三角形的一边长等于 8,另一边长等于 6,求此三角形的周长. (注:有两边相等的三角形为等腰三角形,其中相等的两边为腰,另一边为底)

〔分析〕 要求等腰三角形的周长,先要根据三角形的三边关系确定等腰三角形的腰与底.

解:因为 $6+6>8$,

所以 8 可以作为底,则周长为 $6+6+8=20.$

因为 $8+8>6$,

所以 6 可以作为底,则周长为 $8+8+6=22.$

所以此三角形的周长为 20 或 22.

易错与疑难题

例16 等腰三角形(有两条边相等的三角形为等腰三角形,其中相等的两边为腰,另一边为底边)一腰上的中线把该三角形的周长分为 13.5 cm 和 11.5 cm 两部分.求这个等腰三角形各边的长.

〔分析〕 这道题是用文字叙述的形式给出的,没有图形,也没有字母,不如给出图形的题目直观.为此,可以先根据文字叙述画出图形,标注字母,利用图形减小题目难度,故画出图 7－20.从图 7－20 中看出,周长被分为长度不相等的两部分,是由于腰和底边不相等造成的.

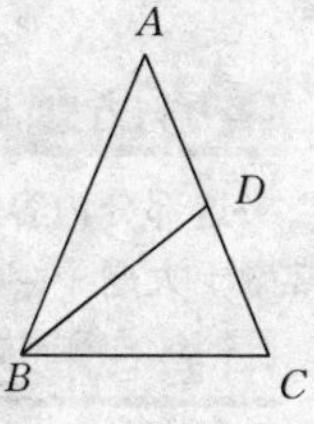

图 7－20

错解：设在△ABC中，$AB=AC$，BD 是 AC 边上的中线，由题意，得 $AB-BC=13.5-11.5=2$，

$AB=BC+2.$

由 $AB=BC+2$ 与 $AC=AB$，得

$(BC+2)+BC+(BC+2)=13.5+11.5.$

解这个关于 BC 的方程，得 $BC=7.$

$AC=AB=7+2=9.$

即这个等腰三角形的三边长分别为 9 cm，9 cm 和 7 cm.

〔分析〕 由题意画出图形，以便思考和书写解题过程，这是正确的. 但是上面的分析对问题的考虑欠周密. 因为除了图 7 - 20所示的情况外，还有如图 7 - 21所示的情况存在，即不是腰比底边长，而是底边比腰长.

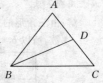

图 7 - 21

正解：设在△ABC中，$AB=AC$，BD 是中线，依题意，

当 $AB>BC$ 时，

$AB-BC=13.5-11.5=2$，

$AB=BC+2.$

所以 $2(BC+2)+BC=13.5+11.5$，

解得 $BC=7.$ $AB=AC=BC+2=9.$

当 $AB<BC$ 时，

$BC-AB=13.5-11.5$，$BC=AB+2.$

由于 $AC=AB$，所以

$2AB+AB+2=13.5+11.5$，

解得 $AB=\dfrac{23}{3}.$ $AC=\dfrac{23}{3}$，$BC=\dfrac{23}{3}+2=\dfrac{29}{3}.$

所以，这个三角形三边的长分别为 9 cm，9 cm 和 7 cm，或分别为 $\dfrac{23}{3}$ cm，

$\dfrac{23}{3}$ cm 和 $\dfrac{29}{3}$ cm.

中考展望　点击中考

中考命题总结与展望

这部分内容在中考中常见于选择题、填空题或画图题，是中考必考查的内容，也常融于大题中.

中考试题预测

例1 （2003·云南）已知等腰三角形（有两边相等的三角形）的两边长分别为 6 cm，3 cm，则该三角形的周长是 （　　）

A. 9 cm　　　　　　　　B. 12 cm

C. 12 cm 或 15 cm　　　　D. 15 cm

〔分析〕　已知两边求周长,要求出第三边.根据三角形的三边关系,先求出第三边的取值范围,确定第三边,从而求出周长.

因为等腰三角形两边长分别为 6 cm,3 cm,则第三边长为 6 cm 或 3 cm.

当第三边长为 3 cm 时,3+3＝6(cm),不能构成三角形.

所以第三边长为 6 cm,所以周长为 15 cm.

答案:D

例2　(2004·哈尔滨)以下列各组线段长为边,能组成三角形的是　　　(　　)

A. 1 cm,2 cm,4 cm　　　　B. 8 cm,6 cm,4 cm

C. 12 cm,5 cm,6 cm　　　　D. 2 cm,3 cm,6 cm

〔分析〕　运用三角形三边关系判断能否组成三角形,即两边之和大于第三边,两边之差小于第三边,计算得正确答案为 B 项.

课堂小结　本节归纳

1. 本节主要学习三角形的概念及其三条重要线段.

2. 一般地,画基本图形要依据它的定义.

3. 三角形三条主要线段的区别和联系如下表:

名称	基本图形	定义	画　法	性　质
高	 A B　D　C	见详解	利用三角板或量角器画垂线的一部分	三条高线所在直线相交于三角形内、外或边上的一点
中线	A B　D　C	见详解	利用直尺画两点之间的线段	三条中线相交于三角形内一点,且把三角形分成面积相等的两部分
角平分线	A B　D　C	见详解	利用量角器画角的平分线的一部分	三条角平分线相交于三角形内一点,且这点到三边的距离相等

习题选解 　课本习题

📖 **课本第75～76页**

习题 7.1

1. 6 个, △ABD, △ABE, △ABC, △ADE, △ADC, △AEC.

2. 提示:有 2 种选法,根据三角形的三边关系.

4. (1) CE 　 BC 　 (2) $\angle CAD$ 　 $\angle BAC$ 　 (3) $\angle AFC$ 　 (4) $\frac{1}{2} BC \cdot AF$

5. C 　 **6.** 7 cm, 7 cm. 　 **7.** 1 : 2.

8. $\angle 1 = \angle 2$.

9. 四边形需 1 根,五边形需 2 根,六边形需 3 根.

自我评价 　知识巩固

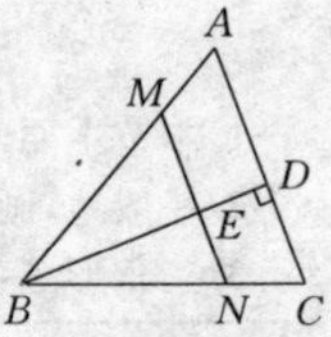

1. 如图 7-22 所示,在 △ABC 中, $MN // AC$, $BD \perp AC$ 于 D,则下列
   说法中,不正确的是 　　　　　　　　　　　　　　　　　　( )
   A. BD 是 △ABC 的高
   B. CD 是 △BCD 的高
   C. ME 是 △ABD 的高
   D. BE 是 △BMN 的高

图 7-22

2. 三角形的一条高线是 　　　　　　　　　　　　　　　　　　( )
   A. 直线
   B. 射线
   C. 垂线
   D. 垂线段

3. 下列说法中,不正确的是 　　　　　　　　　　　　　　　　( )
   A. 三角形的三条内角平分线必在三角形内
   B. 三角形的三条中线必在三角形内
   C. 三角形的三条高必在三角形内
   D. 直角三角形的两条直角边都是该三角形的高

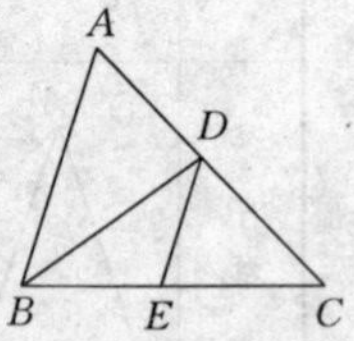

4. 如图 7-23 所示, D, E 分别为 △ABC 的边 AC, BC 的中点,则下
   列说法中,不正确的是 　　　　　　　　　　　　　　　　　( )
   A. DE 是 △BDC 的中线
   B. BD 是 △ABC 的中线
   C. $AD = DC$, $BE = EC$
   D. $\angle C$ 的对边是 DE

图 7-23

5. 如果一个三角形的三条高的交点恰是三角形的一个顶点,那么
   这个三角形是 　　　　　　　　　　　　　　　　　　　　( )
   A. 锐角三角形
   B. 钝角三角形
   C. 直角三角形
   D. 不能确定

6. 已知三角形的周长为 15,且其中的两边都等于第三边的 2 倍,那么这个三角形的
   最短边长为 　　　　　　　　　　　　　　　　　　　　　　( )

A. 1　　　　　　　　　　　　B. 2

C. 3　　　　　　　　　　　　D. 4

7. 在 $\triangle ABC$ 中,如果 $AB=3x,AC=4x,BC=21$,那么 x 的取值范围是　　　　(　　)

A. $x>3$　　　　　　　　　　B. $x<21$

C. $7<x<14$　　　　　　　　D. $3<x<21$

8. 如果三条线段的比是:①1:3:4;②1:2:3;③1:4:6;④3:3:6;⑤6:6:10;⑥3:4:5.其中可构成三角形的有　　　　　　　　　　　　　　　　　　(　　)

A. 1个　　　　　　　　　　　B. 2个

C. 3个　　　　　　　　　　　D. 4个

9. 一个三角形的周长是偶数,其中的两条边分别为 5 和 1999,则满足上述条件的三角形个数为　　　　　　　　　　　　　　　　　　　　　　　　　(　　)

A. 2个　　　　　　　　　　　B. 4个

C. 6个　　　　　　　　　　　D. 8个

10. 如图 7 - 24 所示,$\triangle ABC$ 中,D,E 分别为 BC,AD 的中点,且 $S_{\triangle ABC}=4$,则 $S_{阴影}$ 为　　　　　　　　　(　　)

A. 2　　　　　　　　　　　　B. 1

C. $\dfrac{1}{2}$　　　　　　　　　　D. $\dfrac{1}{4}$

11. 已知三角形的两边长分别为 5 和 7,则第三边上的中线 x 的取值范围是　　　　　　　　　　　　　　　　(　　)　　　　图 7 - 24

A. $1<x<6$　　　　　　　　　B. $2<x<12$

C. $\dfrac{1}{2}<x<3$　　　　　　　D. $1<x<5$

12. 三角形的三条边长是三个连续的自然数,且周长为 18,求三角形的三边长.

13. 有三段粗细均匀且直径相等的钢筋,长度分别为 a,b,x,恰好可以围成一个三角形,其质量分别为 20,30,P,求 P 的取值范围.

14. 有三段直径相等、粗细均匀的铜线,长度分别为 a cm,b cm,c cm,其中导线 a 的电阻为 20 欧姆,导线 c 的电阻为 30 欧姆,若三根导线恰好可以围成一个三角形,试求导线 b 的电阻的取值范围(导线的电阻与导线的长度成正比).

15. 已知 P 为 $\triangle ABC$ 内任一点.试说明 $PA+PB+PC>\dfrac{1}{2}(AB+BC+AC)$.

16. 草原上有 4 口油井,恰好位于四边形 $ABCD$ 的四个顶点处,现要建一维修站 M,试问 M 建在何处,才能使它到 4 口油井的距离之和 $MA+MB+MC+MD$ 最小?请说明理由.

☺评价标准☹

1. C　**2.** D　**3.** C　**4.** D　**5.** C　**6.** C　**7.** D　**8.** B[提示:可直接把它看成边的长度,如两较小边的和大于最大边,则能构成三角形.]　**9.** B[提示:设第三边为 x,则 $1994<x<2004$,且 $5+1999=2004$ 为偶数,周长也为偶数,x 只能取偶数,分别为 1996,1998,2000,2002.]　**10.** B[提示:利用"同底等高或等底同高或等底等高的两个三角

形面积相等"解决此题.] 11. A

12. 解:设三角形中最短边长为 x,则另两边长分别为 $x+1,x+2$,

依题意,有 $x+x+1+x+2=18$,

解得 $x=5$,

则三边长分别为 $5,6,7$.

13. 解:因为三段钢筋的长分别为 a,b,x,且恰好可围成三角形,

所以 $b-a<x<b+a$.

因为钢筋质量与长度成正比,

所以 $30-20<P<30+20$,

即 $10<P<50$.

14. 提示:导线 b 的电阻的取值范围是大于10欧姆且小于50欧姆.

15. 解:在 $\triangle PAB$ 中,$PA+PB>AB$;

在 $\triangle PBC$ 中,$PB+PC>BC$;

在 $\triangle PAC$ 中,$PA+PC>AC$.

所以 $2(PA+PB+PC)>AB+BC+AC$,

所以 $PA+PB+PC>\dfrac{1}{2}(AB+BC+AC)$.

16. 解:维修站 M 应建在四边形对角线 AC 与 BD 的交点处.

理由如下:取异于 M 的 N 点,连接 AN,BN,CN,DN,

易得 $AN+CN>AC,BN+DN>BD$,

则 $AN+CN+BN+DN>AM+BM+CM+DM$.

所以 M 应建在四边形对角线的交点处.

7.2　与三角形有关的角

新课指南

1. **知识与技能:**了解三角形的内角,会用平行线的性质与平角的定义证明三角形的内角和等于180°,理解三角形外角的概念和性质,初步掌握添辅助线的方法,培养学生会用学过的知识解决新知识的能力.

2. **过程与方法:**经历运用平行线的性质和平角的定义探索三角形的内角和的过程以及三角形外角的性质,学会解决与角有关的实际问题,初步培养学生的说理论证能力.

3. **情感态度与价值观:**经历三角形内角和与外角性质的探讨,培养学生用化归的数学思想解决实际问题的能力,同时,培养学生由特殊到一般,再由一般到特殊的思想方法,培养学生的实践能力和观察总结能力.

4. **重点与难点:**重点是三角形的内角和及三角形外角的性质,难点是运用三角形内角和与外角的性质进行有关的计算.

教材解读 精华要义

数学与生活

如图 7 - 25 所示,某同学把一块三角形的玻璃打碎成了三块,现在要到玻璃店去配一块完全一样的玻璃,那么最省事的办法是 （ ）

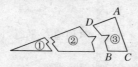

图 7 - 25

A. 带①去　　　　　　B. 带②去

C. 带③去　　　　　　D. 带①和②去

🔑 **思考讨论**　上述情境蕴含了什么数学知识?

知识详解

知识点 1　三角形内角和定理

Ⅰ 内容:三角形的内角和等于 $180°$.

表示:在 $\triangle ABC$ 中,$\angle A + \angle B + \angle C = 180°$.

作用:在三角形中已知两角可求第三角,或已知各角之间的关系,求各角.

Ⅱ 推理过程.

三角形内角和定理的证明有多种,现举几种常见的思路.

(1)如图 7 - 26 所示,延长 BC 到 E,作 $CD\ //\ AB$.

因为 $AB\ //\ CD$(已作),

所以 $\angle 1 = \angle A$(两直线平行,内错角相等),

$\angle B = \angle 2$(两直线平行,同位角相等).

又因为 $\angle ACB + \angle 1 + \angle 2 = 180°$(平角定义),

所以 $\angle ACB + \angle A + \angle B = 180°$(等量代换).

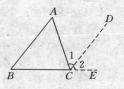

图 7 - 26

(2)如图 7 - 27 所示,在 BC 边上任取一点 D,作 $DE\ //\ AB$,交 AC 于 E,$DF\ //\ AC$,交 AB 于 F.

因为 $DF\ //\ AC$(已作),

所以 $\angle 1 = \angle C$(两直线平行,同位角相等),

$\angle 2 = \angle DEC$(两直线平行,内错角相等).

因为 $DE\ //\ AB$(已作),

所以 $\angle 3 = \angle B$,$\angle DEC = \angle A$(两直线平行,同位角相等).

所以 $\angle A = \angle 2$(等量代换).

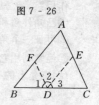

图 7 - 27

又因为∠1+∠2+∠3=180°(平角定义)，

所以∠A+∠B+∠C=180°(等量代换).

(3)如图7-28所示，过A点任作直线l_1，过B点作l_2∥l_1，过C点作l_3∥l_1.

因为l_1∥l_3(已作)，

所以∠1=∠2(两直线平行，内错角相等).

同理∠3=∠4.

又因为l_1∥l_2(已作)，

所以∠5+∠1+∠6+∠4=180°(两直线平行，同旁内角互补)，

所以∠5+∠2+∠6+∠3=180°(等量代换).

又因为∠2+∠3=∠ACB，

所以∠BAC+∠ABC+∠ACB=180°(等量代换).

图7-28

【注意】 本定理尽管证明思路很多，但其基本思想是设法将三个角合并在一起，组成一个平角。上述探索的意义旨在锻炼发散思维能力．关键在于善于联想，不断总结，归纳出规律，利用已有知识分析问题和解决问题．

知识点2 三角形的外角

Ⅰ 定义：三角形的一边与另一边的延长线组成的角，叫做三角形的外角．

【说明】 (1)三角形有六个外角，每个顶点处有两个外角，但算三角形外角和时，每个顶点处只算一个外角，外角和是三个外角的和．

(2)和外角有共同顶点的内角叫做和外角相邻的内角，它们是互补的，互为邻补角．另外两个内角叫做和外角不相邻的内角．

Ⅱ 外角的性质.

(1)三角形的一个外角等于与它不相邻的两个内角的和.

推理过程：如图7-29所示，

因为∠ACD+∠ACB=180°(邻补角定义)，

∠ACB+∠A+∠B=180°(内角和定理)，

所以∠ACD=∠A+∠B(等式性质).

作用：

①已知外角和它不相邻两个内角中的一个，求另一个.

②可证一个角等于另两个角的和.

③经常利用它作为中间关系式证明两个角相等.

(2)三角形的一个外角大于与它不相邻的任何一个内角.

如图7-29所示，∠ACD>∠A，或∠ACD>∠B.

作用：利用它证明两个角不相等的关系.

【注意】 利用它证明角不等时，应设法把求证中的大角放在三角形的外角位置上，把小角放在内角位置上，也可以把它们的一部分放在外角或内角的位置上．

(3)三角形的外角和等于360°.

典例剖析 师生互动

基本概念题

主要考查对三角形内角和及三角形分类的理解.

例1 (1)△ABC中,若∠A+∠B=∠C,则△ABC是_____三角形;

(2)如果三角形的一个外角是锐角,那么这个三角形是 ( )

A. 锐角三角形 　　　　　　　B. 钝角三角形

C. 直角三角形 　　　　　　　D. 无法判断

〔分析〕 本题考查的是三角形内角和及三角形按角分类两个知识点.

答案:(1)直角 (2)B

例2 一个三角形的三个内角的度数之比为1:2:3,则这个三角形是_____三角形.

〔分析〕 由已知三个内角的度数之比为1:2:3,可设这三个内角分别为α,2α,3α.由三角形的内角和为$180°$得$\alpha+2\alpha+3\alpha=180°$,所以$\alpha=30°$,则$2\alpha=60°$,$3\alpha=90°$.因此这个三角形为直角三角形.

学生做一做 三角形三个外角的度数之比为2:3:4,则与之对应的三个内角的度数之比为_____.

老师评一评 设这三个外角分别为2α,3α,4α,由外角和为$360°$可知$2\alpha+3\alpha+4\alpha=360°$,所以$\alpha=40°$,$2\alpha=80°$,$3\alpha=120°$,$4\alpha=160°$,其相对应的内角依次为$100°$,$60°$,$20°$,所以$100°:60°:20°=5:3:1$,即三个内角度数比为5:3:1.

例3 如图7-30所示,已知∠ABC和∠ACB的平分线BD,CE相交于点O,∠A=50°,求∠BOC的度数.

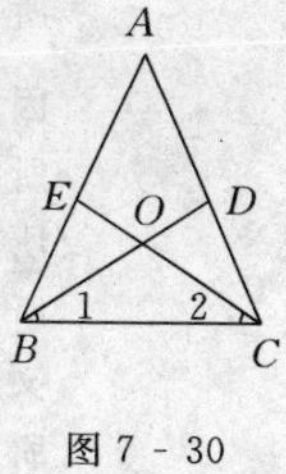

〔分析〕 要求∠BOC的度数,需利用三角形内角和定理,设法将已知与未知联系起来,找好等量关系.

解:在△BOC中,∠BOC=$180°-(∠1+∠2)$.

因为∠1=$\frac{1}{2}$∠ABC,∠2=$\frac{1}{2}$∠ACB,

所以∠1+∠2=$\frac{1}{2}$(∠ABC+∠ACB).

在△ABC中,∠ABC+∠ACB=$180°-∠A=180°-50°$

=$130°$,

所以∠1+∠2=$\frac{1}{2}×130°=65°$,

所以∠BOC=$180°-(∠1+∠2)=180°-65°=115°$.

图7-30

综合应用题

主要考查:(1)三角形内角和与三角形外角性质的综合应用;(2)与实际问题的综

合应用;(3)与方程(组)的综合应用.

例 4 如图 7 - 31 所示,在 $\triangle ABC$ 中,AD 是 BC 边上的高,AE 平分 $\angle BAC$,$\angle B = 75°$,$\angle C = 45°$,求 $\angle DAE$ 与 $\angle AEC$ 的度数.

〔**分析**〕 求角的度数关键是把已知角放在三角形中,利用三角形内角和求角,或转化为与已知角有互余关系或互补关系,有些题目还可以转化为已知角的和或差来求解.

解法 1:因为 $\angle B + \angle C + \angle BAC = 180°$,

$\angle B = 75°$,$\angle C = 45°$,

所以 $\angle BAC = 180° - \angle B - \angle C = 180° - 75° - 45°$

$= 60°$,

又因为 AE 平分 $\angle BAC$,

所以 $\angle BAE = \angle CAE = \dfrac{1}{2}\angle BAC = \dfrac{1}{2} \times 60°$

$= 30°$.

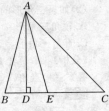

图 7 - 31

又因为 AD 是 BC 边上的高,

所以 $\angle B + \angle BAD = 90°$,

所以 $\angle BAD = 90° - \angle B = 90° - 75° = 15°$.

所以 $\angle DAE = \angle BAE - \angle BAD = 30° - 15° = 15°$.

又因为 $\angle AEC$ 是 $\triangle AEB$ 的外角,

所以 $\angle AEC = \angle B + \angle BAE = 75° + 30° = 105°$.

解法 2:因为 $\angle B + \angle C + \angle BAC = 180°$,$\angle B = 75°$,$\angle C = 45°$,

所以 $\angle BAC = 180° - \angle B - \angle C = 180° - 75° - 45° = 60°$,

因为 AE 平分 $\angle BAC$,

所以 $\angle EAC = \dfrac{1}{2}\angle BAC = \dfrac{1}{2} \times 60° = 30°$.

因为 AD 是 BC 边上的高,

所以 $\angle C + \angle CAD = 90°$,

所以 $\angle CAD = 90° - \angle C = 90° - 45° = 45°$,

所以 $\angle DAE = \angle CAD - \angle CAE = 45° - 30° = 15°$.

又因为 $\angle AEC + \angle C + \angle EAC = 180°$,

所以 $\angle AEC = 180° - \angle C - \angle EAC = 180° - 45° - 30° = 105°$.

例 5 如图 7 - 32 所示,已知 CE 为 $\triangle ABC$ 外角 $\angle ACD$ 的平分线,CE 交 BA 的延长线于点 E.试说明 $\angle BAC > \angle B$.

〔**分析**〕 要说明两角的不等关系,就要利用"三角形的一个外角大于和它不相邻的任一内角".此题的关键是要找出两角之间的中间量,也就是与这两个角都发生关系的角.

解:因为 CE 平分 $\angle ACD$,

所以 $\angle 1 = \angle 2$.

图 7 - 32

因为∠BAC>∠1,

所以∠BAC>∠2.

因为∠2>∠B,

所以∠BAC>∠B.

例6 如图7-33所示,已知 BD 为△ABC 的角平分线,CD 为△ABC 的外角∠ACE 的平分线,与 BD 交于点 D.试说明∠A=2∠D.

〔分析〕 已知△ABC 的一内角和一外角的平分线,从而想到可利用外角与内角的关系说明,从而有∠D=∠1-∠2,∠A=∠ACE-∠ABC=2(∠1-∠2),所以∠A=2∠D.

解: 因为 BD,CD 分别是∠ABC,∠ACE 的平分线,

所以∠ACE=2∠1,∠ABC=2∠2.

因为∠A=∠ACE-∠ABC,

所以∠A=2∠1-2∠2.

又∠D=∠1-∠2,

所以∠A=2∠D.

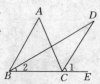

图 7-33

例7 如图7-34所示,在△ABC 中,∠ABC,∠ACB 的平分线交于点 O,试说明∠BOC=90°+$\frac{1}{2}$∠A.

解法1: 如图7-34所示,

因为 BO,CO 是△ABC 的角平分线,

所以∠1=∠2=$\frac{1}{2}$∠ABC,∠3=∠4=$\frac{1}{2}$∠ACB.

因为∠BOC+∠2+∠4=180°,

所以∠BOC+$\frac{1}{2}$∠ABC+$\frac{1}{2}$∠ACB=180°.①

又因为∠A+∠ABC+∠ACB=180°⑧

所以$\frac{1}{2}$∠A+$\frac{1}{2}$∠ABC+$\frac{1}{2}$∠ACB=90°,②

①-②得∠BOC-$\frac{1}{2}$∠A=90°.

所以∠BOC=90°+$\frac{1}{2}$∠A.

图 7-34

解法2: 如图7-35所示.

延长 BO 交 AC 于点 D.

因为 BO,CO 是△ABC 的角平分线,

所以∠1=$\frac{1}{2}$∠ABC,∠2=$\frac{1}{2}$∠ACB.

又因为∠A+∠ABC+∠ACB=180°,

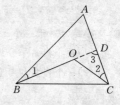

图 7-35

所以 $\frac{1}{2}\angle A+\frac{1}{2}\angle ABC+\frac{1}{2}\angle ACB=90°$.

即 $\angle 1+\angle 2+\frac{1}{2}\angle A=90°$,

又因为 $\angle BOC=\angle 2+\angle 3,\angle 3=\angle 1+\angle A$,

所以 $\angle BOC=(\angle 1+\angle 2+\frac{1}{2}\angle A)+\frac{1}{2}\angle A$.

即 $\angle BOC=90°+\frac{1}{2}\angle A$.

学生做一做 如图 7-36 所示,在 $\triangle ABC$ 中,BD,CD 分别是 $\triangle ABC$ 的外角 $\angle ABC,\angle ACB$ 的角平分线,试说明 $\angle D=90°-\frac{1}{2}\angle A$.

老师评一评 因为 BD,CD 是 $\triangle ABC$ 外角的角平分线,

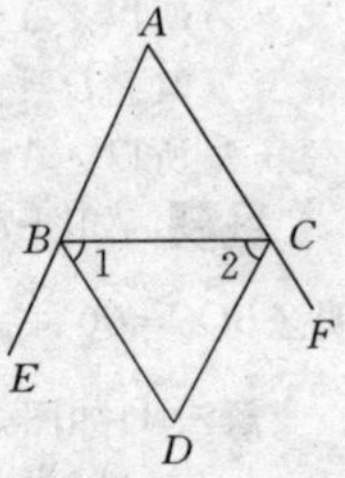

所以 $\angle 1=\frac{1}{2}\angle CBE=\frac{1}{2}(180°-\angle ABC)=90°-\frac{1}{2}\angle ABC$,

$\angle 2=\frac{1}{2}\angle FCB=\frac{1}{2}(180°-\angle ACB)=90°-\frac{1}{2}\angle ACB$.

所以 $\angle 1+\angle 2=\left(90°-\frac{1}{2}\angle ABC\right)+\left(90°-\frac{1}{2}\angle ACB\right)=$

$180°-\frac{1}{2}(\angle ABC+\angle ACB)$.

图 7-36

又因为 $\angle ABC+\angle ACB+\angle A=180°$,

所以 $\angle ABC+\angle ACB=180°-\angle A$,

即 $\frac{1}{2}\angle ABC+\frac{1}{2}\angle ACB=90°-\frac{1}{2}\angle A$.

所以 $\angle 1+\angle 2=180°-\left(90°-\frac{1}{2}\angle A\right)=90°+\frac{1}{2}\angle A$.

所以 $\angle D=180°-(\angle 1+\angle 2)$

$=180°-\left(90°+\frac{1}{2}\angle A\right)$

$=90°-\frac{1}{2}\angle A$.

小结 对于一个三角形来说,有关角平分线相交形成的角有三种情况:

(1)两个内角平分线所成钝角等于 $90°$ 与另外一个内角一半的和.

(2)一个内角和与它不相邻的一个外角的角平分线相交所成的锐角等于另外一个角的一半.

(3)不相邻的两个外角角平分线所成锐角等于 $90°$ 与另外一个内角一半的差.

例8 一零件形状如图 7 - 37 所示，按规定 $\angle BAC = 90°$，$\angle B = 21°$，$\angle C = 20°$，检验工人量得 $\angle BDC = 130°$，就断定此零件不合格，请运用所学知识说明理由.

〔分析〕 这是一个三角形知识的实际应用问题，解决此类问题的关键是如何把实际问题转化到三角形知识上来.

解：连接 AD 并延长到点 E，

则 $\angle CDE = \angle C + \angle 1$，$\angle BDE = \angle B + \angle 2$，

所以 $\angle CDE + \angle BDE = \angle C + \angle 1 + \angle B + \angle 2$，

即 $\angle CDB = \angle C + \angle B + \angle CAB$.

若零件合格，则有 $\angle BDC = 90° + 20° + 21° = 131°$.

而量得 $\angle BDC = 130°$，则此零件不合格.

图 7 - 37

例9 如图 7 - 38 所示，已知 D 为 $\triangle ABC$ 内任一点. 试说明 $\angle BDC > \angle ABD$.

〔分析〕 $\angle BDC$ 与 $\angle ABD$ 无直接关系，如图 7 - 38 所示，作射线 AE，则在 $\triangle ABD$ 中，有 $\angle 1 > \angle ABD$. 而 $\angle BDC > \angle 1$，则问题得证.

解：作射线 AD.

在 $\triangle ABD$ 中，$\angle 1 > \angle ABD$.

因为 $\angle BDC > \angle 1$，

所以 $\angle BDC > \angle ABD$.

图 7 - 38

例10 如图 7 - 39 所示，求 $\angle A + \angle B + \angle C + \angle D + \angle E$ 的度数.

〔分析〕 这是一个求多个角和的问题，此类题我们可以设法把所求角转化到一个或多个三角形中，再利用三角形内角和定理加以解决，关键是辅助线的作法.

解：连接 CD，在 $\triangle ACD$ 中，

$\angle A + \angle ACD + \angle ADC = 180°$，

即 $\angle A + \angle ACE + \angle 1 + \angle ADB + \angle 2 = 180°$.

因为 $\angle B + \angle E = \angle EOD = \angle 1 + \angle 2$，

所以 $\angle A + \angle B + \angle ACE + \angle ADB + \angle E$

$= \angle A + \angle ACE + \angle ADB + \angle 1 + \angle 2 = 180°$.

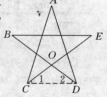

图 7 - 39

学生做一做 如图 7 - 40 所示，求 $\angle A_1 + \angle A_2 + \angle A_3 + \angle A_4 + \angle A_5 + \angle A_6$ 的度数.

老师评一评 求多个角的度数，一般是通过所学知识想办法化归到一个三角形中去，利用三角形的内角和、外角和的结论求解，即把不规则图形中的角转化到三角形中去.

在 $\triangle A_1 A_2 A$，$\triangle A_3 A_4 B$，$\triangle A_5 A_6 C$ 中，

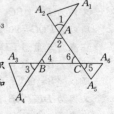

图 7 - 40

$\angle A_1 + \angle A_2 + \angle 1 = 180°$，①

$\angle A_3 + \angle A_4 + \angle 3 = 180°$，②

$\angle A_5 + \angle A_6 + \angle 5 = 180°$，③

$\angle 2 + \angle 4 + \angle 6 = 180°$，④

且$\angle 1 = \angle 2，\angle 3 = \angle 4，\angle 5 = \angle 6$，

①+②+③-④得

$\angle A_1 + \angle A_2 + \angle A_3 + \angle A_4 + \angle A_5 + \angle A_6 = 180° \times 3 - 180° = 360°$.

即$\angle A_1 + \angle A_2 + \angle A_3 + \angle A_4 + \angle A_5 + \angle A_6 = 360°$.

例11 一个三角形的三个外角中，最多有几个锐角？

〔分析〕 这是一个典型的逆向思维题，要考虑外角，必须从三角形的内角进行考虑.

解：因为三角形的外角与其相邻内角互补，

所以当外角是锐角时，其相邻内角是钝角.

又因为三角形中最多只有一个内角是钝角，

所以三角形的三个外角中最多只有一个是锐角.

中考展望　点击中考

中考命题总结与展望

三角形内角和定理的应用是中考中的热点内容，常利用其求角的度数. 本节内容在中考中主要以填空题、选择题的形式出现，大题中也常用到一些有关的知识.

中考试题预测

例1 （2004·天津）如图 7-41 所示，在 $\triangle ABC$ 中，$\angle B = \angle C$，$FD \perp BC$，$DE \perp AB$，$\angle AFD = 158°$，则 $\angle EDF$ 等于 ＿＿＿＿ 度.

〔分析〕 本题虽是填空题，但考查的内容比较多，这就需要同学们熟练掌握基础知识，把已知角 $\angle AFD$ 先通过邻补角求出 $\angle DFC$，再通过直角三角形 DFC 求出 $\angle C$，再找出 $\angle EDF$ 与 $\angle C$ 的关系，从而求出 $\angle EDF$ 的度数.

因为 $\angle DFC = 180° - \angle AFD = 180° - 158° = 22°$（邻补角定义），

又因为 $DF \perp BC$，

所以 $\angle FDC = 90°$，

在直角三角形 FDC 中，$\angle C = 90° - \angle DFC = 90° - 22° = 68°$.

因为 $\angle B = \angle C$，

所以 $\angle B = 68°$.

又因为 $DE \perp AB$，所以 $\angle BED = 90°$，

在直角三角形 BDE 中，$\angle BDE = 90° - \angle B = 90° - 68° = 22°$.

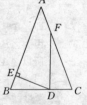

图 7-41

所以∠EDF＝180°－∠BDE－∠FDC＝180°－22°－90°＝68°.

例2 （2005·吉林）如图7－42所示,∠D＝90°,C为 AD 上一点,则 x 可能是 （　　）

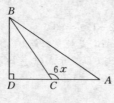

图7－42

A. 10° B. 20°

C. 30° D. 40°

〔分析〕 本题考查的知识点是平角的概念、三角形的外角性质和不等式的计算,由图中可知90°＜6x＜180°,计算得出15°＜x＜30°,因此选择 B 项.

例3 （中考预测题）如果三角形的一个外角和与它不相邻的两个内角的和为180°,那么这个三角形是 （　　）

A. 锐角三角形 B. 钝角三角形

C. 直角三角形 D. 无法确定

〔分析〕 本题旨在考查三角形的内角和,如图7－43所示:

在△ABC中,∠2＋∠3＋∠4＝180°,

又因为∠1＋∠3＋∠4＝180°,所以∠1＝∠2,

又因为∠1是∠2的外角,∠1＋∠2＝180°,

所以∠1＝∠2＝90°,故△ABC为直角三角形.

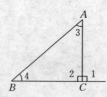 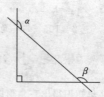

图7－43　　　　　　　　图7－44

例4 （2005·长春）如图7－44所示,$\alpha+\beta$的度数是 （　　）

A. 90° B. 135°

C. 180° D. 270°

〔分析〕 本题意在考查三角形外角和定理,由图示可知$\alpha+\beta+90°＝360°$,所以$\alpha+\beta＝270°$,故正确答案为 D 项.

例5 （2005·黑龙江）已知 BD,CE 是△ABC 的高,直线 BD,CE 相交所成的角中有一个为50°,则∠BAC等于　　　　　:

〔分析〕 本题旨在考查三角形的高与三角形的内角和,结果有两种情况:

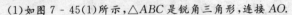
(1)如图7-45(1)所示,△ABC是锐角三角形,连接AO.

因为∠BOE=50°,所以∠EOD=130°.

又因为∠EAO+∠AEO+∠EOD+∠OAD+∠ADO+∠AOD=∠A+∠AEO

+∠ADO+∠EOD=360°,

所以∠EAD=360°-90°×2-130°=50°.

(2)如图7-45(2)所示,△ABC是钝角三角形.

钝角三角形ABC的高BE与CD交于点O,∠BOC=50°.

所以∠DAE=130°,所以∠BAC=130°.

答案:50°或130°

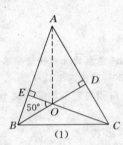
(1)

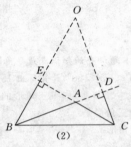
(2)

图 7-45

例6 (2003·云南)如图7-46所示,∠α=125°,∠1=50°,则∠β的度数

是_____.

〔分析〕 本题综合考查了三角形外角的性质和邻补角定义.

因为∠α=∠1+∠2(三角形的一个外角等于和它不相邻的两个

内角和),

所以∠2=∠α-∠1=75°.

所以∠β=180°-∠2=105°(邻补角定义).

图 7-46

课堂小结 本节归纳

1. 用平角、邻补角知识得出三角形内角和定理.

2. 外角的性质是整体等于各部分之和,整体大于部分的体现.

3. 角的计算常和三角形内角和联系起来,列出方程求解.

4. 利用三角形内角和探索三角形平分线形成角与第三角之间的关系.

习题选解 课本习题

📖 **课本第81～83页**

习题7.2

1.(1)$x=45$; (2)$x=60$; (3)$x=60$; (4)$x=30$.

2. 提示:(1)1个; (2)1个; (3)不可以.

3. ∠A=50°,∠B=60°,∠C=70°.

4. ∠BAC=70°.

5. ∠1=40°,∠2=85°.

6. ∠C=22.5°.

7. ∠ACB=85°.

8. 180° 90° 180° 90°

9. 解:如图 7-47 所示,
因为∠BAE=∠2+∠3,∠CBF=∠1+∠2,∠ACD=∠1
+∠3,
所以∠BAE+∠CBF+∠ACD=2(∠1+∠2+∠3).
因为∠1+∠2+∠3=180°,
所以∠BAE+∠CBF+∠ACD=360°.

图 7-47

自我评价 知识巩固

1. 如图 7-48 所示,AB⊥BD,AC⊥CD,∠A=35°,则∠D 的度数为 ( )
   A. 35°   B. 65°
   C. 55°   D. 45°

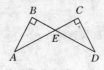

图 7-48

图 7-49

2. 如图 7-49 所示,AB∥CD,∠A=38°,∠C=80°,那么∠M 的度数为 ( )
   A. 52°   B. 42°
   C. 10°   D. 40°

3. 已知△ABC 中,∠ABC 与∠ACB 的平分线交于点 O,则∠BOC 一定 ( )
   A. 小于直角   B. 等于直角
   C. 大于直角   D. 大于或等于直角

4. 如图 7-50 所示,在△ABC 中,∠ABC 与∠ACB 的外角平分线
   相交于点 O,设∠BOC=α,则∠A 等于 ( )

   A. 90°−α   B. 90°−$\frac{α}{2}$

   C. 180°−2α   D. 180°−$\frac{α}{2}$

图 7-50

5. 若三角形中最小角为 x,则 x 的取值范围是 ( )
   A. 0°<x<180°   B. 60°<x<90°

C. $60°\leqslant x<90°$ 　　　　　　　　　　 D. $0°<x\leqslant60°$

6. 锐角三角形中,最大锐角 x 的取值范围是　　　　　　　　　　　　(　　)

A. $0°<x<180°$ 　　　　　　　　　B. $0°<x<45°$

C. $60°\leqslant x<90°$ 　　　　　　　　　D. $60°<x<120°$

7. 下列说法中,错误的是　　　　　　　　　　　　　　　　　　　　(　　)

A. 一个三角形中至少有一个角不大于 $60°$

B. 有一个外角是锐角的三角形是钝角三角形

C. 三角形的外角中必有两个角是钝角

D. 锐角三角形中两锐角的和必然小于 $90°$

8. 如图 7 - 51 所示,△ABC 中,点 E,F 分别在 AB,AC 上,则下列

各式中,不能成立的是　　　　　　　　(　　)

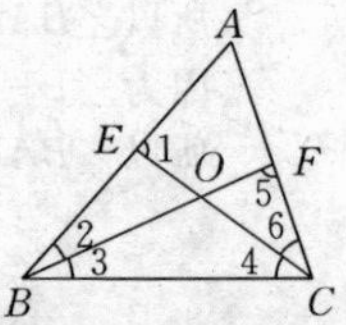

A. ∠BOC=∠2+∠6+∠A

B. ∠2=∠5-∠A

C. ∠5=∠3+∠1

D. ∠1=∠ABC+∠4

图 7 - 51

9. 三角形三个内角的比为 $3:2:5$,则三个内角的度数分别为_____.

10. △ABC 中,三个内角的度数比为 $3:3:4$,则三个内角的度数分别为_____.

11. △ABC 中,若∠B=∠A=2∠C,则∠A=_____.

12. △ABC 中,若∠C+∠A=2∠B,∠C-∠A=$80°$,则∠A=_____,∠B=

_____,∠C=_____.

13. 一个三角形中至少有_____个锐角,至多有_____个直角或钝角.

14. 如图 7 - 52 所示,∠A+∠B+∠C+∠D+∠E+∠F=

_____度.

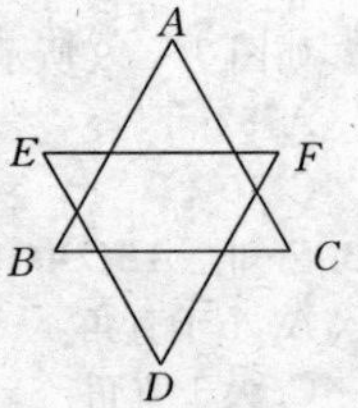

15. 三角形中,最大角的取值范围是_____.

16. △ABC 中,∠A=$60°$,∠B-∠C=$40°$,则∠B=_____,∠C

=_____.

图 7 - 52

17. 已知△ABC.

(1) ∠A=$\frac{1}{2}$∠B=$\frac{1}{3}$∠C,则∠A=_____,∠B=

_____,∠C=_____,此三角形为_____三角形;

(2)若∠A+∠B=∠C,则此三角形为_____三角形;

(3)若∠A+∠B<∠C,则此三角形为_____三角形.

18. 在直角三角形 ABC 中,锐角 A 的平分线与锐角 B 的邻补角的平分线相交于点

D,则∠ADB=_____.

19. 三角形中,最大角等于最小角的 2 倍,最大角又比另一角大 20°,则此三角形的最小角为_____,此三角形为_____三角形.

20. 如图 7 - 53 所示,已知∠1＝20°,∠2＝25°,∠A＝35°,则∠BDC＝_____.

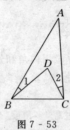

图 7 - 53

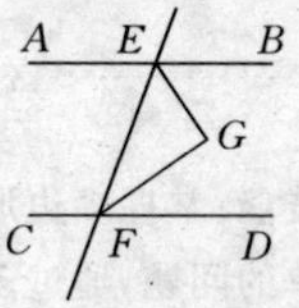

图 7 - 54

21. 如图 7 - 54 所示,AB∥CD,EG,FG 分别平分∠BEF,∠DFE,则∠EGF ＝_____.

22. 如图 7 - 55 所示,求∠A_1＋∠A_2＋∠A_3＋∠A_4＋∠A_5 的度数.

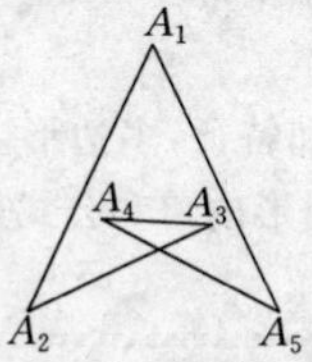

图 7 - 55

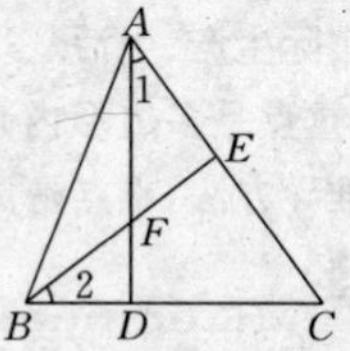

图 7 - 56

23. 在△ABC 中,O 是三角形内一点,∠A＝50°,∠ABO＝28°,∠ACO＝32°,求∠BOC 的度数.

24. 如图 7 - 56 所示,已知点 D,E 分别在 BC,AC 上,AD,BE 相交于点 F.试说明∠AFB＝∠1＋∠2＋∠C.

😊 评价标准 😧

1. A　2. B　3. C　4. C　5. D　6. C　7. D　8. C　9. 54°,36°,90°　10. 54°,54°,72°
11. 72°　12. 20°　60°　100°　13. 2　1　14. 360　15. 不小于 60°且小于 180°
16. 80°　40°　17. (1)30°　60°　90°　直角　(2)直角　(3)钝角　18. 45°　19. 40°
锐角　20. 80°　21. 90°

22. 解:连接 A_2A_5,可得∠A_3＋∠A_4＝∠$A_3A_2A_5$＋∠$A_4A_5A_2$,
则∠A_1＋∠A_2＋∠A_3＋∠A_4＋∠A_5＝∠A_1＋∠$A_1A_2A_3$＋∠$A_3A_2A_5$＋∠$A_4A_5A_2$
＋∠$A_4A_5A_1$＝∠A_1＋∠$A_1A_2A_5$＋∠$A_1A_5A_2$＝180°.

23. ∠BOC＝110°.

24. 提示:∠AFB＝∠1＋∠BEA＝∠1＋∠2＋∠C.

7.3 多边形及其内角和

教材解读   精华要义

数学与生活

三角形的内角和是180°,那么四边形的内角和是多少度呢?五边形的内角和呢? n 边形的内角和呢?外角和呢?

思考讨论 我们已经知道,三角形的内角和是180°,对于四边形来说,如图

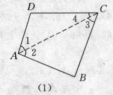

(1)

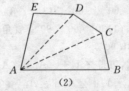

(2)

图 7 - 57

7 - 57(1)所示.连接 AC,把四边形 $ABCD$ 分割成两个三角形,则 $\angle DAB + \angle B + \angle D + \angle BCD = \angle 1 + \angle 2 + \angle B + \angle 3 + \angle 4 + \angle D = (\angle 2 + \angle B + \angle 3) + (\angle 1 + \angle 4 +$

∠D),又由于在△ADC 和△ACB 中，∠2＋∠B＋∠3＝180°，∠1＋∠4＋∠D＝180°，所以∠DAB＋∠B＋∠BCD＋∠D＝360°，所以四边形的内角和是 2×180°＝360°.

类似地，如图 7-57(2)所示，连接 AC,AD,五边形 ABCDE 被分割成三个三角形，其内角和∠E＋∠EAB＋∠B＋∠BCD＋∠CDE＝180°×3＝540°，即五边形内角和是 3×180°＝540°，你能否利用上述方法，类似地推导出 n 边形($n \geq 3$)的内角和与外角和呢？除了上述的分割多边形的方法，你还有其他的分割方法吗？试试看.

知识详解

知识点 1　多边形的有关概念

(1)**定义**：在平面内，由一些线段首尾顺次相接组成的图形叫做多边形.

【说明】 有几条边就是几边形.

(2)**内角**：多边形相邻两边组成的角叫做它的内角. 如图 7-58 所示，∠A，∠B，∠C，∠D，∠E 是五边形 ABCDE 的 5 个内角.

(3)**外角**：多边形的边与它的邻边的延长线组成的角叫做多边形的外角. 如图 7-58 所示，∠1 是五边形 ABCDE 的外角.

(4)**对角线**：连接多边形不相邻的两个顶点的线段，叫做多边形的对角线.

图 7-58

(5)**凸多边形**：画出多边形的任何一条边所在直线，如果整个多边形都在这条直线的同一侧，那么这个多边形叫做凸多边形，否则叫做凹多边形.

(6)**正多边形**：各个角都相等，各条边都相等的多边形叫做正多边形.

【注意】 正多边形必须具备"各个角都相等，各条边都相等"这两个条件，缺一不可. 如各角相等的四边形是长方形，不是正方形；各边相等的四边形是菱形，也不是正方形. 只有各角相等，各边也相等的四边形才是正方形.

知识点 2　多边形的内角和

Ⅰ 多边形的对角线的条数.

根据多边形的对角线的定义，从四边形的一个顶点可以引一条对角线；从五边形的一个顶点可以引两条对角线. 那么从 n 边形的一个顶点可以引出($n-3$)条对角线.

【说明】 从一个顶点引对角线时，这个顶点和相邻的两个顶点不能引对角线，那么还剩下($n-3$)个顶点，就能引出($n-3$)条对角线，从而得出结论：从 n 边形的一个顶点可引出($n-3$)条对角线.

从一个顶点可引出($n-3$)条对角线，有 n 个顶点，共有 $n(n-3)$ 条对角线，但每条对角线都算两遍，所以 n 边形共有对角线的条数为 $\dfrac{n(n-3)}{2}$.

Ⅱ 多边形的内角和定理.

从 n 边形的一个顶点引出($n-3$)条对角线，这($n-3$)条对角线把 n 边形分成($n-2$)个三角形，每个三角形的内角和是 180°，所以 n 边形的内角和是($n-2$)·180°.

多边形内角和定理的证明还有其他方法.例如:

(1)如图7-59所示,在 n 边形内任取一点 P,连接 $PA_1,PA_2,\cdots,PA_n$,把 n 边形分成 n 个三角形,这 n 个三角形的内角和为 $n\cdot180°$,再减去一个周角,即得多边形的内角和为 $(n-2)\cdot180°$.

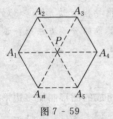

图 7 - 59

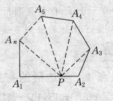

图 7 - 60

(2)如图7-60所示,在 n 边形的一边上取一点与各顶点相连,得 $(n-1)$ 个三角形, n 边形内角和等于这 $(n-1)$ 个三角形内角减去在顶点处的一个平角,即 $(n-1)$ $\cdot180°-180°=(n-2)\cdot180°$.

【注意】 以上各种推导方法都是将多边形问题转化为三角形问题来解决,体现了转化的基本思想.

Ⅲ 多边形的外角和定理.

n 边形的任何一个外角加上与它相邻的内角都等于 $180°$, n 个外角连同它们各自相邻的内角共有 $2n$ 个角,这些角的总和等于 $n\cdot180°$,所以外角和为 $n\cdot180°-(n-2)\cdot180°=360°$,即多边形的外角和等于 $360°$.

探究交流

(?) 下面角度中能成为多边形的内角和的只有 ( )

A. $270°$　　　　B. $560°$　　　　C. $360°$　　　　D. $190°$

点拨 因为多边形的内角和公式为 $(n-2)\cdot180°$,故只有内角和度数为 $180°$ 的正整数倍即可,因此正确答案为 C 项.

Ⅳ 多边形内角和定理与外角和定理的作用.

(1)内角和定理的作用:

①已知边数,求内角和;

②已知内角和,求边数.

(2)外角和定理的作用:

①已知各相等外角度数,求多边形边数;

②已知多边形边数,求各相等外角的度数.

Ⅴ 多边形中锐角、钝角的个数.

多边形中最多有三个内角为锐角,最少没有锐角(如长方形);

多边形外角中最多有三个钝角,最少没有钝角.

典例剖析 师生互动

基本概念题

主要考查对多边形内角和公式的理解.

例1 已知一个多边形各个内角都相等,都等于150°,求这个多边形的边数.

〔分析〕 这是一个利用边求多边形内角和与利用角求多边形内角和的综合应用题.解题的关键是要明确多边形各个内角相加即为多边形的内角和.

解:设此多边形的边数为n,根据题意,得

$(n-2) \cdot 180° = n \cdot 150°$,

解得$n=12$.

则这个多边形的边数为12.

基础知识应用题

主要考查对多边形内角和与外角和公式的应用.

例2 如图7-61所示,试说明$\angle A+\angle B+\angle C+\angle D+\angle E+\angle F=360°$.

〔分析〕 内角和为360°的只有四边形,所以我们设法使之转化成四边形.

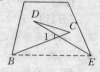

图 7-61

解:连接BE,

因为$\angle 1=\angle C+\angle D=\angle CBE+\angle DEB$,

所以$\angle A+\angle ABC+\angle C+\angle D+\angle DEF+\angle F$

$=\angle A+\angle ABC+\angle CBE+\angle DEB+\angle DEF+\angle F$

$=\angle A+\angle ABE+\angle BEF+\angle F=360°$.

例3 若一个多边形的内角和与外角和之比等于9:2,求此多边形的边数.

解:设此多边形的边数为n,依题意,得

$(n-2) \cdot 180° : 360° = 9 : 2$,

解得$n=11$.

则此多边形的边数为11.

综合应用题

主要考查:(1)多边形内角和与外角和的综合应用;(2)多边形内(外)角和与方程的综合应用;(3)多边形与三角形面积的综合应用;(4)多边形与不等式(组)的综合应用.

例4 某多边形的内角和与外角和的总度数为2160°,求此多边形的边数.

〔分析〕 利用多边形内角和公式$(n-2) \cdot 180°$,外角和为360°,列出方程,解出 n.

解:设这个多边形的边数为 n.

由多边形内角和公式与外角和可知:

$(n-2) \cdot 180° + 360° = 2160°$,

$(n-2) \cdot 180° = 1800°$,

$n-2 = 10$,

所以 $n=12$.

所以此多边形的边数为12.

学生做一做 一个五边形五个外角的度数比是 $1:2:3:4:5$,求这个五边形的五个内角的度数.

老师评一评 因为多边形的内角与外角互为邻补角,求内角的关键可通过求外角得到,由题意可设这个五边形的五个外角分别为 $\alpha, 2\alpha, 3\alpha, 4\alpha, 5\alpha$,又因为多边形的外角和为 $360°$,所以有 $\alpha + 2\alpha + 3\alpha + 4\alpha + 5\alpha = 360°$,所以 $\alpha = 24°$,进一步得到这五个外角分别是 $24°, 48°, 72°, 96°, 120°$,与它们相对应的五个内角依次是 $156°, 132°, 108°, 84°, 60°$.

探索与创新题

例5 任何一个凸多边形的内角中,为什么不能有3个以上的锐角?

〔**分析**〕 解决不定量问题,常需要抓住题中的不变量来进行解决.本题内角为不定量,而外角和为定量,它不随多边形边数的变化而变化,故应利用逆向思维,从外角入手,问题可解.

解:假设有4个或4个以上的锐角,那么与这些锐角相邻的外角都为钝角,所以这些外角的和将大于 $360°$,这与多边形外角和恒等于 $360°$ 相矛盾,所以假设不成立,所以多边形内角中,锐角的个数不能多于3个.

例6 如图 $7-62(1)$ 所示的是一个正方形的桌面,如果把桌子截下一个角后,问桌子还剩几个角? 剩下的一个多边形的内角和是多少呢?

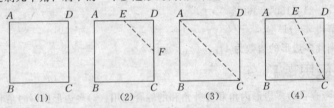

图 $7-62$

〔**分析**〕 此题主要考查思维的开放性,不能认为截下一个角后一定剩3个角,而没想到会又多了一个角或不变.

解:截下一个角后,分三种情况:

(1)有5个角,内角和为 $(5-2) \cdot 180° = 540°$(如图 $7-62(2)$ 所示).

(2)有 3 个角,内角和为 $180°$(如图 7 - 62(3)所示).

(3)有 4 个角,内角和 $360°$(如图 7 - 62(4)所示).

例 7 一个同学在进行多边形的内角和计算时,求得内角和为 $1125°$,当发现错了以后,重新检查,发现少算了一个内角,问这个内角是多少度? 他求的是几边形的内角和?

〔分析〕 一般情况下,知道多边形的边数求内角和或知道内角和求多边形的边数,但本题多边形边数和内角和都不知道,但我们可以求出内角的范围,即它大于 $1125°$ 且小于 $1125°+180°$,并且知道和肯定是 $180°$ 的倍数,那么根据这些条件,就可以求出漏加的角的度数,从而求出多边形的边数.

解:设此多边形的内角和为 $x°$,则有

$1125 < x < 1125 + 180$,

即 $180 × 6 + 45 < x < 180 × 7 + 45$.

因为 $x°$ 为多边形的内角和,

所以它应为 $180°$ 的倍数.

所以 $x = 180 × 7 = 1260$.

所以 $7 + 2 = 9$,$1260° - 1125° = 135°$.

因此,漏加的这个内角是 $135°$,这个多边形是九边形.

例 8 多边形的内角和与某一个外角的度数总和为 $1350°$.

(1)求多边形的边数;

(2)此多边形必有一内角为多少度?

〔分析〕 对于问题(1)的处理要把握两点:其一,多边形的边数必为正整数;其二,多加的外角既可能是钝角,也可能是锐角,但为了边数不发生变化,此外角不能大于等于 $180°$,且不能小于等于 $0°$.

对于问题(2)的处理,要充分利用问题(1),边数可求,则多边形内角和可求,则多加的一外角可求,则固定内角可求.

解:(1)设边数为 n,这个外角为 x 度,则 $0 < x < 180$,依题意有

$(n-2) · 180 + x = 1350$,

所以 $n = \dfrac{1350 - x}{180} + 2 = 9 + \dfrac{90 - x}{180}$.

因为 n 为正整数,

所以 $90 - x$ 必为 180 的倍数.

又因为 $0 < x < 180$,

所以 $90 - x = 0$.

所以 $x = 90$.

所以 $n = 9$.

则此多边形为九边形.

(2)此多边形的固定内角为 $180°-90°=90°$.

例9 多边形除一内角外,其余各内角和为1200°.

(1)求多边形的边数;

(2)此多边形必有一外角为多少度?

〔分析〕 对于问题(1)的处理要把握两点:其一,多边形的边数必为正整数;其二,多边形少加一内角可能是钝角,也可能是锐角,但绝不可能是0°或180°,因为要保证边数稳定.

对于问题(2)的处理,仍与上例类似.

解:(1)设边数为 n,少加的内角为 x 度,则 $0 < x < 180$,依题意有

$$0 < (n-2) \cdot 180 - 1200 < 180,$$

解得 $8\dfrac{2}{3} < n < 9\dfrac{2}{3}$,

则 $n=9, x=60$.

则此多边形为9边形.

(2)此多边形一固定外角为 $180°-60°=120°$.

易错与疑难题

本节易错点是考虑问题不全面,应用公式时对 $(n-2) \cdot 180°$ 中的 $n-2$ 应用不当或忽略了"-2",为了避免这些错误,要求同学们必须深刻理解公式.

例10 n 边形的内角为2160°,则 $n=$ _____.

错解:$n=2160° \div 180° = 12$.

〔分析〕 错解是误认为内角和除以180°就得到边数 n,实际上内角和除以180°,得到的是 $n-2$.

正解:$n-2 = \dfrac{2160°}{180°}$,所以 $n=14$.

中考展望 点击中考

中考命题总结与展望

本节属于基础内容,是中考必考内容,多以填空题、选择题的形式出现.

中考试题预测

例1 (2005·北京)如果正多边形的一个外角是72°,那么它的边数是_____.

〔分析〕 求它的边数有两种方法.

方法1:运用多边形的外角和,当在多边形的每个顶点各取一个外角时,其个数与多边形的边数相同,多边形的外角和等于360°,正多边形的各外角的度数相等,设这个正多边形的边数为 n,则 $n = \dfrac{360°}{72°} = 5$,故答案为5.

方法2:运用多边形的内角和,因为多边形是正多边形,所以每个内角都相等,因为多边形的外角是 72°,所以多边形的每一个内角为 108°,设多边形的边数为 n,则 $108°n = (n-2) \cdot 180°$,所以 $n=5$.

例2 (2005·南通)已知一个多边形的内角和为540°,则这个多边形为( )

A. 三角形   B. 四边形

C. 五边形   D. 六边形

〔分析〕 本题考查多边形的内角和公式,设多边形的边数为 n,则由多边形内角和公式可知 $(n-2) \cdot 180° = 540°$,解得 $n=5$.故这个多边形是五边形.

例3 (2005·湖南)有一个多边形的内角和是它的外角和的 5 倍,则这个多边形是_____边形.

〔分析〕 本题意在考查多边形的内角和与外角和公式.设多边形的边数为 n,则其内角和为 $(n-2) \cdot 180°$,外角和为 360°,由题意可知 $(n-2) \cdot 180° = 360° \cdot 5$,解得 $n=12$.

课堂小结　　本节归纳

1. 本节学习了多边形的内角和定理与外角和定理,牢固掌握这些定理,并熟练地进行有关计算是本节的关键.

2. 用类比的方法,通过三角形知识来学习多边形的内角和、外角和.

习题选解　　课本习题

课本第90～91页

习题7.3

2. (1) $x=120$; (2) $x=30$;

3.

多边形的边数	3	4	5	6	8	12
内角和	180°	360°	540°	720°	1080°	1800°
外角和	360°	360°	360°	360°	360°	360°

4. 108°,144°.

5. 九边形.

6. (1) 三角形; (2) 六边形.

7. 解:AB∥CD.因为∠A=∠C,∠B=∠D,∠A+∠B+∠C+∠D=360°,

所以 2∠A+2∠D=360°.

所以∠A+∠D=180°.

所以 AB∥CD.

同理 BC∥AD.

8. (1)提示:是.∠1=∠2=∠3=45°,∠COB=∠1+∠3=90°.

(2)∠5=30°.

(3)∠DAB=60°,∠ABC=∠ADC=105°,∠DCB=90°.

9. x=36.

10. 解:AB∥DE,BC∥EF.理由如下:

因为∠DAB=60°,∠B=∠C=∠CDE=120°,

所以∠CDA=∠ADE=60°.

所以∠DAB=∠ADE.

所以 AB∥DE.

又因为∠E=120°,

所以∠E+∠ADE=180°.

所以 EF∥AD.同理 BC∥AD.

所以 EF∥AD∥BC.

自我评价 知识巩固

1. 四边形 ABCD 中,∠A+∠C=∠B+∠D,∠A 的外角为120°,则∠C 的度数为 ( )

A. 30°　　　　　　　　　　B. 60°

C. 90°　　　　　　　　　　D. 120°

2. 若四边形 ABCD 中,∠A:∠B:∠C:∠D=1:2:4:5,则∠A 与∠D 的度数分别为 ( )

A. 15°,75°　　　　　　　　B. 20°,100°

C. 30°,120°　　　　　　　D. 30°,150°

3. 如果一个多边形的每一个外角都是锐角,那么这个多边形的边数一定不小于 ( )

A. 3　　　　　　B. 4　　　　　　C. 5　　　　　　D. 6

4. 每个角都为144°的多边形为 _____ 边形.

5. 多边形内角中最多有 _____ 个锐角,最多有 _____ 个直角.

6. 如果一个多边形的每一个外角都相等,并且它的内角和为2880°,那么它的一个内角为 _____.

7. 如果一个多边形增加一条边,那么它的内角和增加_____度;减少一条边,内角和减少_____度.如果一个多边形减少一条边后内角和为 2160°,那么原来多边形的边数是_____条.

8. 一个多边形只截去一个角,形成另一个多边形的内角和为 2520°,则原多边形的边数为_____条(截线不经过顶点).

9. 如果一个多边形的各内角都相等,且每个内角都大于 135°,那么这个多边形的边数最少为_____,最多为_____.

10. 如图 7-63 所示,∠A+∠B+∠C+∠D+∠E+∠F 的度数为_____.

11. 一个多边形的每个外角都是 45°,那么这个多边形的内角和为_____.

12. 六边形有四个内角的度数和为 600°,另两个内角相等,则与另外两个内角相邻的外角的度数为_____.

13. 一个多边形除一个内角外,其余各内角之和是 2570°,则这一内角的度数为_____.

图 7-63

14. 是否存在每个内角都等于 95°的多边形?若存在,请求出边数;若不存在,请说明理由.

15. 一个凸多边形的内角的度数从小到大排列,恰好依次增加相同度数.其中最小角是 100°,最大角是 140°,求这个多边形的边数.

16. 已知与多边形的一个内角相邻的外角与其余各内角总和为 600°,求该多边形的边数.

☺评价标准☹

1. D 2. D 3. C 4. 十 5. 3 4 6. 160° 7. 180 180 15 8. 15 9. 9 条 无数条(大于 9) 10. 360° 11. 1080° 12. 120° 13. 130°

14. 解:假设存在 n 边形每个内角为 95°,

所以 $(n-2)\cdot 180°=95°\cdot n$,

解得 $n=\dfrac{72}{17}$.

因为 n 为正整数,

所以假设不成立,

即不存在每个内角都等于 95°的多边形.

15. 提示:设多边形的边数为 n,则

$$\dfrac{n(100+140)}{2}=(n-2)\cdot 180,$$

所以 $n=6$.

16. 解:设边数为 n,这个内角为 α,则

$(n-2) \cdot 180° - \alpha + 180° - \alpha = 600°$,

所以 $\alpha = 90°n - 390°$.

又因为 $0° < \alpha < 180°$,

所以 $0° < 90°n - 390° < 180°$.

所以 $4\frac{1}{3} < n < 6\frac{1}{3}$.

所以 n 为 5 或 6.

7.4 课题学习 镶嵌

新课指南

1. **知识与技能**:掌握正多边形及其内角特点,掌握正多边形铺满地面的条件及其图形特征,了解什么是平面镶嵌,培养学生运用数学知识解决生活中实际问题的能力.

2. **过程与方法**:经历用正多边形镶嵌的过程,掌握正多边形铺满地面的条件及其图形特征,运用类比、归纳、猜测,探索解决问题的方法.

3. **情感态度与价值观**:经历本节知识的学习,体验学习数学的乐趣,培养学生对数学学习的兴趣,并体会方程知识在解决数学问题中的广泛应用,深刻理解数学知识来源于实际生活,反之服务于生产和生活.

4. **重点与难点**:重点是掌握正多边形各内角度数的数量关系,并运用到实际生活中;难点是能够找到几种正多边形能铺满地面的组合.

教材解读 精华要义

数学与生活

生活中常见的瓷砖、地砖各种各样,直角三角形、正方形、长方形、正五边形、正六边形等等,其中用正三角形、正方形、长方形、正六边形中的某一种都能铺满平面,而正五边形却不能,为什么呢?

思考讨论 正三角形即等边三角形,它的每一个内角都是 $60°$,因此,6 个相同的等边三角形即可把平面铺满,正方形和长方形每一个内角都是 $90°$,4 个相同的正方形(或长方形)即可铺满平面,而正六边形每个内角都是 $120°$,3 个即可铺满平面,但是,对于正五边形来说,它的内角为 $(5-2) \cdot 180° \div 5 = 108°$,而 $360° \div 108° = 3$

……36°,因此,用正五边形地砖不能铺满平面,那么,能铺满平面的正多边形有什么特征?如果用几种正多边形铺满平面,有什么要求呢?

知识详解

知识点1　平面镶嵌

定义:用形状相同或不同的平面封闭图形,把一块地面既无缝隙,又不重叠地全部覆盖,在几何里叫做平面镶嵌.

知识点2　用正多边形镶嵌

Ⅰ 在正多边形镶嵌中,若一个正多边形的顶点落在另一个正多边形的边上,这种情况比较简单,我们不作讨论.

Ⅱ 限定镶嵌的正多边形的顶点不落在另一个正多边形的边上.

【说明】 这个镶嵌的限定即指选用的正多边形无论什么形状,它们在镶嵌时,只能边与边重合,因而,实际上有三条限制:(1)边长都要等;(2)顶点公共;(3)在一个顶点处各正多边形的内角和为360°.这三条限制是正多边形镶嵌的一个基本依据.

探究一:用一种正多边形镶嵌.

设所用正多边形的边数为n,且在一个顶点处有k个正n边形.

根据上述限定条件有方程

$$k \cdot \frac{(n-2) \cdot 180°}{n} = 360°,$$

整理,得$kn - 2k - 2n = 0$,

即$n = \dfrac{2k}{k-2} = 2 + \dfrac{4}{k-2}$.

因为n,k皆为正整数,

所以当$k=3$时,$n = 2 + \dfrac{4}{3-2} = 6$;

当$k=4$时,$n = 2 + \dfrac{4}{4-2} = 4$;

当$k=6$时,$n = 2 + \dfrac{4}{6-2} = 3$.

进而限用一种正n边形的镶嵌有三种情况:

正多边形的边数	一个顶点处正多边形的个数
3	6
4	4
6	3

探究二:用多种正多边形镶嵌.

以正三角形和正四边形为例,设正三角形有x个,正四边形有y个.

根据限定条件有方程

$60° \cdot x + 90° \cdot y = 360°$,

整理,得 $2x + 3y = 12$,

得整数解 $\begin{cases} x = 3, \\ y = 2, \end{cases}$

即用3个正三角形和2个正方形可以镶嵌.

类似可讨论出:用4个正三角形和1个正六边形可以镶嵌;用2个正三角形和2个正六边形可以镶嵌;用2个正五边形和1个正十边形可以镶嵌,等等.

知识点3 用一般凸多边形镶嵌

Ⅰ 用同一种三角形可以镶嵌.

三角形的内角和是180°,用6个同一种三角形就可以在同一顶点处不重叠、无缝隙地镶嵌.

Ⅱ 用一种四边形也能将地面镶嵌.

四边形内角和是360°,用四个同一种四边形就可以在同一顶点处不重叠、无缝隙地镶嵌.生活中用多边形镶嵌地面的形式多种多样,丰富多彩,请同学们多多留心观察.

典例剖析 师生互动

例1 如图7-64所示的是某广场地面的一部分,地面中央是一块正六边形的地砖,周围用正三角形和正方形的大理石地砖密铺,从里向外共铺了12层(不包括中央的正六边形),每一层的外界都围成一个多边形,若中央正六边形的地砖的边长为0.5 m,则第12层的外界所围成的多边形的周长是_____.

〔分析〕 各层的镶嵌实际上是两种(正三角形和正方形)正多边的镶嵌,从图形看到每一层都有六个正方形,且由第一层开始,外边界依次有 1×6 个, 2×6 个,…, $n \times 6$ 个正三角形,所以第12层外边界应是由6个正方形的边和 12×6 个正三角形的边围成的多边形.

故第12层外边界所围成的多边形周长为

$6a_4 + 12 \times 6a_3 = 6 \times 0.5 + 72 \times 0.5 = 39$(m).

图7-64

【说明】 这也是一个具有实际意义及超前意识的问题,这种镶嵌是在同一个顶点处的正多边形镶嵌.

例2 三个完全相同的正多边形拼成无缝隙、不重叠的图形,问这样的正多边形是几边形?

〔分析〕 三个完全相同的正多边形拼成一个周角,可以求得正多边形每个内角的度数,利用多边形内角和公式,便可求得.

解:因为正多边形每个内角都相等,

由题意可知:三个内角恰好组成一个周角,

即每一个内角为 $360° \div 3 = 120°$,

再由多边形的内角和公式 $(n-2) \cdot 180° = n \cdot 120°$,所以 $n = 6$.

所以这个多边形是正六边形.

学生做一做 (1)某单位的地板由三种正多边形铺成,设这三种多边形的边数分别为 x, y, z,求 $\dfrac{1}{x} + \dfrac{1}{y} + \dfrac{1}{z}$ 的值.

(2)两个多边形的边数为 m, n,且内角分别相等,又满足 $\dfrac{1}{m} + \dfrac{1}{n} = \dfrac{1}{4}$,则各取一个外角的和为 _____.

老师评一评 (1)此题主要应考虑到多边形的边数与内角和的关系,由三种正多边形铺成,也就是三种正多边形的三个内角的和为 $360°$.

由题意可知:

三种正多边形在同一顶点处的三个内角和等于 $360°$.

即 $\dfrac{(x-2) \cdot 180°}{x} + \dfrac{(y-2) \cdot 180°}{y} + \dfrac{(z-2) \cdot 180°}{z} = 360°$,

$\dfrac{x-2}{x} + \dfrac{y-2}{y} + \dfrac{z-2}{z} = 2$,

$1 - \dfrac{2}{x} + 1 - \dfrac{2}{y} + 1 - \dfrac{2}{z} = 2$,

所以 $2\left(\dfrac{1}{x} + \dfrac{1}{y} + \dfrac{1}{z} \right) = 1$.

所以 $\dfrac{1}{x} + \dfrac{1}{y} + \dfrac{1}{z} = \dfrac{1}{2}$.

(2)因为这两个多边形的内角分别相等,且外角和均为 $360°$,所以它们的外角分别为 $\dfrac{360°}{m}$,$\dfrac{360°}{n}$.

所以二者各取一个外角的和为:

$\dfrac{360°}{m} + \dfrac{360°}{n} = 360°\left(\dfrac{1}{m} + \dfrac{1}{n} \right) = 360° \times \dfrac{1}{4} = 90°$.

即各取一个外角的和为 $90°$.

小结 灵活应用多边形内角和公式是解决本题的关键.

例3 只用正三角形和正六边形地板砖铺地面,你有几种方案?

〔**分析**〕 正三角形一个内角为 $60°$,正六边形一个内角为 $120°$,要想铺满地面,则需围成一个周角.

解:设正三角形为 x 块,正六边形为 y 块,

由题意可知 $60°x+120°y=360°$.

所以 $x+2y=6$.

又因为 x,y 均为正整数,即方程的正整数解为 $\begin{cases}x=2,\\y=2,\end{cases}\begin{cases}x=4,\\y=1.\end{cases}$

所以有两种方案.

方案1:正三角形和正六边形各2块;

方案2:正三角形四块,正六边形1块.

学生做一做 (1)当用一块正三角形,一块正六边形,再加 ＿＿＿＿ 块 ＿＿＿＿形(正多边形)能铺满地面.

(2)设在一个顶点周围围有 m 个正三角形,n 个正方形,且刚好无缝隙,则 $m+n$ ＝ ＿＿＿＿.

老师评一评 (1)灵活应用多边形内角和公式是解决本题的关键.

因为正三角形一个内角为 $60°$,正六边形一个内角为 $120°$,要想铺满地面,则需围成一个周角.设另一个正多边形的内角为 α,则有 $60°+120°+n\cdot\alpha=360°$,所以 $n\cdot\alpha=180°$,根据题意所求多边形的内角只能为 $60°$ 或 $90°$,又因为正三角形已有一块,故所求多边形的内角只能为 $90°$.所以,只能为正方形,且需2块.

(2)此题是内外角和的实际应用,利用多边形内角和及平面镶嵌的条件,便可求得.

因为正三角形的每一个内角都是 $60°$,正方形的每一个内角都是 $90°$.

又因为 m 个正三角形,n 个正六边形,围在一起刚好无空隙.

所以 $60°m+90°n=360°$.

即 $2m+3n=12$.

因为 m,n 均为正整数,所以 $m=3,n=2$.

所以 $m+n=5$.

例 4 (2005·武汉)利用边长相等的正三角形和正六边形的地砖镶嵌地面时,在每个顶点有 a 块正三角形和 b 块正六边形的地砖($ab\neq0$),则 $a+b$ 的值为 ( )

A.3 或 4   B.4 或 5

C.5 或 6   D.4

〔分析〕 用两种或两种以上边长相等的正多边形镶嵌成一个平面时,有公共顶点的角的和应等于一个周角,即 $360°$,因为一个正三角形的内角为 $60°$,正六边形的一个内角为 $120°$,由题意可知,$60°a+120°b=360°$,即 $a+2b=6$,求 a 与 b 的正整数解,得到 $a=2,b=2$ 或 $a=4,b=1$,所以 $a+b=2+2=4$ 或 $a+b=4+1=5$,故选择 B 项.

易错与疑难题

本节的易错点主要是能否用一种或多种正多边形铺满地面,在判断这样的题时,有时出现误解错误,或考虑问题不全面.

例 5　正方形和正六边形组合能否铺满地面?

错解:能.

〔分析〕　同学们一般误认为常见的正多边形任意的两个组合都能铺满地面,正六边形与正方形的一个内角分别是 $120°$ 和 $90°$,不能组合成 $360°$,故不能.

正解:不能.

中考展望　　点击中考

中考命题总结与展望

随着教改的不断深入,不断向生活生产扩展,强化数学教学的应用意识.因此,平面镶嵌成为中考的热点问题,主要考查图案设计,题型以选择题、填空题为主,因此,本节知识应引起师生的共同关注.

中考试题预测

例题　(2004·甘肃)用一种如下形状的地砖,不能把地面铺成既无缝隙,又不重叠的是　　　　　　　　　　　　　　　　　　　　　　(　　)

A. 正三角形　　　B. 正方形　　　C. 长方形　　　D. 正五边形

〔分析〕　因为正三角形、正方形、长方形的内角分别是 $60°,90°,90°$,所以,它们都是 $360°$ 的约数,因此,用这几种图形都能把平面镶嵌,而正五边形的一个内角是 $(5-2)·180°÷5=108°$,它不是 $360°$ 的约数,因此,用正五边形不能把平面镶嵌.故选择 D 项.

课堂小结　　本节归纳

1. 本节主要讲了镶嵌的概念,探究了用一种或两种正多边形镶嵌.

2. 要熟悉正多边形的性质、镶嵌的类型,准确计算镶嵌要求的目标.

3. 在学习探究过程中,要留心观察,注意搜集,勤于思考,捉摸规律.

习题选解　　课本习题

课本第96～97页

复习题 7

2.(1)40;　(2)70;　(3)60;　(4)100;　(5)115.

3.

多边形的边数	7	17	17	25
内角和	900°	15×180°	15×180°	23×180°
外角和	360°	360°	360°	360°

4. 从八边形的一个顶点出发,可以引出五条对角线,它们将八边形分成六个三角形,这些三角形的内角和就是八边形的内角和.

5. 解:这个多边形的内角为 $360°+540°=900°$.

设这个多边形的边数为 n,则有 $(n-2)·180°=900°,n=7$,

每个内角的度数为 $\left(\dfrac{900}{7}\right)°$.

6. 解:因为 $∠1+∠A+∠B=180°,∠B=42°$,

所以 $∠1+∠A=138°$.

又因为 $∠A+10°=∠1$,

所以 $∠A=64°,∠1=74°$.

又因为 $∠ACD=64°$,

所以 $∠A=∠ACD$.

所以 $AB\parallel CD$.

7. $∠DBC=18°$.

8. $∠DAC=20°,∠BOA=125°$.

9. $x=140$.

10. 解:不能,因为正五边形的每一个内角为 $108°$,正六边形的每一个内角为 $120°$,一个正五边形和两个正六边形的内角和为 $108°+2×120°=348°$,不能组成周角,所以不能铺平.

自我评价 知识巩固

1. 小明家准备选用两种形状的地板砖铺地,现在家中已有正六边形地板砖,下列形状的地板砖能与正六边形的地板砖共同使用的是 （ ）

A. 正三角形   B. 正四边形

C. 正五边形   D. 正八边形

2. 用两种正多边形镶嵌,不能与正三角形匹配的正多边形是 （ ）

A. 正方形   B. 正六边形

C. 正十二边形   D. 正十八边形

评价标准

1. A   2. D

章末总结

知识网络图示

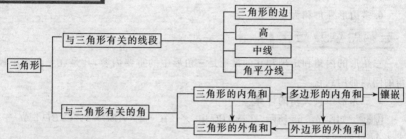

基本知识提炼整理

一、主要概念

1.三角形

由不在同一条直线上的三条线段首尾顺次相接组成的图形叫三角形.

2.三角形的高

从三角形一个顶点向对边画垂线,顶点和垂足间的线段叫三角形的高.

3.三角形的中线

连接三角形一个顶点和它对边中点的线段叫做三角形的中线.

4.三角形的角平分线

画三角形一个角的平分线和对边相交,顶点和交点之间的线段叫三角形的角平分线.

5.三角形的外角

三角形一边与另一边的延长线组成的角叫做三角形的外角.

6.多边形

在同一平面内,由一些线段首尾顺次相接组成的图形叫多边形.

7.多边形的对角线

连接多边形不相邻的两顶点的线段叫多边形的对角线.

8.正多边形

各个角都相等,各个边都相等的多边形叫做正多边形.

二、主要性质

1.三角形三边关系.

(1)两边之和大于第三边;

(2)两边之差小于第三边.

2.三角形内角和等于 $180°$.

3.三角形的一个外角等于与它不相邻的两个内角的和.

4.三角形的一个外角大于与它不相邻的任何一个内角.

5.多边形内角和为 $(n-2)\cdot 180°$.

6.多边形外角和为 $360°$.

专题总结及应用

三角形的内角和定理和它的推论是三角形中重要内容,凡是在三角形中涉及角的问题都用到它.

1.三角形中有关角的计算

例1 如图 7-65 所示,在 $\triangle ABC$ 中,$\angle BAC = 4\angle ABC = 4\angle C$,$BD\perp AC$ 于 D,求 $\angle ABD$ 的度数.

〔分析〕 $\angle ABD$ 是直角三角形 BDA 中的一个锐角,若能求出另一个锐角 $\angle BAD$,就可运用直角三角形两个锐角互余求得.

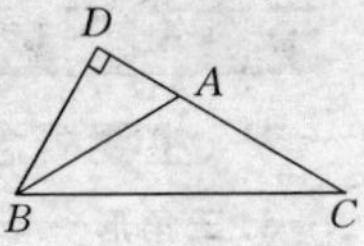

解:设 $\angle C = x°$,则 $\angle ABC = x°$,$\angle BAC = (4x)°$.

在 $\triangle ABC$ 中,$x+x+4x=180$,

故 $x=30$.

所以 $\angle BAC = 120°$,

所以 $\angle DAB = 60°$.

在 $\triangle BDA$ 中,$\angle D = 90°$,

所以 $\angle ABD = 90° - 60°$,即 $\angle ABD = 30°$.

图 7-65

2.运用三角形内角和定理说明角的相等关系

例2 如图 7-66 所示,在 $\triangle ABC$ 中,D,E 分别是 BC,AC 上的点,AD,BE 相交于点 F.试说明 $\angle C + \angle 1 + \angle 2 + \angle 3 = 180°$.

〔分析〕 要说明 $\angle C$,$\angle 1$,$\angle 2$,$\angle 3$ 四个角和为 $180°$,最好是将它们转化为同一个三角形三个角的和,其中 $\angle 1$,$\angle 2$ 在 $\triangle BFD$ 中,只要说明 $\angle 3 + \angle C = \angle FDB$ 即可,这正好可用三角形外角的性质.也可 $\angle 3$,$\angle C$ 在 $\triangle ADC$ 中,只要说明 $\angle ADC = \angle 1 + \angle 2$ 即可.

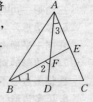

图 7-66

解法1:因为 $\angle 3 + \angle C + \angle ADC = 180°$,

又因为 $\angle ADC = \angle 1 + \angle 2$,

所以 $\angle 3 + \angle C + \angle 1 + \angle 2 = 180°$.

解法2:因为 $\angle 1 + \angle 2 + \angle FDB = 180°$,

又因为 $\angle FDB = \angle 3 + \angle C$,

所以 $\angle 1 + \angle 2 + \angle 3 + \angle C = 180°$.

例 3 如图 7 - 67 所示,已知△ABC中,∠B>∠C,AD 为∠BAC的平分线,AE⊥BC,垂足为 E.试说明∠DAE=$\frac{1}{2}$(∠B-∠C).

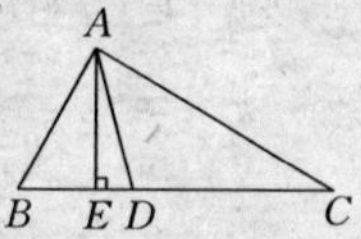

〔**分析**〕 本题要说明∠DAE与∠B,∠C 的关系式,而∠DAE 为△ABC 的内角的一部分,又是直角三角形 AED 的一个内角,故应从△ABC,直角三角形 AED 两个三角形的内角关系入手.

解法 1: 在直角三角形 AED 中,∠DAE+∠ADE=90°.

因为∠ADE=∠C+∠DAC,

而∠DAC=$\frac{1}{2}$∠BAC,

所以∠DAE=90°-$\left(∠C+\frac{1}{2}∠BAC\right)$.

又∠BAC=180°-∠B-∠C,

所以∠DAE=90°-$\left[∠C+\frac{1}{2}(180°-∠B-∠C)\right]$

$=90°-∠C+\frac{1}{2}∠B+\frac{1}{2}∠C-90°$

$=\frac{1}{2}(∠B-∠C).$

解法 2: 因为∠DAE=∠DAB-∠BAE,

又∠EAB=90°-∠B,∠DAB=$\frac{1}{2}$∠BAC,

所以∠DAE=$\frac{1}{2}$∠BAC-(90°-∠B)

$=\frac{1}{2}(180°-∠B-∠C)-(90°-∠B)$

$=\frac{1}{2}(∠B-∠C).$

图 7 - 67

【**说明**】 本题运用了直角三角形两个锐角互余这个重要性质,在今后证题中有直角或垂直,应想到直角三角形的两锐角互余这一性质.

本章综合评价 走向成功

一、训练平台

1. 三角形三个内角的度数分别为$(x+y)°$,$(x-y)°$,$x°$,且 $x>y>0$,则该三角形有一个内角为 ( )

A. 30°   B. 45°   C. 60°   D. 90°

2. 如图 7-68 所示，△ABC 中，∠B 和 ∠C 的内角平分线相交于点 P，∠A=46°，则 ∠BPC 等于 （　　）

　A. 126°　　　　B. 113°　　　　C. 136°　　　　D. 123°

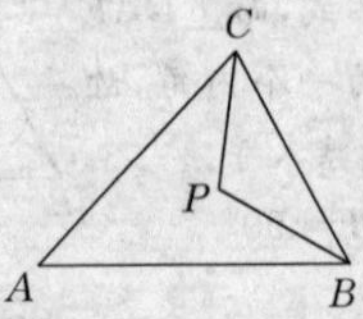

图 7-68 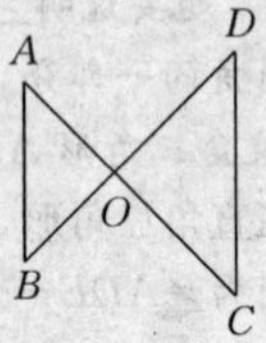　　　　　　　　图 7-69

3. 如图 7-69 所示，AB∥CD，AC 和 BD 相交于点 O，若 ∠A=45°，∠D=55°，则 ∠AOB 的度数为 （　　）

　A. 45°　　　　B. 55°　　　　C. 80°　　　　D. 90°

4. 一个等腰三角形(有两条边相等的三角形)的两边长分别为 4.6 和 9.2，则此三角形的周长为 （　　）

　A. 23　　　　B. 18.4　　　　C. 23 或 18.4　　　　D. 13.8

5. 一个三角形的三边长是整数，周长为 5，则最小边为 _____.

6. 木工师傅做完门框后，为防止变形，通常在角上钉一斜条，根据是 _____.

7. 三角形 ABC 中，∠B=55°，∠ACB=105°，AD 平分 ∠BAC，AE 是 BC 边上的高，则 ∠DAE=_____.

8. 小明绕着五边形各边走一圈，他共转了 _____ 度.

9. 如果一个多边形各边相等，周长为 70，且内角和为 1440°，则它的边长为 _____.

二、探究平台

1. 把 14 cm 长的细铁丝截成三段，围成不等边三角形，并且使三边长均为整数，那么 （　　）

　A. 只有一种截法　　　　B. 有两种截法
　C. 有三种截法　　　　D. 有四种截法

2. 一个多边形每一个内角都是 120°，这个多边形是 （　　）

　A. 正四边形　　　　B. 正五边形
　C. 正六边形　　　　D. 正七边形

3. 一个凸 n 边形的 n 个内角的和与某一外角总和为 1500°，则 n 的值为 （　　）

　A. 7　　　　B. 8　　　　C. 9　　　　D. 10

4. 一个多边形木板截去一个三角形后(截线不经过顶点)，得到新多边形内角和为 2160°，则原多边形的边数为 （　　）

　A. 13 条　　　　B. 14 条　　　　C. 15 条　　　　D. 16 条

5. 若多边形的边数由 5 条增加了 n 条,则内角和增加了_____.

6. 平面内,当绕一点拼在一起的几个多边形内角恰好围成一个_____时,就能拼成一个平面图形.

7. 下列正多边形:①正三角形;②正方形;③正五边形;④正六边形. 其中用一种正多边形能镶嵌成平面图案的是_____.

8. 如图 7 - 70 所示,D 是 △ABC 中 BC 边上一点.试说明 $2AD<AB+BC+AC$.

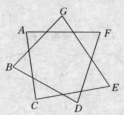

图 7 - 70　　　　　图 7 - 71

三、交流平台

1. 如图 7 - 71 所示,求 ∠A+∠B+∠C+∠D+∠E+∠F+∠G 的度数.

2. 如图 7 - 72 所示,四边形 $ABCD$ 中,∠B=90°,EF⊥AD,则 ∠A=∠EFC,为什么?

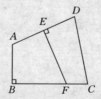

图 7 - 72　　　　　图 7 - 73

3. 某瓷砖生产厂家因失误,使一批正方形瓷砖受到如图 7 - 73 所示的损害. 为减少损失,请你设计一种方案,使这批瓷砖仍能使用.

4. 有一八边形,截去一三角形,内角和会发生怎样的变化?请画图说明.

😊 评价标准 ☹

一、1. C　2. B　3. C　4. A　5. 1　6. 三角形的稳定性　7. 25°　8. 360　9. 7

二、1. C　2. C　3. D　4. A　5. 180°·n　6. 周角　7. ①②④

8. 提示:由 $AC+CD>AD$ 与 $AB+BD>AD$ 相加可得.

三、1. 提示:把图形内部七边形各角看作外部三角形的外角,分析可得

$(7-2)\cdot180°-360°=540°$.

2. 略

3.解:如图 7 - 74 所示,按虚线截除.

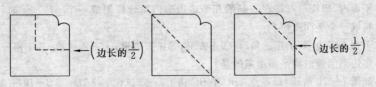

图 7 - 74

4.解:如图 7 - 75 所示,按虚线截除.

内角和减少180°   内角和不变   内角和增加180°

图 7 - 75

第八章

二元一次方程组

一、课标要求与内容分析

1. 本章的课标要求是:能够根据具体问题中的数量关系列出方程(组),体会方程是刻画现实世界的一个有效的数学模型,会解简单的二元一次方程组,能根据具体问题的实际意义,检验结果是否合理.

2. 本章主要介绍了二元一次方程组和它的解的概念,探索二元一次方程组的两种解法,利用二元一次方程组解决相关的实际问题.建立用数学模型解决实际问题的思想方法,注意二元一次方程组的代入消元法和加减消元法两者之间的一致性,可相互转化,体现了化复杂为简单的化归思想.

3. 本章重点是引导学生探求二元一次方程组的解法及其实际应用.难点是建立用二元一次方程组解决实际问题的思想.关键是在审好题的基础上,正确地设出未知数,列出符合条件的两个方程组成的方程组,相互交流,相互合作,相互提高.

二、学法指导

在复习解一元一次方程时,明确一元一次方程的化简变形原理,类比学习二元一次方程组的解法,同时在学习二元一次方程组的解法时,对于其中的代入消元法和加减消元法,要认真体会消元转化的思想原理.在学习用二元一次方程组解决实际问题时,要有自主性,积极探究,与同学和老师互相交流,互相合作,要敢于提出自己独特的解题方法.

8.1 二元一次方程组

教材解读 精华要义

数学与生活

我们都听过"鸡兔同笼"的问题，"今有鸡兔同笼，上有三十五头，下有九十四足，问鸡、兔各有几何？"

思考讨论 就我们目前的知识，解决这个问题有两种方法：

方法1：(算术方法)把兔子都看成鸡，则多出 $94-35\times2=24$ 只脚，每只兔子比鸡多出两只脚，故由此先求出兔子有 $24\div2=12$ 只，进而求出鸡有 $35-12=23$ 只.

或类似的先求出鸡的数量：

$35\times4-94=46,46\div2=23$(只).

方法2：(列一元一次方程解)设有 x 只鸡，则有 $(35-x)$ 只兔.

根据题意，得 $2x+4(35-x)=94$，

所以 $x=23$.

在列一元一次方程时，我们设一个未知数，得到一个一元一次方程，那么我们如果设两个未知数，即鸡有 x 只，兔有 y 只，由题意可列出两个方程.

$x+y=35$，①

$2x+4y=94$，②

这两个方程叫什么？它们的解又是什么？

知识详解

知识点 1　二元一次方程的概念

在方程 $2x+y=40$ 中,含有两个未知数(x 和 y),并且未知数的指数都是 1,像这样的方程叫做二元一次方程.

【说明】 二元一次方程的概念是描述性的定义,要结合具体的方程来理解.例如,$yz+1=5$,$y(z+1)=6$,只根据二元一次方程概念的文字叙述,你可能认为它们是二元一次方程,其实它们都不是二元一次方程,yz 项次数是 2.方程 $y(z+1)=6$ 中的 y 与 $(z+1)$ 是乘积关系,按多项式中项的定义,$y(z+1)$ 不能说成是一项,将 $y(z+1)$ 化成 $yz+y$,我们知道这个多项式是由项 yz,y 组成的,而 yz 这一项的次数是 2,因此上述这两个方程都不能叫二元一次方程,应该叫二元二次方程,那么教材为什么这样给出概念呢?其目的是为了淡化概念.我们可以将该定义描述成:在方程中有两个未知数,未知数与未知数之间都是加法或减法运算,并且未知数的指数都是 1,像这样的方程,我们把它叫做二元一次方程.这样叙述就比较严密了.

【注意】 本节常出现的错误是对二元一次方程的概念理解得不准确,其表现形式有两种:

一种是把"含未知数的项的次数为 1"理解为"每个未知数的次数都是 1",误认为 $xy+2=0$ 也是二元一次方程;

另一种是遇到含有字母系数的方程时,容易忽略"未知数的系数不等于零"的隐含条件.如 $ax+y=6$ 中,$a\neq0$ 这个条件.

知识点 2　二元一次方程组的概念

像 $\begin{cases} x+y=6, \\ 3x+y=16 \end{cases}$ 这样,把两个二元一次方程合在一起,就组成了一个二元一次方程组.

【说明】 二元一次方程组的概念也不是严格的定义.

例如:① $\begin{cases} y=2x+2, \\ 3x-y=7; \end{cases}$ ② $\begin{cases} x=8, \\ 9x+10y=6; \end{cases}$ ③ $\begin{cases} 2x=4, \\ 9y=6. \end{cases}$ 这三个方程组都是二元一次方程组,其中方程②中的第一个方程只有一个未知数;方程组③中的两个方程也都有一个未知数,但它们仍然都是二元一次方程组.为了更好地识别一个方程组是不是二元一次方程组,我们可以这样叙述:在一个方程组中,共有 2 个未知数,并且每个方程都是一次方程,这样的方程组就是二元一次方程组.

知识点 3　二元一次方程组的解的概念

一般地,使二元一次方程两边的值相等的两个未知数的值,叫做二元一次方程的解.

一般地,二元一次方程组的两个方程的公共解,叫做二元一次方程组的解.

【注意】 二元一次方程组的解是一对数,要将这对数代入方程组中的每一个方程进行检验,这对数要满足方程组中的每一个方程,这对数才能是这个方程组的解,而一元一次方程的解是一个数,这是它们之间的区别.

思想方法小结 二元一次方程与一元一次方程有很多类似的地方,学习时可运用类比的思想方法,比较二元一次方程与一元一次方程有关概念的相同点和不同点.这样,不但能加深对概念的理解,提高对"元"和"次"的认识,而且能够逐步培养类比分析和归纳概括的能力.

知识规律小结 结合方程、一元一次方程、二元一次方程、二元一次方程组的概念类比学习,这样更能加深对概念的理解,同时更有规律地掌握和区分相关知识.

典例剖析 师生互动

基本概念题

例1 判断① $\begin{cases} x=5, \\ y=2, \end{cases}$ ② $\begin{cases} x=6, \\ y=1, \end{cases}$ ③ $\begin{cases} x=4, \\ y=5 \end{cases}$ 中,

(1)_____是方程 $x+y=7$ 的解;

(2)_____使方程 $3x+y=17$ 的左右两边的值相等;

(3)_____是方程组 $\begin{cases} x+y=7, \\ 3x+y=17 \end{cases}$ 的解.

答案:(1)①② (2)①③ (3)①

【注意】 二元一次方程组的解是方程组中各个方程的公共解,因此在检验方程组的解时,应对每个方程都进行检验,不要只对一个进行检验,而忽略对另一个方程的检验.

学生做一做 检验 $\begin{cases} x=5, \\ y=2 \end{cases}$ 是否是方程组 $\begin{cases} x+y=7, & ① \\ 3x+y=17 & ② \end{cases}$ 的解.

老师评一评 把 $x=5, y=2$ 代入①中,左边$=5+2=7$,右边$=7$,左边$=$右边.

所以 $\begin{cases} x=5, \\ y=2 \end{cases}$ 是方程①的解.

再把 $x=5, y=2$ 代入②中,左边$=3\times5+2=17$,右边$=17$,左边$=$右边.

所以 $\begin{cases} x=5, \\ y=2 \end{cases}$ 也是方程②的解.

所以 $\begin{cases} x=5, \\ y=2 \end{cases}$ 是方程组 $\begin{cases} x+y=7, \\ 3x+y=17 \end{cases}$ 的解.

基础知识应用题

本节基础知识的应用包括:(1)二元一次方程的识别;(2)二元一次方程组概念的应用.

例 2 判断下列各组数是不是二元一次方程组 $\begin{cases} 2x-y=5,① \\ 3x+y=10② \end{cases}$ 的解.

(1) $\begin{cases} x=7, \\ y=7; \end{cases}$ (2) $\begin{cases} x=3, \\ y=1. \end{cases}$

〔分析〕 将每对数值分别代入原方程组中的两个方程,既满足方程①,又满足方程②的是此方程组的解,否则就不是.

解:(1)将 $\begin{cases} x=7, \\ y=7 \end{cases}$ 代入方程①,

因为左边 $=2\times7-7=7$,右边 $=5$,左边 $\neq$ 右边,

所以 $\begin{cases} x=7, \\ y=7 \end{cases}$ 不满足方程①,

故 $\begin{cases} x=7, \\ y=7 \end{cases}$ 不是原方程组的解.

(2)将 $\begin{cases} x=3, \\ y=1 \end{cases}$ 代入方程①,

因为左边 $=2\times3-1=5=$ 右边,

所以 $\begin{cases} x=3, \\ y=1 \end{cases}$ 满足方程①.

将 $\begin{cases} x=3, \\ y=1 \end{cases}$ 代入方程②,

因为左边 $=3\times3+1=10=$ 右边,

所以 $\begin{cases} x=3, \\ y=1 \end{cases}$ 也满足方程②.

故 $\begin{cases} x=3, \\ y=1 \end{cases}$ 是原方程组的解.

【注意】 检验一对数是不是某个方程组的解,当发现这对数不满足其中某一个方程时,无需继续检验,就可以判定它不是此方程组的解;当验证这对数满足其中某一个方程时,还必须继续检验是否满足方程组中的其他方程,只有同时满足方程组中所有的方程,它才是此方程组的解.

例 3 足球的表面是由一些呈多边形的黑、白皮块缝合而成的,共计有 32 块,已知黑色皮块数比白色皮块数的一半多 2,问两种皮块各有多少?(要求:列二元一次方程组,可通过其他方法求得两种皮块数,检验所列方程组的正确性)

〔分析〕 可设黑色皮块数为 x 块,白色皮块数为 y 块,则黑色皮块数+白色皮块数=32,黑色皮块数=白色皮块数的一半+2.

解:设黑色皮块数为 x 块,白色皮块数为 y 块,列方程组,得

$$\begin{cases} x+y=32, ① \\ x=\frac{1}{2}y+2, ② \end{cases}$$

将 $x=12,y=20$ 代入方程①、②,得

$12+20=32,$

$12=\frac{1}{2}\times20+2,$

　　所以 $x=12,y=20$ 是方程组的一组解.

　　答:黑色皮块为 12 块,白色皮块为 20 块.

例 4 　下列各方程中,哪个是二元一次方程?

(1)$8x-y=y$;　　　　　　　　　　　(2)$xy=3$;

(3)$2x^2-y=9$;　　　　　　　　　　(4)$\frac{1}{x-y}=2$.

　　〔分析〕 此题判断的根据是二元一次方程的概念,由于方程(2)中含未知数的项 xy 的次数是 2,而不是 1,所以 $xy=3$ 不是二元一次方程;同理,$2x^2-y=9$ 也不是二元一次方程;又因为方程(4)中的 $\frac{1}{x-y}$ 不是整式,所以 $\frac{1}{x-y}=2$ 也不是二元一次方程.

　　解:方程(1)$8x-y=y$ 是二元一次方程;方程(2)$xy=3$,(3)$2x^2-y=9$,(4)$\frac{1}{x-y}$ $=2$ 都不是二元一次方程.

例 5 　某校现有校舍 20000 m^2,计划拆除部分旧校舍,改建新校舍,使校舍总面积增加 30%,若改建的新校舍面积为被拆除的旧校舍面积的 4 倍,则应该拆除多少旧校舍?建造多少新校舍?(要求:列出方程组即可)

　　〔分析〕 如图 8－1 所示,若设应拆除旧校舍 $x\ \text{m}^2$,建造新校舍 $y\ \text{m}^2$,图中实线部分围成的长方形表示现有校舍面积.画"×"部分的面积表示拆除的旧校舍的面积,由虚线围成的长方形(包括画"×"部分的面积)为新建校舍的面积,因此有 $y=4x$ 和 $3x=20000\times30\%$.

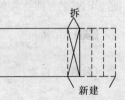

　　解:设拆除 $x\ \text{m}^2$ 旧校舍,建造 $y\ \text{m}^2$ 新校舍,列方程组,得

$$\begin{cases} y=4x, \\ 3x=20000\times30\% \end{cases} \left(或 \begin{cases} y=4x, \\ y-x=20000\times30\% \end{cases}\right).$$

图 8－1

【注意】 本题有两个地方容易出错:第一,新建校舍与扩建校舍的区别,新建校舍由拆除和扩建两部分组成;第二,校舍总面积增加 30%,是指扩建部分的面积占原有面积(20000 m^2)的 30%,而不是新建校舍的面积占原有面积的 30%.根据所设未知数,第一个方程不会出错,第二个方程容易错误地列为 $y=20000\times30\%$.

综合应用题

　　本节知识的综合应用包括:(1)与一元一次方程的解法的综合应用;(2)与实际问题相结合,解决有关问题.

例6 若方程 $2x^{2m+3}+3y^{5n-9}=4$ 是关于 x,y 的二元一次方程，求 m^2+n^2 的值.

解：因为 $2x^{2m+3}+3y^{5n-9}=4$ 是关于 x,y 的二元一次方程，

所以 $\begin{cases} 2m+3=1, \\ 5n-9=1, \end{cases}$ 解得 $\begin{cases} m=-1, \\ n=2. \end{cases}$

所以 $m^2+n^2=(-1)^2+2^2=1+4=5.$

【注意】 根据二元一次方程概念中未知数的指数是1，列出方程组解决问题.

例7 写出二元一次方程 $4x+y=20$ 的所有正整数解.

〔分析〕 为了求解方便，先将原方程变形为 $y=20-4x$，由于题中所要求的解都限定于"正整数解"，所以 x 和 y 的值都必须是正整数.

解：将原方程变形，得 $y=20-4x.$

因为 x,y 均为正整数，

所以 x 只能取小于5的正整数.

当 $x=1$ 时，$y=16$；

当 $x=2$ 时，$y=12$；

当 $x=3$ 时，$y=8$；

当 $x=4$ 时，$y=4.$

所以 $4x+y=20$ 的所有正整数解是

$\begin{cases} x=1, \\ y=16; \end{cases}$ $\begin{cases} x=2, \\ y=12; \end{cases}$ $\begin{cases} x=3, \\ y=8; \end{cases}$ $\begin{cases} x=4, \\ y=4. \end{cases}$

【注意】 对"所有正整数解"的含义的理解要注意两点：一要正确，二要不重不漏."正确"的标准是两个未知数的值都必须是正整数，且适合此方程.

例8 已知 $\begin{cases} x=2, \\ y=1 \end{cases}$ 是方程组 $\begin{cases} 2x+(m-1)y=2, \\ nx+y=1 \end{cases}$ 的解，求 $m+n$ 的值.

〔分析〕 因为 $\begin{cases} x=2, \\ y=1 \end{cases}$ 是方程组 $\begin{cases} 2x+(m-1)y=2, ① \\ nx+y=1 ② \end{cases}$ 的解，所以 $\begin{cases} x=2, \\ y=1 \end{cases}$ 同时满足方程①和方程②，将 $\begin{cases} x=2, \\ y=1 \end{cases}$ 分别代入方程①和方程②，可得 $\begin{cases} 4+m-1=2, ③ \\ 2n+1=1, ④ \end{cases}$ 由③和④可分别求出 m,n 的值.

解：因为 $\begin{cases} x=2, \\ y=1 \end{cases}$ 是方程组的解，

所以 $\begin{cases} 2\times2+(m-1)\times1=2, \\ 2n+1=1, \end{cases}$

解得 $\begin{cases} m=-1, \\ n=0. \end{cases}$

所以 $m+n=-1+0=-1.$

【注意】　仔细体会"已知方程组的解是……"这类已知条件的用法,并加深理解方程组的解的含义.

例 9　已知方程 $(2m-6)x^{|n|+1}+(n+2)y^{m^2-8}=0$ 是二元一次方程,求 m,n 的值.

〔分析〕　根据二元一次方程的概念可知,所给方程必须含有两个未知数,一个是 x,另一个是 y.这就要求 $2m-6\neq0,n+2\neq0$.另外,含未知数的项的次数都是1,即 $|n|+1=1,m^2-8=1$.

解:由题意,得
$$\begin{cases} |n|+1=1, \\ m^2-8=1, \\ 2m-6\neq0, \\ n+2\neq0, \end{cases}$$

所以
$$\begin{cases} n=0, \\ m=3, \text{或 } m=-3, \\ m\neq3, \\ n\neq-2. \end{cases}$$
所以
$$\begin{cases} m=-3, \\ n=0. \end{cases}$$

【注意】　解这类问题极易漏掉隐含条件"$2m-6\neq0,n+2\neq0$".

例 10　梯形的面积为 42 cm²,高是 6 cm,若下底比上底的 2 倍少 1 cm,求梯形的上、下底的长.(只需列出方程组即可)

〔分析〕　此题中明显存在两个相等关系:一是面积为 42 cm²;二是下底比上底的 2 倍少 1 cm,由此可得两个方程.

解:设梯形的上底长为 x cm,下底长为 y cm,
根据题意,得
$$\begin{cases} y=2x-1, \\ \frac{1}{2}(x+y)\times6=42. \end{cases}$$

【注意】　本题也可以只设一个未知数(上底或下底),但是不如引入两个字母作为未知数容易列方程.

例 11　写出一个解为 $\begin{cases} x=1, \\ y=-2 \end{cases}$ 的二元一次方程组.

〔分析〕　此题可先构造两个以 $\begin{cases} x=1, \\ y=-2 \end{cases}$ 为解的二元一次方程,然后将它们用"大括号"联立即可.

解:因为 $x=1,y=-2$,
所以 $x+y=1+(-2)=-1,x-y=1-(-2)=3$.
所以 $\begin{cases} x+y=-1, \\ x-y=3 \end{cases}$ 就是所求的一个二元一次方程组.

【注意】 (1)以 $\begin{cases} x=1, \\ y=-2 \end{cases}$ 为解的二元一次方程可写出无穷多个,如 $2x+y=0, 4x+2y=0, x+2y=-3, 2x+4y=-6$,等等. 我们从中任选两个方程,只要其对应系数不成比例,联立起来即为所求,可见这样的方程组也有无穷多个.

(2) $x+2y=-3$ 和 $2x+4y=-6$ 的对应系数成比例,这样的两个方程(实质为同一方程)联立所得到的方程组有无穷多个解,不符合本题条件.

例12 已知二元一次方程 $3x+4y=-20$.

(1)用含 x 的代数式表示 y;

(2)写出方程 $3x+4y=-20$ 的负整数解.

解:(1)移项,得 $4y=-20-3x$,

系数化为1,得 $y=-5-\dfrac{3}{4}x$(或 $y=\dfrac{-20-3x}{4}$).

(2)由(1)可知 x 必须是 4 的倍数,y 才可能是整数.

令 $x=-4, -8, \cdots$,则 $y=-2, 1, \cdots$,

所以原方程的负整数解为 $\begin{cases} x=-4, \\ y=-2. \end{cases}$

【注意】 (1)将二元一次方程的一个未知数用另一个未知数表示,这个过程实质就是将方程变形,方法是:把要表示的未知数看作未知数,把另一个未知数看作已知数,然后进行求解未知数.

(2)在寻找特殊解时,要注意题中的要求,经过检验,才能得到符合题意的解.

例13 已知 $\begin{cases} x=4, \\ y=2 \end{cases}$ 是方程组 $\begin{cases} 2x+(m-1)y=4, \\ nx+y=2 \end{cases}$ 的解,求 $(m+n)^{2004}$ 的值.

解:把 $x=4, y=2$ 代入方程组 $\begin{cases} 2x+(m-1)y=4, \\ nx+y=2 \end{cases}$ 中,得

$\begin{cases} 2\times4+(m-1)\times2=4, & ① \\ 4n+2=2. & ② \end{cases}$

由①得 $m=-1$,由②得 $n=0$.

所以当 $m=-1, n=0$ 时,$(m+n)^{2004}=(-1+0)^{2004}=(-1)^{2004}=1$.

【注意】 由方程组的解的概念,可知 $\begin{cases} x=4, \\ y=2 \end{cases}$ 同时满足方程组中的两个方程,将 $\begin{cases} x=4, \\ y=2 \end{cases}$ 代入两个方程中,分别解一元一次方程,即得 m 和 n 的值,从而求出代数式的值.

例14 从甲地到乙地,先下山,然后走平路,某人骑自行车从甲地以每小时 12 千米的速度下山,以每小时 9 千米的速度通过平路,到乙地用了 55 分;他回来时以每小时 8 千米的速度通过平路,以每小时 4 千米的速度上山,回到甲地用了 $1\dfrac{1}{2}$ 小时,

求甲、乙两地的距离.(要求:设元,列出方程组)

〔分析〕 本例求甲、乙两地的距离,若只设甲、乙两地的距离为 x 千米,则无法列出关于 x 的方程,原因是甲、乙两地距离是由下坡路(或上坡路)和平路组成的,走每段路程的速度又发生了变化,不知道坡路(或平路)的距离,因此不能列一元一次方程.若再设平路长为 y 千米,则坡路长为 $(x-y)$ 千米,从甲地到乙地坡路与平路行驶的速度已知,共用时间已知,可利用时间列出方程组.

解:设甲、乙两地的距离为 x 千米,平路长为 y 千米,

列方程组,得

$$\begin{cases} \dfrac{y}{9} + \dfrac{x-y}{12} = \dfrac{55}{60}, \\ \dfrac{y}{8} + \dfrac{x-y}{4} = 1\dfrac{1}{2}. \end{cases}$$

【注意】 本题容易出现这样的错误 $\begin{cases} \dfrac{y}{9} + \dfrac{x-y}{12} = 55, \text{①} \\ \dfrac{x}{8} + \dfrac{x-y}{4} = 1\dfrac{1}{2}, \text{②} \end{cases}$ 错误的原因在于单位

不统一,方程①的左边是路程(千米)除以速度(千米/时),应得单位小时,而 55 的单位是分.另外,我们在学习列一元一次方程解应用题时,有时所设未知数不是问题所求,采用间接设法,列出的方程更简单,这种间接的设元方法我们曾经接触过,那么对于本题,如果采用这种方法,还能列出几种不同的方程组呢? 想一想,试一试.

(1)设山路长为 x 千米,平路长为 y 千米,

列方程组,得 $\begin{cases} \dfrac{x}{12} + \dfrac{y}{9} = \dfrac{55}{60}, \\ \dfrac{y}{8} + \dfrac{x}{4} = 1\dfrac{1}{2}. \end{cases}$

(2)设从甲地到乙地下山用 x 小时,从乙地到甲地上山用 y 小时,

列方程组,得 $\begin{cases} 12x = 4y, \\ 9\left(\dfrac{55}{60} - x\right) = 8\left(1\dfrac{1}{2} - y\right). \end{cases}$

学生做一做 对于本题,你知道下面三种方法列出的方程组中,未知数 x, y 分别表达什么含义吗?

(1) $\begin{cases} 12x = 4\left(1\dfrac{1}{2} - y\right), \\ 9\left(\dfrac{55}{60} - x\right) = 8y; \end{cases}$ (2) $\begin{cases} 9x = 8y, \\ 12\left(\dfrac{55}{60} - x\right) = 4\left(1\dfrac{1}{2} - y\right); \end{cases}$

(3) $\begin{cases} 9x = 8\left(1\dfrac{1}{2} - y\right), \\ 12\left(\dfrac{55}{60} - x\right) = 4y. \end{cases}$

探索与创新题

例 15 已知 $\begin{cases} x=2, \\ y=-1 \end{cases}$ 是方程 $ax+5y=15$ 的一个解，则 $a=$ _____.

〔分析〕 因为 $\begin{cases} x=2, \\ y=-1 \end{cases}$ 是方程 $ax+5y=15$ 的一个解，

所以 $2\times a+5\times(-1)=15$，解得 $a=10$.

学生做一做 (1) 已知 $\begin{cases} x=2, \\ y=-1 \end{cases}$ 是方程组 $\begin{cases} ax+5y=15, \\ 4x-by=-2 \end{cases}$ 的解，则 $2a+3b$ = _____.

(2) 甲、乙两人共同解方程组 $\begin{cases} ax+5y=15, & ① \\ 4x-by=-2, & ② \end{cases}$ 由于甲看错了方程①中的 a，得到

方程组的解为 $\begin{cases} x=-3, \\ y=-1, \end{cases}$ 乙看错了方程②中的 b，得到方程组的解为 $\begin{cases} x=5, \\ y=4, \end{cases}$ 试计算

$a^{2004}+\left(-\dfrac{1}{10}b\right)^{2005}$ 的值.

老师评一评 (1) 因为 $\begin{cases} x=2, \\ y=-1 \end{cases}$ 是方程组 $\begin{cases} ax+5y=15, \\ 4x-by=-2 \end{cases}$ 的解，

所以 $\begin{cases} 2\times a+5\times(-1)=15, \\ 4\times2-b\times(-1)=-2, \end{cases}$ 解得 $\begin{cases} a=10, \\ b=-10. \end{cases}$

所以 $2a+3b=10\times2+3\times(-10)=-10$.

(2) 把 $\begin{cases} x=-3, \\ y=-1 \end{cases}$ 代入②，得 $-12+b=-2$，所以 $b=10$.

把 $\begin{cases} x=5, \\ y=4 \end{cases}$ 代入①，得 $5a+20=15$，所以 $a=-1$.

所以 $a^{2004}+\left(-\dfrac{1}{10}b\right)^{2005}=(-1)^{2004}+\left(-\dfrac{1}{10}\times10\right)^{2005}=1+(-1)=0$.

【注意】 根据方程(组)的解的概念列出关于未知数的方程(组)，加深对方程(组)的解的理解.

例 16 如图 8-2 所示的是一个很美丽的图案，它是由一个边长为 1 的正方形和四个半圆组成的，半圆的直径与正方形的边长相等. 它也可以看作是由四个"花瓣"与四个""(空白处)组成的.

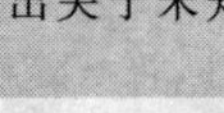

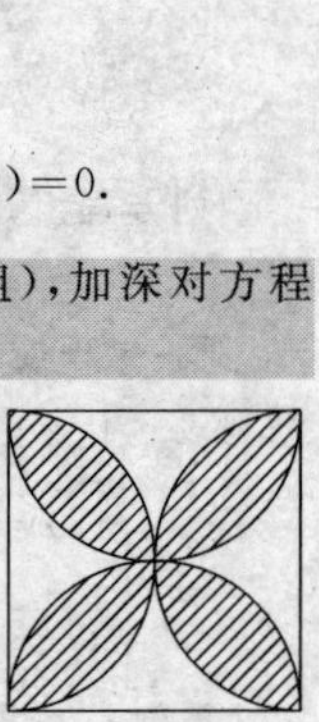

图 8-2

(1) 设每个""的面积为 x，每个"花瓣"的面积为 y，

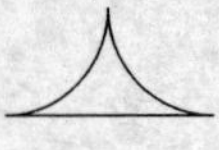

试写出 x 与 y 之间的关系式;

(2)以上关系式和我们学过的知识有什么联系?

解:(1)$4x+4y=1,2y+x=\dfrac{1}{2}\times\left(\dfrac{1}{2}\right)^2\pi$.

(2)这两个关系式是二元一次方程,它们合在一起是二元一次方程组.

易错与疑难题

本节知识的理解与运用常出现的错误有:一是对二元一次方程的概念理解不透;二是容易忽略二元一次方程组的解是其中所有方程的公共解.

例 17 下列选项中,是二元一次方程的是 （　　）

A.$xy+4x=7$　　　　　　　　　　　B.$\pi+x=6$

C.$x-y=1$　　　　　　　　　　　　D.$7x+3=5y+7x$

错解:A 或 B 或 D

〔分析〕 A 选项:$xy+4x=7$ 中,xy 项的次数是 2,而二元一次方程要求"含未知数的项的次数是 1",所以 A 不是二元一次方程.

B 选项:$\pi+x=6$ 中只含有一个未知数 x,而 π 不是未知数,所以方程 $\pi+x=6$ 不是二元一次方程.

C 选项:$x-y=1$ 是二元一次方程.

D 选项:应注意类似 $7x+3=5y+7x$ 这样的方程经整理化简后变为 $5y=3$,是一元一次方程.

正解:C

【说明】 判定二元一次方程的方法,应先对所给方程进行整理,然后分析是否满足以下三个条件:(1)整式方程;(2)含有两个未知数;(3)含未知数的项的次数是 1,三者缺一不可.

中考展望　　点击中考

中考命题总结与展望

二元一次方程和二元一次方程组及其解的概念是学习有关二元一次方程组内容的基础,也是中考必考内容.常见的命题形式是填空题和选择题,属于低档题.

中考试题预测

例 1 （2004·山东)下列结论正确的是 （　　）

A.方程 $2x+5y=15$ 的所有解是方程组 $\begin{cases}2x+5y=15,\\3x+5y=1\end{cases}$ 的解

B. 方程 $2x+5y=15$ 的所有解不是方程组 $\begin{cases} 2x+5y=15, \\ 3x+8y=1 \end{cases}$ 的解

C. 方程组 $\begin{cases} 2x+5y=15, \\ 3x+8y=1 \end{cases}$ 的解不是方程 $2x+5y=15$ 的一个解

D. 方程组 $\begin{cases} 2x+5y=15, \\ 3x+8y=1 \end{cases}$ 的解是方程 $2x+5y=15$ 的一个解

〔分析〕 二元一次方程的解有无数个,而二元一次方程组一般情况下有惟一解,但有个别方程组有无数个解,此时两个方程是属于同解方程的情况.本题主要考查二元一次方程有无数个解以及与二元一次方程组的解之间的联系,本题正确答案为 D.

例2 (2005·南通)某校初三(2)班 40 名同学为"希望工程"捐款,共捐款 100元,捐款情况如表:

捐款(元)	1	2	3	4
人数	6	////	////	7

表格中捐款 2 元和 3 元的人数不小心被墨水污染,已看不清楚.若设捐款 2 元的有 x 名同学,捐款 3 元的有 y 名同学,根据题意,可得方程组 （　　）

A. $\begin{cases} x+y=27 \\ 2x+3y=66 \end{cases}$

B. $\begin{cases} x+y=27 \\ 2x+3y=100 \end{cases}$

C. $\begin{cases} x+y=27 \\ 3x+2y=66 \end{cases}$

D. $\begin{cases} x+y=27 \\ 3x+2y=100 \end{cases}$

〔分析〕 本题考查根据实际意义列方程组,题目中两个等式关系是:

(1)捐款总人数为 40 得 $6+x+y+7=40$,

即 $x+y=27$,①

(2)捐款总数为 100 得

$2x+3y=100-1\times6-4\times7$,

即 $2x+3y=66$,②

由①②组成方程组,得 $\begin{cases} x+y=27, \\ 2x+3y=66, \end{cases}$

故正确答案为 A 项.

课堂小结 本节归纳

1. 本节主要学习了二元一次方程和二元一次方程组及其解的概念. 要注意理解和掌握以上概念.

2. 在学习过程中注意对问题的体会、比较、总结.

3. 二元一次方程与一元一次方程有很多类似的地方, 学习时可运用类比的思想方法.

习题选解 课本习题

课本第102～103页

习题8.1

1.

x	-2	0	0.4	2	$\frac{11}{6}$	2	$\frac{5}{3}$	$\frac{2}{3}$
y	11	5	3.8	-1	-0.5	-1	0	3

2. C

3. 解：因为 $x°+y°+y°=180°$,

所以 $x°+2y°=180°$.

(1) 当 $x=90$ 时, $y°=\dfrac{180°-90°}{2}=45°$, 即 $y=45$.

(2) 当 $y=60$ 时, $x°=180°-2\times60°=60°$, 即 $x=60$.

4. 解：设有鸡 x 只, 兔 y 只, 根据题意, 得

$$\begin{cases} x+y=35,① \\ 2x+4y=94,② \end{cases}$$

把①变形为 $x=35-y$, ③

把③代入②, 得

$2(35-y)+4y=94$,

$70-2y+4y=94$,

$2y=24$,

所以 $y=12$.

所以 $x=23$.

答：鸡 23 只, 兔 12 只.

5. 解:设这个队胜 x 场,平 y 场,根据题意,得

$3x+y=6$.

(1)当 $x=0$ 时,$y=6$(不符合题意,舍去);

(2)当 $x=1$ 时,$y=3$;

(3)当 $x=2$ 时,$y=0$.

所以本次比赛胜1场,平3场,负0场,或胜2场,平0场,负2场.

自我评价 知识巩固

1. 若 $|x-2|+|x+y+1|=0$ 成立,则 x,y 的值分别是 ( )

A. $\begin{cases} x=2 \\ y=-1 \end{cases}$
B. $\begin{cases} x=2 \\ y=-3 \end{cases}$

C. $\begin{cases} x=-2 \\ y=-1 \end{cases}$
D. $\begin{cases} x=-2 \\ y=1 \end{cases}$

2. 已知方程组 $\begin{cases} 3x-y=4, \\ 2x+y=k \end{cases}$ 中 x,y 的值相等,则 k 等于 ( )

A. 4
B. −4

C. −6
D. 6

3. 方程 $3x-y=6$ 的正整数解有 ( )

A. 1个
B. 2个

C. 4个
D. 无数个

4. 由 $x+2y=4$,得到用 y 表示 x 的式子为 $x=$ _____;得到用 x 表示 y 的式子为 $y=$ _____.

5. 已知 $4x+6y=1$,若 $x=y$,则 x,y 的值等于 _____;若 $x+y=0$,则 $x=$ _____,$y=$ _____.

6. 若 $\begin{cases} x=1, \\ y=2 \end{cases}$ 是方程 $x-my=1$ 的一个解,则 $m=$ _____.

7. 方程 $(k^2-4)x^2+(k+2)x+(k-6)y=k+8$ 是关于 x,y 的方程,试问当 k 为何值时,方程为一元一次方程? 当 k 为何值时,方程为二元一次方程?

☺ 评价标准 ☹

1. B 2. D 3. D 4. $4-2y$ $\dfrac{4-x}{2}$ 5. $\dfrac{1}{10}$ $-\dfrac{1}{2}$ $\dfrac{1}{2}$ 6. 0

7. $k=-2$ 时,方程为一元一次方程;$k=2$ 时,方程为二元一次方程.

8.2 消 元

教材解读 精华要义

数学与生活

体育节要到了,篮球是七年一班的拳头项目,为了取得好名次,他们想在全部22场比赛中得到40分.已知每场比赛都要分出胜负,胜队得2分,负队扣1分,那么七年一班应该胜、负各几场?

思考讨论 根据问题中的等量关系,设胜 x 场,负 y 场,容易列出下列方程组

$$\begin{cases} x+y=22, & ① \\ 2x-y=40, & ② \end{cases}$$

前面我们学过一元一次方程的解法,对于这个方程组,如何把它化成一元一次方程,求出一个未知数的值,进而解出这个二元一次方程组的解?

知识详解

知识点1 研究二元一次方程组的解法(一)

例如:解方程组 $\begin{cases} x-y=-5, & ① \\ 3x+2y=10. & ② \end{cases}$

〔**分析**〕 求方程组的解的过程叫做解方程组.由方程组的解的概念可知,解方程组 $\begin{cases} x-y=-5, \\ 3x+2y=10 \end{cases}$,就是要求出同时满足此方程组中的两个方程的 x 和 y 的值.

由于方程组中同一字母表示同一数量,所以方程①中的 x 与方程②中的 x 相等,而方程①通过移项可以得到 $x=y-5$,因此,方程②中的 x 用 $y-5$ 代替后得方程 $3(y-5)+2y=10$,解这个一元一次方程,得 $y=5$,把 $y=5$ 代入 $x=y-5$,得 $x=0$,再把求得的 x,y 的值用"大括号"联立在一起,就是方程组的解.

解:由①得 $x=y-5$,③

把③代入②,得 $3(y-5)+2y=10$,

解这个一元一次方程,得 $y=5$,

把 $y=5$ 代入 $x=y-5$,得 $x=0$,

所以原方程组的解为 $\begin{cases} x=0, \\ y=5. \end{cases}$

定义:由二元一次方程组中的一个方程,将一个未知数用含另一未知数的式子表示出来,再代入另一方程,实现消元,进而求得这个二元一次方程组的解.这种方法叫做代入消元法,简称代入法.

知识点2　用代入法解二元一次方程组的一般步骤

(1)从方程组中选一个系数比较简单的方程,将这个方程中的一个未知数用含另一未知数的代数式表示出来.

(2)将变形后的关系式代入另一个方程,消去一个未知数,得到一个一元一次方程.

(3)解这个一元一次方程,求出一个未知数的值.

(4)将求得的未知数的值代入变形后的关系式中,求出另一个未知数的值.

(5)把求得的两个未知数的值用"大括号"联立起来,就是方程组的解.

【注意】　在上述的第(2)步中,必须理解"另一个"的含义.

探究交流

? 解下列方程的步骤中,是否有错误?请指出来.

解方程组 $\begin{cases} x+y=-1,① \\ 2x-3y=8.② \end{cases}$

解:由①得 $y=-1-x$,③ $\cdots\cdots A$

把③代入①中,得, $\cdots\cdots B$

$x+(-x-1)=-1$,

$x-x-1=-1$,

$0 \cdot x=0.$ $\cdots\cdots C$

所以 x 是任意实数. $\cdots\cdots D$

同理,y 也是任意实数.

所以这个方程组有无数组解. $\cdots\cdots E$

点拨 解这个方程组的步骤是有错误的.错误开始于步骤 B.因为利用代入消元法解二元一次方程组时,把其中一个系数较简单的方程变形为用其中一个未知数的代数式表示另一个未知数,代入到这个方程组中的另一个方程中去,而不能代入到变形前的那一个方程中去,例如本题中③是由①变形而来,因此需把③代入②中,而非①中.

解:由①得 $y=-1-x$,③

将③代入②得 $2x-3(-1-x)=8$.

解得 $x=1$.

将 $x=1$ 代入③得 $y=-2$.所以原方程组的解为 $\begin{cases} x=1, \\ y=-2. \end{cases}$

知识点3 研究二元一次方程组的解法(二)

例如:解方程组 $\begin{cases} 5x-6y=1,① \\ 2x-6y=10.② \end{cases}$

〔分析〕 由于 $-6y$ 与 $-6y$ 相等,它们的差为0,所以将两个方程左、右两边分别相减,就可消去 y,得 $3x=-9$,解得 $x=-3$,把 $x=-3$ 代入②,得 $y=-\dfrac{8}{3}$.

解:①-②,得 $3x=-9$,即 $x=-3$.

把 $x=-3$ 代入②,得 $2\times(-3)-6y=10$,

解得 $y=-\dfrac{8}{3}$,所以,方程组的解是 $\begin{cases} x=-3, \\ y=-\dfrac{8}{3}. \end{cases}$

又如:解方程组 $\begin{cases} x+2y=4,① \\ 3x-y=5.② \end{cases}$

〔分析〕 如果把方程②的两边都乘以2,得 $6x-2y=10$,那么,原方程组就变为 $\begin{cases} x+2y=4, \\ 6x-2y=10. \end{cases}$ 由于 $2y$ 与 $-2y$ 互为相反数,因此它们的和等于0,所以将两个方程左、右两边分别相加,就可消去 y,得 $7x=14$,解得 $x=2$,把 $x=2$ 代入①,得 $y=1$.

解:②×2,得 $6x-2y=10$.③

③+①,得 $7x=14$,解得 $x=2$.

把 $x=2$ 代入①,得 $y=1$.

所以,方程组的解是 $\begin{cases} x=2, \\ y=1. \end{cases}$

定义:两个二元一次方程中同一未知数的系数相反或相等时,将两个方程的两边分别相加或相减,就能消去这个未知数,得到一个一元一次方程.这种方法叫做加减消元法,简称加减法.

知识点4 用加减法解二元一次方程组的一般步骤

(1)方程组的两个方程中,如果同一个未知数的系数既不互为相反数,又不相等,那么就用适当的数乘方程的两边,使同一个未知数的系数互为相反数或相等.

(2)把两个方程的两边分别相加或相减,消去一个未知数,得到一个一元一次方程.

(3)解这个一元一次方程,求得一个未知数的值.

(4)将这个求得的未知数的值代入原方程组中的任意一个方程中,求出另一个未知数的值,并把求得的两个未知数的值用"大括号"联立起来,就是方程组的解.

【注意】 解二元一次方程组常见的错误是:

(1)求解不完整,只求出一个未知数的值就以为解完了.

(2)将两个方程相减时容易弄错符号.

(3)方程两边同乘以一个不等于零的数时,容易出现漏乘的项.

📖 探究交流

❓ 解下列方程组的步骤,是否正确?请指出来.

解方程组 $\begin{cases} 4x+3y=6,① \\ 2x+y=4. ② \end{cases}$

解:②×2 得 $4x+y=4,③ \cdots\cdots A$

①-③得 $2y=2, \cdots\cdots B$

所以 $y=1$.

把 $y=1$ 代入②中,得 $\cdots\cdots C$

$2x+1=4$,

所以 $x=\dfrac{3}{2}$.

所以原方程组的解为 $\begin{cases} x=\dfrac{3}{2}, \cdots\cdots D \\ y=1. \end{cases}$

点拨 上述解方程组的步骤有错误,错误在于步骤A,当②×2时,未把方程②的各项都乘以2,方程③应为 $4x+2y=8$.

知识点5 如何检验求得一对未知数的值是不是原方程组的解

方法:将所求得的一对未知数的值分别代入原方程组里的每一个方程中,看每个方程的左、右两边是否相等,若都相等,则是原方程组的解.只要有一个方程的左、右两边不相等,就不是原方程组的解.

知识点 6　列二元一次方程组解应用题的步骤

(1)弄清题意和题目中的数量关系,用字母(如 x,y)表示题目中的两个未知数.

(2)找出能够表达应用题全部含义的两个相等关系.

(3)根据这些相等关系列出需要的代数式,从而列出方程并组成方程组.

(4)解这个方程组,求出未知数的值.

(5)写出答案,包括单位名称.

【注意】　(1)解实际应用题必须写"答",而且在写"答"前要根据应用题的实际意义,检查求得的结果是否合理,不符合题意的就应该舍去.

(2)"设""答"两步都要写清单位名称.

(3)一般来说,设几个未知数,应列出几个方程并组成方程组.

知识规律小结　通过本节课的学习,同学们一定会体会到解二元一次方程组关键在于消元,也就是要化二元为一元,即把陌生的"二元一次方程"转化为熟悉的"一元一次方程".消元有两种方法:代入消元法和加减消元法.注意化归思想的应用.

典例剖析　师生互动

基础知识应用题

本节基础知识的应用包括:(1)用代入法和加减法解二元一次方程组;(2)用二元一次方程组解决简单的实际问题.

例1　用代入法解方程组 $\begin{cases} \dfrac{y+1}{4}=\dfrac{x+2}{3}, & ① \\ 2x-3y=1. & ② \end{cases}$

〔分析〕　先将方程①化成一般形式 $4x-3y=-5$,③　原方程组变形为 $\begin{cases} 2x-3y=1, & ② \\ 4x-3y=-5, & ③ \end{cases}$ 观察②和③中未知数的系数,绝对值最小的是2,通常应将方程②变形,得 $x=\dfrac{3y+1}{2}$.但是仔细观察不难发现方程②和方程③中都有 $3y$,根据这个特点,还可以运用整体代入的方法将②变形为 $3y=2x-1$,代入③,得 $4x-(2x-1)=-5$,所以 $x=-3$,将 $x=-3$ 代入②,得 $y=-\dfrac{7}{3}$.若再仔细观察方程组中未知数的系数,还可以发现方程③和②中都有 $2x-3y$,可直接将②代入③,得 $2x+1=-5$(因为 $4x-3y=2x+2x-3y$).

解法1:由①得 $4x-3y=-5$,③

　　　　由②得 $x=\dfrac{1+3y}{2}$,④

　　　　把④代入③,得

$3y - 4 \cdot \dfrac{1+3y}{2} = 5$，解得 $y = -\dfrac{7}{3}$．

把 $y = -\dfrac{7}{3}$ 代入④，得 $x = \dfrac{1 + 3 \times \left(-\dfrac{7}{3}\right)}{2} = -3$．

所以方程组的解是 $\begin{cases} x = -3, \\ y = -\dfrac{7}{3}. \end{cases}$

解法 2：原方程组整理，得

$\begin{cases} 4x - 3y = -5,③ \\ 2x - 3y = 1,② \end{cases}$

由②得 $3y = 2x - 1$，④

把④代入③，得 $4x - (2x - 1) = -5$，解得 $x = -3$．

把 $x = -3$ 代入④，得 $3y = 2 \times (-3) - 1$，$y = -\dfrac{7}{3}$．

所以方程组的解是 $\begin{cases} x = -3, \\ y = -\dfrac{7}{3}. \end{cases}$

解法 3：原方程组整理，得

$\begin{cases} 4x - 3y = -5,③ \\ 2x - 3y = 1,② \end{cases}$

把②代入③，得 $2x + 1 = -5$，解得 $x = -3$．

把 $x = -3$ 代入②，得 $2 \times (-3) - 3y = 1$，$y = -\dfrac{7}{3}$．

所以方程组的解是 $\begin{cases} x = -3, \\ y = -\dfrac{7}{3}. \end{cases}$

【注意】 用代入法解方程组，关键是灵活变形和代入，以达到消元的目的，要认真体会此题代入的方法和技巧．

例 2 用加减法解下列方程组．

(1) $\begin{cases} 5x - 3y = 1,① \\ 2x - 3y = 7;② \end{cases}$

(2) $\begin{cases} 8x + 9y = 73,① \\ 17x - 3y = 74;② \end{cases}$

(3) $\begin{cases} 4x + 3y = 3,① \\ 3x - 2y = 15;② \end{cases}$

(4) $\begin{cases} 1 - 0.3(y - 2) = \dfrac{x+1}{5},① \\ \dfrac{y-1}{4} = \dfrac{4x+9}{20} - 1.② \end{cases}$

〔分析〕 方程组(1)中未知数 y 的系数相等，两个方程相减就可以消去 y；方程组(2)，方程①中 y 的系数的绝对值是方程②中 y 的系数绝对值的 3 倍，把②的两边都乘以 3,得 $51x-9y=222$,③ 方程①与方程③相加,可以消去 y;方程组(3),观察 x 和 y 两组系数,x 系数的最小公倍数是 12,y 系数的最小公倍数是 6,所以,应选择消去 y,把方程①的两边都乘以 2,得 $8x+6y=6$,③ 把方程②的两边都乘以 3,得 $9x-6y=45$,④ 再把③与④相加就可以消去 y;方程组(4),先将两个方程化简整理,得 $\begin{cases}2x+3y=14,③\\4x-5y=6,④\end{cases}$ 观察其系数,方程④中 x 的系数恰好是方程③中 x 的系数的 2 倍,所以应选择消去 x,把方程③的两边都乘以 2,得 $4x+6y=28$,⑤ 再把方程⑤与方程④相减,就可以消去 x.

解:(1)①-②,得 $3x=-6$,

解得 $x=-2$.

把 $x=-2$ 代入②,得 $2\times(-2)-3y=7$,

解得 $y=-\dfrac{11}{3}$.

所以 $\begin{cases}x=-2,\\y=-\dfrac{11}{3}.\end{cases}$

(2)②×3,得 $51x-9y=222$,③

①+③,得 $59x=295$,解得 $x=5$.

把 $x=5$ 代入①,得 $8\times5+9y=73$,

解得 $y=\dfrac{11}{3}$.

所以 $\begin{cases}x=5,\\y=\dfrac{11}{3}.\end{cases}$

(3)①×2,得 $8x+6y=6$,③

②×3,得 $9x-6y=45$,④

③+④,得 $17x=51$,

解得 $x=3$.

把 $x=3$ 代入①,得 $4\times3+3y=3$,

解得 $y=-3$.

所以 $\begin{cases}x=3,\\y=-3.\end{cases}$

(4)原方程组化为

$\begin{cases}2x+3y=14,③\\4x-5y=6,④\end{cases}$

③×2,得 $4x+6y=28$,⑤

⑤-④,得 $11y=22$,解得 $y=2$.

把 $y=2$ 代入④,得 $4x-5\times2=6$,

解得 $x=4$.所以 $\begin{cases}x=4,\\y=2.\end{cases}$

【注意】(1)当同一未知数的两个系数互为相反数时,两个方程相加;当同一未知数的两个系数相等时,两个方程相减.

(2)当方程组比较复杂时,应通过去分母、去括号、移项、合并同类项,使之化为 $\begin{cases}a_1x+b_1y=c_1\\a_2x+b_2y=c_2\end{cases}$ 的形式(同类项对齐),为加减消元创造有利条件.

(3)当求出一个未知数的值之后,可以把它代入化简后的方程中,求出另一个未知数的值.

(4)检验所求结果是否正确时,必须将所求的一对数值分别代入原方程组中的两个方程检验,既满足方程①,又满足方程②,才说明结果是正确的,否则,说明结果是错误的或检验时计算有误.

例 3 解关于 x,y 的方程组.

(1) $\begin{cases}x+y=5,\\(x-2)a+2(y-2)=x\end{cases}(a\neq3)$;

(2) $\begin{cases}ax-by=a,\\bx-ay=b\end{cases}(a^2\neq b^2)$.

〔分析〕(1)首先观察方程组,发现方程 $(x-2)a+2(y-2)=x$ 的形式很复杂,将其整理成 $(a-1)x+2y=2(a+2)$,再由 $x+y=5$,得 $x=5-y$ 或 $y=5-x$,代入其中进行求解.也可由 $x+y=5$,得 $y-2=3-x$,代入原式第二个方程中求 x,再求 y.

(2)结合方程组,发现只需将两个方程分别乘以 a 和 b,两式相减可消去 y,但我们知道这里 a,b 是字母,不是明确的数字,只有不为零时,才能相乘,所以我们应该对 a,b 是否为零进行分类说明.

解法 1:(1)原方程组化为 $\begin{cases}x+y=5,①\\(a-1)x+2y=2(a+2),②\end{cases}$

由①得 $y=5-x$,③

把③代入②,得

$(a-1)x+2(5-x)=2(a+2)$,

所以 $(a-3)x=2(a-3)$.

又 $a\neq3$,可得 $x=2$.

将 $x=2$ 代入③,得 $y=3$.

所以 $\begin{cases}x=2,\\y=3.\end{cases}$

解法 2:由 $x+y=5$,得 $y-2=3-x$.

将 $y-2=3-x$ 代入 $(x-2)a+2(y-2)=x$,

得 $(x-2)a+2(3-x)=x$,

所以 $(a-3)x=2(a-3)$.

又因为 $a\neq 3$,所以 $x=2$.

将 $x=2$ 代入 $x+y=5$,得 $y=3$.

所以 $\begin{cases} x=2, \\ y=3. \end{cases}$

解法 1:(2)若 $a\neq 0$,且 $b\neq 0$,则原方程组化为

$\begin{cases} abx-b^2y=ab, ① \\ abx-a^2y=ab, ② \end{cases}$

①-②,得 $(a^2-b^2)y=0$,

又因为 $a^2\neq b^2$,所以 $y=0$.

将 $y=0$ 代入 $ax-by=a$,得 $x=1$.

所以 $\begin{cases} x=1, \\ y=0. \end{cases}$

若 $a=0$,且 $b\neq 0$,则原方程组化为

$\begin{cases} -by=0, \\ bx=b, \end{cases}$ 得 $\begin{cases} x=1, \\ y=0. \end{cases}$

若 $b=0$,且 $a\neq 0$,则原方程组化为

$\begin{cases} ax=a, \\ -ay=0, \end{cases}$ 得 $\begin{cases} x=1, \\ y=0. \end{cases}$

综上所述,原方程组的解为 $\begin{cases} x=1, \\ y=0. \end{cases}$

解法 2: $\begin{cases} ax-by=a, ① \\ bx-ay=b, ② \end{cases}$

①-②,得 $(a-b)x+(a-b)y=a-b$, ③

因为 $a^2\neq b^2$,所以 $a\neq b$,所以 $a-b\neq 0$.

方程③两边都除以 $a-b$,得 $x+y=1$. ④

由④得 $y=1-x$,将其代入①,得

$ax-b(1-x)=a$,

$(a+b)x=a+b$,

又因为 $a^2\neq b^2$,所以 $a+b\neq 0$.

两边都除以 $a+b$,得 $x=1$,

将其代入④,得 $y=0$.

所以 $\begin{cases} x=1, \\ y=0. \end{cases}$

【注意】(1)用代入法解方程组,一种是一般代入,另一种是整体代入.这需要结合方程组的形式加以分析.第(1)小题用第一种方法解时,不能直接由 $(a-1)x+2y=2(a+2)$ 得 $x=\dfrac{2(a+2)-2y}{a-1}$.

(2)在第(2)小题中,解法1主要体现加减法解方程组,但较繁琐.解法2主要体现加减法和代入法在同一题中的综合运用,解法比较简单,这就要求我们在掌握一种或多种方法后,要学会综合地灵活应用.

综合应用题

本节知识的综合应用包括:(1)与一元一次方程的综合应用;(2)与绝对值的综合应用;(3)与比例的综合应用;(4)与实际问题的综合应用.

例 4 已知方程组 $\begin{cases} 3x+5y=m+2, \\ 2x+3y=m \end{cases}$ 的解适合方程 $x+y=8$,求 m 的值.

〔分析〕 方法1:把方程组中的 m 看成是已知数,先用 m 的代数式把方程组的解表示出来,再代入 $x+y=8$,得到关于 m 的一元一次方程,解方程即可求出 m 的值.

方法2:由方程组中的两个方程消去 m,得到关于 x,y 的二元一次方程,与 $x+y=8$ 组成方程组求解,代入方程组中求得 m.

方法3:将方程组适当变形,然后将所给方程整体代入,直接可得 m.

解法1: $\begin{cases} 3x+5y=m+2, & ① \\ 2x+3y=m, & ② \end{cases}$

①×2,得 $6x+10y=2m+4$,③

②×3,得 $6x+9y=3m$,④

③−④,得 $y=4-m$.

把 $y=4-m$ 代入②,得

$2x+3(4-m)=m$,

解得 $x=2m-6$.

把 $\begin{cases} x=2m-6, \\ y=4-m \end{cases}$ 代入 $x+y=8$,得

$(2m-6)+(4-m)=8$,

所以 $m=10$.

解法2: $\begin{cases} 3x+5y=m+2, & ① \\ 2x+3y=m, & ② \end{cases}$

把②代入①,得

$3x+5y=2x+3y+2$,

即 $x+2y=2$.③

把方程③与 $x+y=8$ 组成方程组,得

$$\begin{cases} x+2y=2, ③ \\ x+y=8, ④ \end{cases}$$

③－④,得 $y=-6$.

把 $y=-6$ 代入④,得

$x-6=8$,

$x=14$.

把 $\begin{cases} x=14, \\ y=-6 \end{cases}$ 代入②,得

$2\times14+3\times(-6)=m$,

所以 $m=10$.

解法 3:$\begin{cases} 3x+5y=m+2, ① \\ 2x+3y=m, ② \end{cases}$

②×2－①,得 $x+y=m-2$,③

把③代入 $x+y=8$,得

$m-2=8$,

所以 $m=10$.

【说明】 解法 3 的思路是:用含 m 的代数式表示 $x+y$,再和 $x+y=8$ 组成方程组,用整体代入的方法得到关于 m 的一元一次方程,免去了求 x,y 的麻烦.

学生做一做 (1)已知方程组 $\begin{cases} 5x+2y=25-m, ① \\ 3x+4y=15-3m ② \end{cases}$ 的解适合方程 $x-y=6$,

求 m 的值.

(2)a 为何值时,方程组 $\begin{cases} 3x-5y=2a, \\ 2x+7y=a-18 \end{cases}$ 的解互为相反数?并求出它的解.

老师评一评 (1)①－②,得 $2x-2y=10+2m$,③

将 $x-y=6$ 代入③,得 $2\times6=10+2m,m=1$.

(2)$a=8,\begin{cases} x=2, \\ y=-2. \end{cases}$

例 5 解方程组 $\begin{cases} 2002z-2003y=2005, ① \\ 2001z-2002y=2004. ② \end{cases}$

〔分析〕 相同未知数的系数的差都是 1,可利用反复加减的方法消元.

解:①－②,得 $z-y=1$,③

③×2002－②,得 $z=-2$.

把 $z=-2$ 代入③,得

$-2-y=1$,

$y=-3$.

所以 $\begin{cases} z=-2, \\ y=-3. \end{cases}$

例6 如果 $\begin{cases} x=3, \\ y=-2 \end{cases}$ 是方程组 $\begin{cases} ax+by=1, \\ ax-by=5 \end{cases}$ 的解,求 $a^{2003}+2b^{2005}$ 的值.

〔分析〕 把 $\begin{cases} x=3, \\ y=-2 \end{cases}$ 代入方程组,可以得到关于 a,b 的方程组,解这个方程组,可求得 a,b 的值.

解:由 $\begin{cases} x=3, \\ y=-2 \end{cases}$ 是方程组 $\begin{cases} ax+by=1, \\ ax-by=5 \end{cases}$ 的解,得 $\begin{cases} 3a-2b=1, \\ 3a+2b=5, \end{cases}$

解这个方程组,得 $\begin{cases} a=1, \\ b=1. \end{cases}$

当 $\begin{cases} a=1, \\ b=1 \end{cases}$ 时,$a^{2003}+2b^{2005}=1^{2003}+2\times 1^{2005}=1+2=3.$

例7 已知方程组 $\begin{cases} ax-by=4, \\ ax+by=6 \end{cases}$ 与方程组 $\begin{cases} 3x-y=5, \\ 4x-7y=1 \end{cases}$ 的解相同,求 a,b 的值.

〔分析〕 因为两个方程组的解相同,所以可先求出方程组 $\begin{cases} 3x-y=5, \\ 4x-7y=1 \end{cases}$ 的解,然后把此解代入方程组 $\begin{cases} ax-by=4, \\ ax+by=6 \end{cases}$ 中,得到关于 a,b 的二元一次方程组,解这个方程组,即可求出 a,b 的值.

解:解方程组 $\begin{cases} 3x-y=5, \\ 4x-7y=1, \end{cases}$ 得 $\begin{cases} x=2, \\ y=1. \end{cases}$

把 $\begin{cases} x=2, \\ y=1 \end{cases}$ 代入方程组 $\begin{cases} ax-by=4, \\ ax+by=6, \end{cases}$ 得 $\begin{cases} 2a-b=4, \\ 2a+b=6, \end{cases}$

所以 $\begin{cases} a=\dfrac{5}{2}, \\ b=1. \end{cases}$

【注意】 由于此题的解题步骤较多,所以解方程组的过程可以省略.

例8 已知 $|a+2b-9|+(3a-b+1)^2=0$,求 a,b 的值.

〔分析〕 因为 $|a+2b-9|$ 是一个非负数,$(3a-b+1)^2$ 也是一个非负数,由非负数的性质(几个非负数的和为 0,则这几个非负数都为 0)可列出方程组 $\begin{cases} a+2b-9=0, \\ 3a-b+1=0, \end{cases}$ 解方程组,即可求出 a,b 的值.

解:根据题意,得 $\begin{cases} a+2b-9=0,① \\ 3a-b+1=0,② \end{cases}$

由①得 $a=9-2b,③$

把③代入②,得 $3(9-2b)-b+1=0$,解得 $b=4$.

把 $b=4$ 代入③,得 $a=1$. 所以 $\begin{cases} a=1, \\ b=4. \end{cases}$

例9 已知 $\begin{cases} 4x-3y-3z=0, \\ x-3y-z=0, \end{cases}$ 求:

(1) $x:z$ 的值;

(2) $x:y:z$ 的值;

(3) $\dfrac{xy+2yz}{x^2+y^2-z^2}$ 的值.

解:(1)解关于 x,z 的二元一次方程组

$\begin{cases} 4x-3z=3y, \\ x-z=3y, \end{cases}$ 得 $\begin{cases} x=-6y, \\ z=-9y. \end{cases}$

所以 $x:z=(-6y):(-9y)=2:3$.

(2)由(1)得 $x=-6y,z=-9y$,

所以 $x:y:z=(-6y):y:(-9y)=(-6):1:(-9)$.

(3)由(1)得 $x=-6y,z=-9y$.

所以 $\dfrac{xy+2yz}{x^2+y^2-z^2}=\dfrac{(-6y)\cdot y+2y(-9y)}{(-6y)^2+y^2-(-9y)^2}=\dfrac{-24y^2}{-44y^2}=\dfrac{6}{11}$.

例10 甲、乙两人聊天,甲对乙说:"当我的岁数是你现在岁数时,你才4岁."乙对甲说:"当我的岁数是你现在的岁数时,你得61岁."充满智慧的你能算出两人现在各多少岁吗? 试试看.

〔分析〕 此题需考虑两点:(1)年龄问题,甲长一岁,乙同时长一岁;(2)年龄差不变.

解:设甲现在的年龄是 x 岁,乙现在的年龄为 y 岁,由题意,得

$\begin{cases} y-(x-y)=4, \\ x+(x-y)=61, \end{cases}$

解得 $\begin{cases} x=42, \\ y=23. \end{cases}$

答:甲现在42岁,乙现在23岁.

例11 有一片牧场,草每天都均匀地生长(即草每天增长的量相等),如果放牧24头牛,则6天吃完牧草;如果放牧21头牛,则8天吃完牧草,设每头牛每天吃草的数量是相等的,问如果放牧16头牛,几天可以吃完牧草?

〔分析〕 题中要求的未知数只有一个,但涉及的未知量却很多,有草每天的增长量、每头牛每天的吃草量及牧场原有的牧草量,要把题中的相等关系表示出来,必须把这些未知量设出来.

解:设牧场原有草量为 a,每天生长出的草量为 b,每头牛每天的吃草量为 c,16

头牛 x 天吃完草.

由题意得 $\begin{cases} a+6b=24\times 6c, & ① \\ a+8b=21\times 8c, & ② \\ a+xb=16\cdot xc. & ③ \end{cases}$

②－①得 $2b=24c$.

所以 $b=12c$.

把 $b=12c$ 代入①得 $a+6\cdot 12c=24\times 6c$.

所以 $a=72c$.

把 $b=12c$, $a=72c$ 代入③中,得

$72c+12c\cdot x=16\cdot xc$.

因为 $c\neq 0$,

所以 $72+12x=16x$.

所以 $x=18$.

答:放牧 16 头牛,18 天可以吃完牧草.

探索与创新题

例 12 甲、乙两人解方程组 $\begin{cases} (\quad)x+5y=13, & ① \\ 4x-(\quad)y=-2. & ② \end{cases}$ 由于甲看错了①中 x 的系

数,乙看错了②中 y 的系数,结果分别得到 $\begin{cases} x=\dfrac{107}{47}, \\ y=\dfrac{58}{47}; \end{cases}$ $\begin{cases} x=\dfrac{81}{76}, \\ y=\dfrac{17}{19}. \end{cases}$ 假如两人的计算过程

没有错误,求正确的方程组,并解方程组.

解: 设正确的方程组中,方程①中的未知数 x 的系数为 a,方程②中的未知数 y 的系数为 b. 根据题意,列方程组,得

$\begin{cases} ax+5y=13, & ① \\ 4x-by=-2, & ② \end{cases}$

将 $\begin{cases} x=\dfrac{107}{47}, \\ y=\dfrac{58}{47} \end{cases}$ 代入②,得 $4\times \dfrac{107}{47}-b\times \dfrac{58}{47}=-2$,

$4\times 107-58b=-94$,

$58b=428+94=522$,

所以 $b=9$.

再将 $\begin{cases} x=\dfrac{81}{76}, \\ y=\dfrac{17}{19} \end{cases}$ 代入①,得 $\dfrac{81}{76}a+5\times \dfrac{17}{19}=13$,

$81a+340=988, 81a=648,$

所以 $a=8$.

所以正确的方程组为 $\begin{cases} 8x+5y=13, ③ \\ 4x-9y=-2, ④ \end{cases}$

③－④×2,得 $23y=17$,所以 $y=\dfrac{17}{23}$.

将 $y=\dfrac{17}{23}$ 代入方程④,得 $4x-9×\dfrac{17}{23}=-2$,

$4x=\dfrac{107}{23}$,

所以 $x=\dfrac{107}{92}$.

所以正确的方程组的解为 $\begin{cases} x=\dfrac{107}{92}, \\ y=\dfrac{17}{23}. \end{cases}$

例13 某中学新建了一幢4层的教学大楼,每层楼有8间教室,进出这幢大楼共有4道门,其中两道正门大小相同,两道侧门大小也相同,安全检查中,对4道门进行了测试,当同时开启一道正门和两道侧门时,2分钟内可以通过560名学生;当同时开启一道正门和一道侧门时,4分钟可以通过800名学生.

(1)问平均每分钟一道正门和一道侧门各可以通过多少名学生?

(2)检查中发现,紧急情况时因学生拥挤,出门的效率将降低20%,安全检查规定,在紧急情况下,全大楼的学生应在5分钟内通过这4道门安全撤离,假设这幢教学大楼每间教室最多有45名学生,问这4道门是否符合安全要求?请说明理由.

〔**分析**〕 问题的关键在于求出每道门每分钟可以通过多少人,即先求出一道正门和一道侧门每分钟通过的学生数,利用题中所给的已知条件,根据人数相同的等量关系列出方程组,求解后再根据(2)的条件和要求计算比较.

解:(1)设平均每分钟一道正门可通过 x 名学生,一道侧门可通过 y 名学生.

根据题意,得 $\begin{cases} 2(x+2y)=560, \\ 4(x+y)=800, \end{cases}$ 解得 $\begin{cases} x=120, \\ y=80. \end{cases}$

(2)这栋楼共有学生

$4×8×45=1440$(名).

拥挤时5分钟4道门能通过学生

$5×2(120+80)(1-20\%)=1600$(名).

因为 $1600>1440$,

所以学生可在规定时间内全部撤离.

答:平均每分钟一道正门可以通过学生120名,一道侧门可以通过学生80名.这

4道门符合安全要求.

例 14 一批货物要运往某地,货主准备租用汽车运输公司的甲、乙两种货车,已知过去两次租用这两种货车的情况如下表所示:

	第一次	第二次
甲种货车辆数(单位:辆)	2	5
乙种货车辆数(单位:辆)	3	6
累计运货吨数(单位:吨)	15.5	35

现用该公司3辆甲种货车和5辆乙种货车一次刚好运完这批货,如果按每吨付费30元计算,问货主应付运费多少元?

解:设甲种货车每辆一次可运货 x 吨,乙种货车每辆一次可运货 y 吨,

由题意可知:

$$\begin{cases} 2x+3y=15.5, \\ 5x+6y=35. \end{cases}$$

解这个方程组得

$$\begin{cases} x=4, \\ y=2.5. \end{cases}$$

所以 $30(3x+5y)=30(3\times4+5\times2.5)=30\times24.5=735(元)$.

答:货主应付运费735元.

例 15 有甲、乙、丙三种文具,若购甲2件,乙1件,丙3件共需23元;若购甲1件,乙4件,丙5件共需36元,问购甲1件,乙2件,丙3件共需多少元?

解:设购甲1件需 x 元,乙1件需 y 元,丙1件需 z 元.

由题意可知:

$$\begin{cases} 2x+y+3z=23, ① \\ x+4y+5z=36, ② \end{cases}$$

①×2+②×3得:

$7x+14y+21z=154$,

所以 $x+2y+3z=22$.

答:购甲1件,乙2件,丙3件共需22元.

【说明】 解决本题还可以采用下列方法:

由方程组解得

$$\begin{cases} x=8-z, \\ y=7-z, \end{cases}$$

所以 $x+2y+3z=(8-z)+2(7-z)+3z=22$.

即购甲1件,乙2件,丙3件共需22元.

学生做一做 新年联欢会前夕,光明中学七年级(2)班要买一些奖品,已知买

10 枝铅笔,15 枝钢笔,25 本日记本,共需 90 元;若买 20 枝铅笔,25 枝钢笔,5 本日记本,共需 60 元,若全班想买 5 枝铅笔,10 枝钢笔,35 本日记本,老师给小华同学 110 元钱买奖品,够不够用? 为什么?

老师评一评 设一枝铅笔 x 元,一枝钢笔 y 元,一本日记本 z 元,

由题意可知 $\begin{cases} 10x + 15y + 25z = 90, \\ 20x + 25y + 5z = 60, \end{cases}$

整理得 $\begin{cases} x = 11z - 27, \\ y = 24 - 9z. \end{cases}$

则 $5x + 10y + 35z = 5(11z - 27) + (24 - 9z) \cdot 10 + 35z = 105$(元).

因为 $105 > 110$,

所以老师给小华 110 元买奖品够用.

易错与疑难题

本节知识的理解与应用常出现的错误有:(1)求解不完整,只求出一个未知数的值就以为解完了;(2)将两个方程相减时容易弄错符号;(3)方程两边同乘以一个不等于零的数时,容易出现漏乘的项.

例 16 解方程组 $\begin{cases} x - 3y = 2, & ① \\ x : y = 4 : 3. & ② \end{cases}$

错解: 由①得 $x = 3y + 2$,③

把③代入②,得 $(3y + 2) : y = 4 : 3$,

整理,得 $4y = 3(3y + 2)$,

即 $5y = -6$,解得 $y = -\dfrac{6}{5}$.

〔分析〕 因为二元一次方程组的解是一对未知数的值,所以上述解题过程只求出 y 的值,还应求出 x 的值才是解方程组.

正解:(以上同)

把 $y = -\dfrac{6}{5}$ 代入 $x = 3y + 2$,得 $x = -\dfrac{8}{5}$.

所以 $\begin{cases} x = -\dfrac{8}{5}, \\ y = -\dfrac{6}{5}. \end{cases}$

中考展望   点击中考

中考命题总结与展望

二元一次方程组的解法是初中数学的重点内容,也是中考命题的重要知识点之一,命题形式灵活多样,单独考以填空题、选择题为主,属中、低档题.与其他知识融

合为综合题亦较常见,属中、高档题.

 中考试题预测

例1 (中考预测题)解方程组 $\begin{cases} 2x+3y=16, ① \\ x+4y=13. ② \end{cases}$

〔分析〕 本题主要考查二元一次方程组的解法,解法不惟一.

解法1: 由②得 $x=13-4y$,③
把③代入①得 $2(13-4y)+3y=16$.
所以 $y=2$.
把 $y=2$ 代入③中,得 $x=5$.
所以原方程组的解为 $\begin{cases} x=5, \\ y=2. \end{cases}$

解法2: 由②得 $2x+8y=26$,③
①-③得$-5y=-10$.
所以 $y=2$.
把 $y=2$ 代入②中,得
$x+4\times2=13$,
所以 $x=5$.

所以原方程组的解为 $\begin{cases} x=5, \\ y=2. \end{cases}$

例2 (2004·新疆)古代算题:"今有牛五,羊二,值金十两;牛二,羊五,值金八两,牛、羊各值金几何?"请你读懂题意,给予解答.

〔分析〕 本题题意指五头牛,两只羊,价值十两金;两头牛,五只羊,价值八两金,问牛、羊各值几两金?

解: 设每头牛值 x 两金,每只羊值 y 两金,
由题意可知
$\begin{cases} 5x+2y=10, ① \\ 2x+5y=8, ② \end{cases}$
①×2 得,$10x+4y=20$,③
②×5 得 $10x+25y=40$,④
③-④得$-21y=-20$.

所以 $y=\dfrac{20}{21}$.

所以把 $y=\dfrac{20}{21}$ 代入①中,得

$5x+2\cdot\dfrac{20}{21}=10$,

所以 $x=\dfrac{34}{21}$.

所以原方程组的解为 $\begin{cases} x=\dfrac{34}{21}, \\ y=\dfrac{20}{21}. \end{cases}$

答:每头牛值 $\dfrac{34}{21}$ 两金,每只羊值 $\dfrac{20}{21}$ 两金.

例3 (2004·苏州)西部山区某县响应国家"退耕还林"的号召,将该县一部分耕地改还为林地,改还后,林地面积和耕地面积共有 $180\ \text{km}^2$,耕地面积是林地面积的 25%,设改还后耕地面积为 $x\ \text{km}^2$,林地面积为 $y\ \text{km}^2$,则下列方程组中正确的是
( )

A. $\begin{cases} x+y=180 \\ x=25\%y \end{cases}$ 　　　　B. $\begin{cases} x+y=180 \\ y=25\%x \end{cases}$

C. $\begin{cases} x+y=180 \\ x-y=25\% \end{cases}$ 　　　D. $\begin{cases} x+y=180 \\ x-y=-25\% \end{cases}$

答案:A

例4 (2004·北京海淀)在某校举行的足球比赛中规定:胜一场得 3 分,平一场得 1 分,负一场得 0 分,某班足球队参加了 12 场比赛,共得 22 分,已知这个队只输了 2 场,那么此队胜几场?平几场?

〔分析〕 这个问题中的两个等量关系是:

(1)胜的场数+平的场数+负的场数=12;

(2)胜的得分+平的得分数=22.

因此可以说胜 x 场,平 y 场,由上述两个等量关系列出方程组,解得 x,y 即可.

解:设这支球队胜了 x 场,平了 y 场.

由题意可知 $\begin{cases} x+y+2=12, \\ 3x+y=22. \end{cases}$

解这个方程组得 $\begin{cases} x=6, \\ y=4. \end{cases}$

答:这支足球队胜 6 场,平 4 场.

例5 (2004·吉林)如图 $8-3$ 所示,根据下图给出的信息,求每件 T 恤衫和每瓶矿泉水的价格.

共计44元

共计26元

图 8 - 3

解:设每件 T 恤衫 x 元,每瓶矿泉水 y 元.

由题意可知 $\begin{cases} 2x+2y=44, \\ x+3y=26. \end{cases}$

解这个方程组得 $\begin{cases} x=20, \\ y=2. \end{cases}$

答:每件 T 恤衫 20 元,每瓶矿泉水 2 元.

例 6 (2005·南京)解方程组 $\begin{cases} x-2y=0, ① \\ 3x+2y=8. ② \end{cases}$

〔分析〕 根据方程组中未知数的特点,采用加减消元法求解.

解:①+②得 $4x=8$.

所以 $x=2$.

把 $x=2$ 代入①中,得

$2-2y=0$,

所以 $y=1$.

所以原方程组的解为 $\begin{cases} x=2, \\ y=1. \end{cases}$

例 7 (2005·贵州)小明、小敏、小新商量要在毕业前夕给老师办公室的 4 道窗户剪贴窗花表达大伙的尊师之情,今年是农历鸡年,他们设计了金鸡报晓的剪纸图案.小明说:"我来出一道数学题:把剪 4 只金鸡的任务分配给 3 个人,每人至少 1 只,有多少种分配方法?"小敏想了想说:"设各人的任务为 x,y,z,可以列出方程 $x+y+z=4$",小新接着说:"那么问题就成了问这个方程有几个正整数解."现在请你说说看,这个方程正整数解的个数是 ( )

A.6 个 B.5 个 C.4 个 D.3 个

〔分析〕 易解这个方程组有 3 组解 $\begin{cases} x=1, \\ y=1, \\ z=2; \end{cases}$ $\begin{cases} x=1, \\ y=2, \\ z=1; \end{cases}$ $\begin{cases} x=2, \\ y=1,故选择 D 项. \\ z=1. \end{cases}$

课堂小结 本节归纳

1. 本节学习了解二元一次方程组的基本思想——消元.具体方法有两种:(1)代入消元法;(2)加减消元法.

2. 在学习过程中要注意仔细体会、总结.

3. 在学习过程中注意化归思想的应用.

习题选解 课本习题

课本第111～112页

习题8.2

1. (1) $y=\dfrac{2-3x}{4}$; (2) $y=\dfrac{8-x}{7}$; (3) $y=\dfrac{4}{5}x$; (4) $y=\dfrac{3x+5}{3}$.

2. (1) $\begin{cases} x=-\dfrac{1}{2}, \\ y=2\dfrac{1}{2}; \end{cases}$ (2) $\begin{cases} s=\dfrac{25}{11}, \\ t=\dfrac{20}{11}; \end{cases}$ (3) $\begin{cases} x=6, \\ y=-\dfrac{1}{2}; \end{cases}$ (4) $\begin{cases} x=2, \\ y=3. \end{cases}$

3. (1) $\begin{cases} u=2, \\ t=\dfrac{1}{2}; \end{cases}$ (2) $\begin{cases} a=1, \\ b=1; \end{cases}$ (3) $\begin{cases} x=1, \\ y=1; \end{cases}$ (4) $\begin{cases} x=1, \\ y=1. \end{cases}$

4. 解:设甲种票买 x 张,乙种票买 y 张,根据题意,得

$$\begin{cases} x+y=35, & ① \\ 24x+18y=750, & ② \end{cases}$$

解得 $\begin{cases} x=20, \\ y=15. \end{cases}$

答:甲种票买了 20 张,乙种票买了 15 张.

5. (1) $\begin{cases} x=5, \\ y=7; \end{cases}$ (2) $\begin{cases} u=-\dfrac{3}{2}, \\ v=2. \end{cases}$

6. 解:设到花果岭的人数为 x 人,到云水洞的人数为 y 人,根据题意,得

$$\begin{cases} x+y=200, & ① \\ x=2y-1, & ② \end{cases}$$

解得 $\begin{cases} x=133, \\ y=67. \end{cases}$

答:到花果岭的人数为 133 人,到云水洞的人数为 67 人.

7. 解:设甲的平均速度为 x km/h,乙的平均速度为 y km/h,根据题意,得

$$\begin{cases} (x+y)\times 1=6, & ① \\ 6+3y=3x, & ② \end{cases}$$

解得 $\begin{cases} x=4, \\ y=2. \end{cases}$

答:甲的平均速度为 4 km/h,乙的平均速度为 2 km/h.

8. 解:设大盒每盒装 x 瓶,小盒每盒装 y 瓶,根据题意,得

$$\begin{cases} 3x+4y=108, & ① \\ 2x+3y=76, & ② \end{cases}$$

解得 $\begin{cases} x=20, \\ y=12. \end{cases}$

答:大盒每盒装 20 瓶,小盒每盒装 12 瓶.

9.解:设长方形的长为 x cm,宽为 y cm,根据题意,得

$$\begin{cases} (x-5)\cdot(y+2)=x\cdot y,① \\ x-5=y+2,② \end{cases}$$

解得 $\begin{cases} x=8\dfrac{1}{3}, \\ y=\dfrac{4}{3}. \end{cases}$

答:这个长方形的长为 $8\dfrac{1}{3}$ cm,宽为 $\dfrac{4}{3}$ cm.

自我评价   知识巩固

1.二元一次方程组 $\begin{cases} x+2y=4, \\ x-y=1 \end{cases}$ 的解是 （　　）

A. $\begin{cases} x=2 \\ y=1 \end{cases}$ 　　　　　　　B. $\begin{cases} x=1 \\ y=2 \end{cases}$

C. $\begin{cases} x=2 \\ y=3 \end{cases}$ 　　　　　　　D. $\begin{cases} x=3 \\ y=2 \end{cases}$

2.已知 $-4x^{m+n}y^{m-n}$ 与 $\dfrac{2}{3}x^{7-m}y^{1+n}$ 是同类项,则 m,n 的值分别为 （　　）

A. $m=-1,n=-7$ 　　　　　B. $m=3,n=1$

C. $m=\dfrac{29}{10},n=\dfrac{6}{5}$ 　　　　　D. $m=\dfrac{5}{4},n=-2$

3.已知 $\begin{cases} 2x+y=5, \\ x+2y=6 \end{cases}$ 那么 $x-y$ 的值是 （　　）

A. 1 　　　　　B. -1 　　　　　C. 0 　　　　　D. 2

4.方程 $mx+ny=10$ 的解是 $\begin{cases} x=-1, \\ y=2, \end{cases}$ 及 $\begin{cases} x=2, \\ y=-1, \end{cases}$ 则 $3m+7n=$ ＿＿＿＿＿.

5.方程组 $\begin{cases} 4x+3y=1, \\ mx+(m-1)y=3 \end{cases}$ 的解中,x 和 y 值相等,则 $m=$ ＿＿＿＿＿.

6.已知方程组 $\begin{cases} ax-by=4, \\ ax+by=6 \end{cases}$ 与方程组 $\begin{cases} 3x-y=5, \\ 4x-7y=1 \end{cases}$ 的解相同,则 $a=$ ＿＿＿＿＿,$b=$ ＿＿＿＿＿.

7.解下列方程组.

(1) $\begin{cases} \dfrac{x}{4}+\dfrac{y}{3}=\dfrac{4}{3}, \\ 3(x-4)=4(y+2); \end{cases}$ 　　　　　(2) $\begin{cases} x-\dfrac{3x-1}{2}=2y, \\ x:2=y:3. \end{cases}$

8. 方程组 $\begin{cases} 3x+5y=m+2, \\ 2x+3y=m \end{cases}$ 的解适合方程 $x+y=2$，求代数式 m^2-2m+1 的值.

9. 已知 $m-3n=2m+n-15=1$，求代数式 $m^2+n^2-4mn+3$ 的值.

10. 已知关于 x,y 的方程组 $\begin{cases} x+y=3, \\ ax-by=5 \end{cases}$ 与 $\begin{cases} bx-2ay=1, \\ x-7=y \end{cases}$ 同解，求 $\dfrac{b}{a}$ 的值.

11. 一个车间加工轴杆和轴承，每人每天平均可以加工轴杆 12 根，或者轴承 16 个. 1 根轴杆与 2 个轴承为一套，车间共有 90 人，应该怎样调配人力，才能使每天生产的轴承和轴杆正好配套？

😊 评价标准 ☹

1. A　2. B　3. B　4. 100　5. 11　6. $\dfrac{5}{2}$　1

7. 解：(1)将方程组整理，得 $\begin{cases} 3x+4y=16, \\ 3x-4y=20, \end{cases}$ 解得 $\begin{cases} x=6, \\ y=-\dfrac{1}{2}. \end{cases}$

(2)将方程组整理，得 $\begin{cases} x+4y=1, \\ 3x-2y=0, \end{cases}$ 解得 $\begin{cases} x=\dfrac{1}{7}, \\ y=\dfrac{3}{14}. \end{cases}$

8. 解：$\begin{cases} 3x+5y=m+2,① \\ 2x+3y=m,② \end{cases}$

②×2－①，得

$x+y=m-2.③$

又知 $x+y=2$，

所以 $m-2=2,m=4$.

故 $m^2-2m+1=4^2-2\times4+1=9$.

9. 解：$\begin{cases} m-3n=1, \\ 2m+n-15=1, \end{cases}$

即 $\begin{cases} m=1+3n,① \\ 2m+n=16,② \end{cases}$

将①代入②，得 $2(1+3n)+n=16$，

解得 $n=2$.

将 $n=2$ 代入①，得

$m=1+3\times2=7$.

故 $m^2+n^2-4mn+3=7^2+2^2-4\times7\times2+3=0$.

10. 解：根据题意，方程组 $\begin{cases} x+y=3, \\ x-7=y \end{cases}$ 的解也是这两个方程组的解.

解得 $\begin{cases} x=5, \\ y=-2. \end{cases}$

将 $\begin{cases} x=5, \\ y=-2 \end{cases}$ 代入 $ax-by=5$ 和 $bx-2ay=1$ 中,并联立,得

$$\begin{cases} 5a+2b=5,① \\ 4a+5b=1,② \end{cases}$$

①×5－②×2,得 $17a=23$,

所以 $a=\dfrac{23}{17}$.

将 $a=\dfrac{23}{17}$ 代入①,得 $b=-\dfrac{15}{17}$.

所以 $\dfrac{b}{a}=-\dfrac{15}{23}$.

11. 解:设 x 人加工轴杆,y 人加工轴承,

根据题意,得 $\begin{cases} x+y=90, \\ 2\times12x=16y, \end{cases}$

即 $\begin{cases} x+y=90, \\ 3x=2y, \end{cases}$

解得 $\begin{cases} x=36, \\ y=54. \end{cases}$

答:加工轴杆的人数为 36 人,加工轴承的人数为 54 人,才能使每天生产的轴承和轴杆正好配套.

8.3　再探实际问题与二元一次方程组

新课指南

1. **知识与技能**:能够找出实际问题中的已知数和未知数,分析它们之间的数量关系,列出方程组;学会比较估算与精确计算以及检验方程组的解是否符合题意,并正确作答;培养学生分析问题和解决问题的能力.

2. **过程与方法**:经历用方程组解决实际问题的过程,体会方程组是刻画现实世界中含有多个未知数的问题的有效的数学模型.

3. **情感态度与价值观**:经过本节知识的学习,一方面体会二元一次方程组的应用价值,另一方面,也深刻体会数学知识来源于实际生活,反之又服务于生产和生活.

4. **重点与难点**:重点是以方程组为工具分析含有多个未知数的实际问题,难点是确定解题策略,比较估算与精确计算.

教材解读 精华要义

数学与生活

养牛场原有 30 只母牛和 15 只小牛,一天需用饲料 675 kg,一周后又购进 12 只母牛和 5 只小牛,这时一天约需用饲料 940 kg,饲养员李大叔估计平均每只母牛 1 天约需用饲料 18~20 kg,每只小牛 1 天约需用饲料 7~8 kg,你能否通过计算检验他的估计?

思考讨论 判断李大叔的估计是否正确的方法有两种:

方法 1:先假设李大叔的估计正确,再根据问题中给定的数量关系来检验.

方法 2:根据问题中给定的数量关系求出平均每只母牛和每只小牛 1 天各需用饲料量,再来判断李大叔的估计是否正确.

经过比较后,你发现哪一种方法更简便些呢?

知识详解

知识点 1 配套问题

例如: 要用 20 张白卡纸做包装盒,每张白卡纸可以做盒身 2 个,或者做盒底盖 3 个,如果 1 个盒身和 2 个盒底盖可以做成一个包装盒,那么能否把这些白卡纸分成两部分,一部分做盒身,一部分做盒底盖,使做成的盒身和盒底盖正好配套?请你设计一种分法.如果不允许剪开白卡纸,能不能找到符合题意的分法?如果允许剪开一张白卡纸,怎样才能既符合题意,又能最充分利用白卡纸?

解: 设应该用 x 张白卡纸做盒身,y 张白卡纸做盒底盖,可做盒身 $2x$ 个,盒底盖 $3y$ 个,要做成一个包装盒需要 1 个盒身,2 个盒底盖,为了配套,盒底盖的个数应是盒身的 2 倍.

根据题意,得 $\begin{cases} x+y=20, \\ 4x=3y, \end{cases}$

解得 $\begin{cases} x=8\dfrac{4}{7}, \\ y=11\dfrac{3}{7}. \end{cases}$

由于解为分数,所以如果不允许剪开白卡纸,则只能用 8 张纸做盒身,共可做 16 个盒身,用 11 张白卡纸做盒底盖,共可做 33 个盒底盖,而 16 个盒身只需 32 个盒底盖,所以只能做 16 个包装盒,且剩余一张白卡纸和一个盒底盖的材料,无法全部利用白卡纸;如果允许剪开一张白卡纸,可以将一张白卡纸一分为二,用 $8\dfrac{4}{7}$ 张做盒身,$11\dfrac{3}{7}$ 张做盒底盖,可以做成盒身 17 个,盒底盖 34 个,正好配套成 17 个包装盒,较充分地利用了材料.

【注意】 像本题这种配套问题,往往给出的数据恰好使得到的解都是正整数,求解之后也不需深入地思考,而本题所得的解不是整数,学生有可能怀疑是否解错了,这点要引起学生的注意.另外有的学生可能采用四舍五入的办法,也是错误的.

又如:某厂的纸盒车间要加工一批包装盒,领料员领来 20 张白卡纸做包装盒,每张白卡纸可以做盒身 2 个,或者做盒底盖 3 个.如果 1 个盒身和 2 个盒底盖可以做成一个包装盒,每张白卡纸只能做盒身或做盒底盖.领料员计算一下,发现这样做的盒身与盒底盖不配套,问至少再领几张白卡纸才能配套呢?按一共领取的白卡纸计算,共做多少个纸盒?

解:设用 x 张白卡纸做盒身,y 张做盒底盖,又领了 k 张白卡纸,根据题意,得

$$\begin{cases} x+y=20+k, & ① \\ 4x=3y, & ② \end{cases}$$

①×3+②,得 $7x=60+3k=3(20+k)$,

所以 $20+k$ 是 7 的倍数,且 k 取最小值.

故当 $k=1$ 时,$x=9$,$y=12$.

答:至少再领一张白卡纸才能配套,共做 18 个纸盒.

知识点 2 探索与尝试的要求

通过自主探索,尝试列方程组来解决某些实际问题,应注意检验和正确作答,检验不仅要检查求得的解是否适合方程组中的每一个方程,更重要的是要检查所得的解是否符合实际问题的要求.

重点:通过自主探索,尝试列方程组解决某些实际问题,进一步体会方程(组)是刻画现实世界的数学模型.领会数学建模的思想和基本过程,提高解决问题的能力和自信心.

难点:自己去探索、研究,寻找具体问题的数量关系.

【注意】 本节知识常出现的错误有:

(1)单位不统一.

(2)错误理解题目中的等量关系.

(3)用同一个相等关系列两个方程联立成方程组,结果去解方程组时,出现 $0=0$ 的情况,求不出未知数的值.

知识规律小结 列方程组解应用题的方法步骤:

(1)设未知数.

(2)列方程并组成方程组.

(3)解方程组.

(4)检验解得的解是否符合题意.

(5)写出答案.

典例剖析 师生互动

基础知识应用题

本节基础知识的应用包括:(1)数字问题;(2)利息问题;(3)利润率问题;(4)行程问题;(5)劳动力调配问题.

例1 一个两位数的十位数字与个位数字的和是7,若这个两位数加上45,则恰好成为个位数字与十位数字对调后组成的两位数,求原两位数.

〔分析〕 这个问题有两个未知数——十位数字和个位数字.相等关系是:个位数字＋十位数字＝7;原来的两位数＋45＝对调后组成的两位数.如果将原两位数表示为 $10x+y$,则对调后的两位数表示为 $10y+x$,然后根据相等关系列出二元一次方程组.

解:设原两位数的十位数字为 x,个位数字为 y,根据题意,得

$$\begin{cases} x+y=7, & ① \\ 10x+y+45=10y+x, & ② \end{cases}$$

解这个方程组,得

$$\begin{cases} x=1, \\ y=6 \end{cases}$$

答:原两位数是16.

【注意】 对于两位数、三位数的数字问题,关键是明确它们与各数位上的数字之间的关系:

两位数＝十位数字×10＋个位数字;

三位数＝百位数字×100＋十位数字×10＋个位数字.

例2 驴子和骡子驮货物并排在路上走着,驴子不停地埋怨主人给它驮的货物太重,压得实在受不了,骡子说:"你发什么牢骚呢?我比你压得更重.如果你给我一袋,我驮的袋数是你的两倍."驴子反驳说:"没那么回事,只要你给我一袋,我们就一样多了."同学们,你能算出驴子和骡子各驮几袋货物吗?试试看.

〔分析〕 此题中有两个未知量——驴子和骡子各驮的货物的袋数.

问题中有两个等量关系:

(1)骡子驮的袋数＋1袋＝2(驴子驮的袋数－1袋);

(2)骡子驮的袋数－1袋＝驴子驮的袋数＋1袋.

解:设驴子驮 x 袋,骡子驮 y 袋,根据题意,得

$$\begin{cases} y+1=2(x-1), \\ y-1=x+1, \end{cases}$$

解这个方程组,得 $\begin{cases} x=5, \\ y=7. \end{cases}$

答:驴子驮 5 袋,骡子驮 7 袋.

例 3 小明在拼图时,发现 8 个一样大小的长方形恰好可以拼成一个大的长方形,如图 8-4(1)所示.小红看见了,说:"我来试一试."结果小红七拼八凑,拼成如图 8-4(2)所示的正方形,怎么中间还留下一个洞,恰好是边长为 2 mm 的小正方形,你能算出每个长方形的长和宽是多少吗?

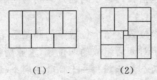

(1)   (2)

图 8-4

解:设长方形的长为 x mm,宽为 y mm,根据题意,得

$$\begin{cases} 3x=5y, \\ 2x+2=x+2y, \end{cases}$$

整理,得 $\begin{cases} 3x-5y=0, \\ x-2y=-2. \end{cases}$

解得 $\begin{cases} x=10, \\ y=6. \end{cases}$

答:这些小长方形的长为 10 mm,宽为 6 mm.

【说明】 本题巧妙地运用了两个拼图,建立起小长方形的长与宽的关系,它体现了数与形之间的相互关系,打破了用语言描述两个量之间关系的常规,渗透了数形结合的数学思想.

例 4 李红用甲、乙两种形式共储蓄了 1 万元人民币,其中甲种储蓄的年利率为 7%,乙种储蓄的年利率为 6%,一年后,李红得到本息和共 10680 元,那么李红两种形式各储蓄多少钱?(假设没有利息税)

〔分析〕 此题两个未知量——甲种形式储蓄的钱数和乙种形式储蓄的钱数.相等关系有两个:

(1)甲种形式储蓄钱数+乙种形式储蓄钱数=10000 元;

(2)甲种形式储蓄所得利息+乙种形式储蓄所得利息=680 元(或甲种形式储蓄本息+乙种形式储蓄本息=10680 元).

解:设李红用甲种形式储蓄 x 元,乙种形式储蓄 y 元,根据题意,

得 $\begin{cases} x+y=10000, &① \\ 7\%x+6\%y=680, &② \end{cases}$

解这个方程组,得 $\begin{cases} x=8000, \\ y=2000. \end{cases}$

答:李红甲种形式储蓄了 8000 元,乙种形式储蓄了 2000 元.

例5 某中学组织七年级学生春游,原计划租用 45 座客车若干辆,但有 15 人没有座位;若租用同样数量的 60 座客车,则多出一辆车,且其余客车恰好坐满.已知 45 座客车日租金每辆 220 元,60 座客车日租金每辆 300 元.试问:

(1)七年级人数是多少? 原计划租用 45 座客车多少辆?

(2)若租用同一种车,要使每位同学都有座位,怎样租用更合算?

〔分析〕 此题中有两个未知量——七年级人数和原计划租用 45 座客车的辆数.

问题中有两个等量关系:

(1)45×(45 座客车的辆数)＋15＝七年级人数;

(2)60×(45 座客车的辆数－1)＝七年级人数.

解:(1)设七年级有 x 人,原计划租用 y 辆 45 座客车,根据题意,得

$$\begin{cases} 45y+15=x, \\ 60(y-1)=x, \end{cases}$$

解这个方程组,得 $\begin{cases} x=240, \\ y=5. \end{cases}$

(2)租用 6 辆 45 座客车的租金为 $6×220=1320$(元);

租用 4 辆 60 座客车的租金为 $4×300=1200$(元).

所以租用 60 座客车更合算些.

答:略.

例6 甲、乙两班共有 87 人,参加运动会的共有 32 人,其中甲班参加运动会的人数占全班人数的 $\frac{2}{5}$,乙班参加运动会的人数占全班人数的 $\frac{1}{3}$,问甲、乙两班各有多少人?

〔分析〕 题中的相等关系很明显:

甲班人数＋乙班人数＝总人数;

甲班参加运动会人数＋乙班参加运动会人数＝参加运动会总人数.

解:设甲班有 x 人,乙班有 y 人,

依题意,得 $\begin{cases} x+y=87, & ① \\ \frac{2}{5}x+\frac{1}{3}y=32, & ② \end{cases}$

由①得 $x=87-y$,③

将③代入②,得

$\frac{2}{5}(87-y)+\frac{1}{3}y=32, y=42.$

将 $y=42$ 代入③,得 $x=45.$

所以 $\begin{cases} x=45, \\ y=42. \end{cases}$

答:甲班有 45 人,乙班有 42 人.

例 7　A,B 两地相距 20 千米,甲从 A 地向 B 地前进,同时乙从 B 地向 A 地前进,2 小时后二人在途中相遇,相遇后,甲返回 A 地,乙仍向 A 地前进,甲回到 A 地时,乙离 A 地还有 2 千米,求甲、乙二人的平均速度.

〔分析〕　此题中有两个未知数——甲、乙各自的平均速度.

有两个相等关系:

(1)相向而行:甲 2 小时走的路程＋乙 2 小时走的路程＝20 千米;

(2)同向而行:甲 2 小时走的路程－乙 2 小时走的路程＝2 千米.

解:设甲的平均速度是每小时 x 千米,乙的速度是每小时 y 千米,

根据题意,列方程组,得

$$\begin{cases} 2x+2y=20, & ① \\ 2x-2y=2, & ② \end{cases}$$

解这个方程组,得

$$\begin{cases} x=5.5, \\ y=4.5. \end{cases}$$

答:甲的平均速度为每小时 5.5 千米,乙的平均速度为每小时 4.5 千米.

【注意】　分析题意时,要注意挖掘题目中的隐含条件,如本题中隐含条件是:相遇后,甲返回 A 地所用的时间也是 2 小时.

例 8　某地生产一种绿色蔬菜,若在市场上直接销售,每吨利润为 1000 元;经粗加工后销售,每吨利润可达 4500 元;经精加工后销售,每吨利润涨至 7500 元.当地一家农工商公司收获这种蔬菜 140 吨,该公司的加工厂的生产能力是:如果对蔬菜进行粗加工,每天可加工 16 吨;如果进行精加工,每天可加工 6 吨,但两种加工方法不能同时进行,受季节条件的限制,公司必须在 15 天之内将这批蔬菜全部加工或加工完毕,为此公司研制了三种加工方案:方案一,将蔬菜全部进行粗加工;方案二,尽可能多地对蔬菜进行精加工,没有来得及加工的蔬菜在市场上全部销售;方案三,将部分蔬菜进行精加工,其余蔬菜进行粗加工,并恰好在 15 天完成.你认为选择哪种方案获利最多? 为什么?

〔分析〕　如何对蔬菜进行一番深加工,获利最大,是生产经营者一直思考的问题,本题正是基于这一点,对绿色蔬菜的精、粗加工制定了三种可行方案,供同学们自主探索、互相交流、尝试解决,并在探索和解决问题的过程中,体会应用数学知识解决实际问题的乐趣.

解:方案一获利为 $4500×140=630000$(元).

方案二获利为 $7500×(6×15)+1000×(140-6×15)$

$=675000+50000=725000$(元).

方案三获利如下:

设将 x 吨蔬菜进行精加工,y 吨蔬菜进行粗加工,则根据题意,得

$$\begin{cases} x+y=140, \\ \dfrac{x}{6}+\dfrac{y}{16}=15, \end{cases}$$

解得 $\begin{cases} x=60, \\ y=80. \end{cases}$

所以方案三获利为 $7500 \times 60 + 4500 \times 80 = 810000$(元).

因为 $630000 < 725000 < 810000$,

所以选择方案三获利最多.

例9 某专业户今年养的鸭是去年的 5 倍,今年养的鹅是去年的 15.5 倍,已知今年养的鸭和鹅的总数是 7200 只,恰好是去年总数的 12 倍,这个专业户今年和去年养的鸭和鹅各是多少只?

〔分析〕 本题中有四个未知数,若设去年养鸭 x 只,鹅 y 只,则今年养鸭 $5x$ 只,养鹅 $15.5y$ 只,将四个未知数转化为两个未知数,本题还有两个等量关系相对应:今年养鸭只数+今年养鹅只数=7200;今年养鸭和鹅总数=去年养鸭和鹅总数的 12 倍.

解:设去年养鸭和鹅分别为 x 只和 y 只,则今年养鸭和鹅分别为 $5x$ 只和 $15.5y$ 只,依题意,得

$\begin{cases} 5x+15.5y=7200, ① \\ 5x+15.5y=12(x+y) ② \end{cases}$

由②得 $y=2x$,③

把③代入①,得 $x=200$.

把 $x=200$ 代入③,得 $y=400$.

所以 $5x=1000$,$15.5y=6200$.

答:去年养鸭和鹅分别为 200 只和 400 只.今年养鸭和鹅分别为 1000 只和 6200 只.

【注意】 (1)若设今年养鸭和鹅的只数分别为 x,y,则去年养鸭和鹅的只数用 x,y 表示要用除法,这样会增加计算难度.

(2)题中有几个未知数,一般需设几个字母,对应就要找出等数的相等关系,列出等数的方程.如本题可设四个未知数,列出四个方程求解,但若方程组中方程个数超过三个以上,则解方程组的难度就增加了.这时我们选择两个或三个与题中相等关系联系较密切的未知数作设,将其他待求量用所设未知数表示出来,这时列出的就是常见的二元或三元一次方程组.

例10 一列快车长 70 米,慢车长 80 米,若两车同向而行,快车从追上慢车到完全离开慢车所用时间(即"会车"时间)为 20 秒;若两车相向而行,则两车从相遇到离开时间为 4 秒,求两车每小时各行多少千米.

〔分析〕 此题是追及问题和相遇问题的一种变式,这类问题的解决关键在于路程的确定.同向而行时,可看作是快车的车尾追慢车的车头,属同时不同地(相距 70 米+80 米);相向而行时,可看作是两车的车尾以相距 70 米+80 米的两地相向而行到相遇.

解:设快车、慢车每秒分别行驶 x 米、y 米,则

$$\begin{cases} 20x - 20y = 70 + 80, \\ 4x + 4y = 70 + 80, \end{cases}$$

所以 $\begin{cases} x = 22.5, \\ y = 15. \end{cases}$

又因为 1 米 $= \dfrac{1}{1000}$ 千米,1 秒 $= \dfrac{1}{3600}$ 小时,

所以 $x = \dfrac{22.5 \times \dfrac{1}{1000}}{\dfrac{1}{3600}}$ 千米/时 $= 81$ 千米/时,

$y = \dfrac{15 \times \dfrac{1}{1000}}{\dfrac{1}{3600}}$ 千米/时 $= 54$ 千米/时.

答:快车和慢车每小时分别行驶 81 千米和 54 千米.

例 11 现有 190 张铁皮,每张铁皮可做 8 个盒身或 22 个盒底,一个盒身与两个盒底配成一个完整的盒子,那么用多少张铁皮制盒身,多少张铁皮制盒底,可以正好制成一批完整的盒子?

〔分析〕 此题有两个未知量——制盒身、盒底的铁皮张数.

问题中有两个等量关系:

(1)制盒身铁皮张数+制盒底铁皮张数=190;

(2)制成盒身的个数的 2 倍=制成盒底的个数.

解:设 x 张铁皮制盒身,y 张铁皮制盒底,

根据题意,得 $\begin{cases} x + y = 190, \\ 2 \times 8x = 22y, \end{cases}$

解这个方程组,得 $\begin{cases} x = 110, \\ y = 80. \end{cases}$

答:110 张制盒身,80 张制盒底,可以正好制成一批完整的盒子.

例 12 某厂去年总产值比总支出多 500 万元,而今年计划的总产值比总支出多 950 万元,已知今年计划的总产值比去年增加 15%,而计划的总支出比去年减少 10%,求今年计划的总产值和总支出各是多少.

〔分析〕 这道题与利润有关,其等量关系为:总产值-总支出=利润.设今年的总产值为 x 万元,总支出为 y 万元,则去年的总产值为 $\dfrac{x}{1 + 15\%}$ 万元,总支出为 $\dfrac{y}{1 - 10\%}$ 万元,根据等量关系,可列出二元一次方程组.

解:设今年的总产值为 x 万元,总支出为 y 万元,依题意,得

$$\begin{cases} \dfrac{x}{1+15\%} - \dfrac{y}{1-10\%} = 500, \\ x - y = 950, \end{cases}$$

解得 $\begin{cases} x = 2300, \\ y = 1350. \end{cases}$

答:今年计划的总支出为 1350 万元,总产值为 2300 万元.

学生做一做 本题若设去年的总产值为 x 万元,总支出为 y 万元,则此方程组又是怎样呢? 其解法与本例解法哪一种更合理些?

综合应用题

本节知识的综合应用包括:(1)与图形的综合应用;(2)与行程问题的综合应用;(3)与年龄问题的综合应用.

例 13 如图 8 - 5 所示,在长方形 $ABCD$ 中,$AB = 3$ cm,$BC = 6$ cm,且 $\triangle BEC$ 的面积比 $\triangle DEF$ 的面积大 5 cm²,求 DF 的长.

〔**分析**〕 本题是数形结合题,未知数只有一个,若直接设 DF 的长为 x,不易找出等量关系,可以分步来解,如设 $\triangle BEC$ 的面积为 x cm²,$\triangle DEF$ 的面积为 y cm²,梯形 $ABED$ 的面积为 z cm²,则有 $\begin{cases} x - y = 5, \\ x + z = 48, \end{cases}$ 从中求出 $\triangle ABF$ 的面积 $y + z = 43$,再求 DF 就容易了.

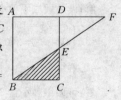

图 8 - 5

解:设 $\triangle BEC$ 的面积为 x cm²,$\triangle DEF$ 的面积为 y cm²,

梯形 $ABED$ 的面积为 z cm²,

依题意,得 $\begin{cases} x - y = 5, \text{①} \\ x + z = 6 \times 8, \text{②} \end{cases}$

②-①,得 $y + z = 43$,

即 $\triangle ABF$ 的面积为 43 cm².

设 DF 的长为 a,

有 $\dfrac{1}{2} \times 8(6 + a) = 43$,$a = \dfrac{19}{4}$.

答:DF 的长为 $\dfrac{19}{4}$ cm.

【**注意**】 (1)本题综合性较强,涉及到的知识有三角形的面积、长方形的面积、看图识图、列方程等.

(2)本题解方程组有一定的技巧,要求整体求解.

(3)解题思路超出常规,要求我们认真理解题意,努力探索解题方法.

例 14 某纸品厂为了制作两种无盖的长方体小盒(如图 8-6(1)(2)所示),利用边角料裁出正方形和长方形两种硬纸片,长方形的宽与正方形的边长相等(如图 8-6(3)(4)所示),现将 150 张正方形硬纸片和 300 张长方形硬纸片全部用于制作这两种小盒,问可以做成甲、乙小盒各多少个?

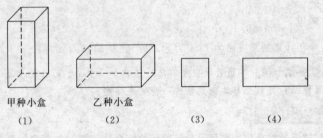

甲种小盒　乙种小盒

(1)　　(2)　　(3)　　(4)

图 8-6

〔分析〕 本题考查用二元一次方程组解应用题,以及拼组几何图形等知识.制作甲种小盒需 1 个正方形和四个长方形,制作乙种小盒需 2 个正方形和 3 个长方形,由此可列方程组求解.

解:设可做成甲种小盒 x 个,乙种小盒 y 个,根据题意得

$$\begin{cases} x+2y=150, \\ 4x+3y=300. \end{cases}$$

解得 $\begin{cases} x=30, \\ y=60. \end{cases}$

答:可做甲种小盒 30 个,乙种小盒 60 个.

【注意】 两种小盒都是无盖的,即顶面无需硬纸片.

例 15 甲、乙两人分别从相距 30 千米的 A,B 两地同时相向而行,经过 3 小时后相距 3 千米,再经过 2 小时,甲到 B 地所剩路程是乙到 A 地所剩路程的 2 倍,求甲、乙两人的速度.

解:设甲的速度为 x 千米/时,乙的速度为 y 千米/时.

(1)当甲、乙两人相遇前相距 3 千米时,依题意有

$$\begin{cases} 3x+3y=30-3, \\ 30-(3+2)x=2[30-(3+2)y]. \end{cases}$$

解得 $\begin{cases} x=4, \\ y=5. \end{cases}$

(2)当甲、乙两人相遇后又相距 3 千米时,依题意有

$$\begin{cases} 3x+3y=30+3, \\ 30-5x=2(30-5y). \end{cases}$$

解得 $\begin{cases} x=5\frac{1}{3}, \\ y=5\frac{2}{3}. \end{cases}$

答:甲的速度为 4 千米/时,乙的速度为 5 千米/时,或甲的速度为 $5\frac{1}{3}$ 千米/时,

乙的速度为 $5\frac{2}{3}$ 千米/时.

【注意】 (1)行程问题中的数量关系是:速度×时间=路程.

(2)行程问题在某个具体问题中反映的可能是速度不变,也可能是路程不变,或时间相等.

例 16 有四种原料:①50%的酒精溶液 150 克;②90%的酒精溶液 45 克;③纯酒精 45 克;④水 45 克.请你设计一种方案,只选取三种原料(各取若干或全部),配制成 60%的酒精溶液 200 克.你准备选哪三种原料?各取多少?用列方程组的方法说明你的配制方法的正确性.

〔分析〕 本题没有说明取哪三种,可设取 50%的酒精溶液 150 克,纯酒精 x 克,水 y 克,相等关系是:

50%的酒精溶液的质量+纯酒精的质量+水的质量=200;

50%的酒精溶液中含酒精量+纯酒精量=60%的酒精溶液中含酒精量.

解:设取 50%的酒精溶液 150 克,纯酒精 x 克,水 y 克,依题意,得

$$\begin{cases} 150+x+y=200, \\ 150\times50\%+x=60\%\times200, \end{cases}$$

解得 $\begin{cases} x=45, \\ y=5. \end{cases}$

答:取 50%的酒精溶液 150 克,纯酒精 45 克,水 5 克.

例 17 有甲、乙、丙三种货物,若购甲 3 件、乙 7 件、丙 1 件,共需 3.15 元;若购甲 4 件、乙 10 件、丙 1 件,共需 4.20 元.现在购甲、乙、丙各 1 件,共需要多少钱?

〔分析〕 设甲、乙、丙的单价分别为 x 元、y 元、z 元,依题意,得

$$\begin{cases} 3x+7y+z=3.15, \\ 4x+10y+z=4.20. \end{cases}$$

要从这两个方程中求出 x,y,z 的值,再求 $x+y+z$ 的值是不可能的.这里我们要注意的是要求 $x+y+z$ 的值,可以采用整体求解的方法.

解:设甲、乙、丙的单价分别为 x 元、y 元、z 元,依题意,得

$$\begin{cases} 3x+7y+z=3.15, ① \\ 4x+10y+z=4.20, ② \end{cases}$$

方法1:①×4-②×3,得 $z=2y$,③

把③代入①,得 $x=1.05-3y$,④

所以 $x+y+z=1.05-3y+y+2y=1.05$(元).

方法2:①×3-②×2,得 $x+y+z=1.05$(元).

答:现在购甲、乙、丙各 1 件共需 1.05 元.

【注意】 方法1是整体求解的常见方法,方法2更加简单明了.

探索与创新题

例18 为提高学生的整体素质,学校对学生进行问卷摸底调查,考查试题共10道,做对一道得10分;做对某道题一部分给3分;完全不会做的题倒扣6分.某位同学得了77分,那么这位同学做对的试题有几道?

〔分析〕 依得分算法的不同,本题可有两种解法:

方法1:考查试题共10道,做对一道得10分,所以满分为100分,减去丢失分,减去倒扣分,即为得分77分,根据此相等关系可列出方程.

方法2:做对1道得10分,做对某道题一部分给3分,完全不会做的题倒扣6分,所以两种给分合在一起,再减去倒扣分,即为得分77分,根据此相等关系可列出方程.

解法1:设做对一部分的题有 x 道,完全不会做的题有 y 道,

根据题意,得 $100-(10-3)x-(10+6)y=77$,

即 $100-7x-16y=77$,

所以 $x=\dfrac{23-16y}{7}$.

因为 x,y 均为非负整数,

所以 y 只能取 1,$x=\dfrac{23-16\times1}{7}=1$.

所以这位同学做对的题目为 $10-1-1=8$(道).

答:略.

解法2:设做对一部分的题有 x 道,完全不会做的题有 y 道,则全做对的题有($10-x-y$)道,列出方程,得

$10(10-x-y)+3x-6y=77$,

即 $100-7x-16y=77$,

所以 $x=\dfrac{23-16y}{7}$.

因为 x,y 均为非负整数.

所以 y 只能取 1,

$x=\dfrac{23-16\times1}{7}=1$,

所以这位同学做对的题目为 $10-1-1=8$(道).

答:略.

易错与疑难题

本节知识的理解与应用常见的错误有:(1)单位不统一;(2)错误理解题目中的等量关系.

例19 某人要在规定的时间内由甲地赶往乙地,如果他以每小时50千米的速

度行驶,就会迟到 24 分;如果他以每小时 75 千米的速度行驶,那么可提前 24 分到达乙地,求甲、乙两地间的距离.

错解 1:设从甲地到乙地的距离为 s 千米,从甲地到乙地的规定时间是 t 小时,

根据题意,得
$$\begin{cases} \dfrac{s}{50} = t + 24, \\ \dfrac{s}{75} = t - 24. \end{cases}$$

错解 2:设从甲地到乙地的距离为 s 千米,从甲地到乙地的规定时间是 t 小时,

根据题意,得
$$\begin{cases} \dfrac{s}{50} = t - \dfrac{2}{5}, \\ \dfrac{s}{75} = t + \dfrac{2}{5}. \end{cases}$$

〔分析〕 (1)错解 1 的解题过程错在方程的单位不统一,其中 $\dfrac{s}{75}$ 和 t 的时间单位是小时,而 24 的单位是分.

(2)错解 2 的解题过程错在错误理解了题目中的等量关系,晚到 24 分说明时间用的多,应为 $t + \dfrac{2}{5}$;提前 24 分说明时间用的少,应为 $t - \dfrac{2}{5}$.

正解:设从甲到乙地的距离为 s 千米,从甲地到乙地的规定时间为 t 小时,

根据题意,得
$$\begin{cases} \dfrac{s}{50} = t + \dfrac{2}{5}, \\ \dfrac{s}{75} = t - \dfrac{2}{5}. \end{cases}$$

解这个方程组,得
$$\begin{cases} s = 120, \\ t = 2. \end{cases}$$

答:从甲到乙地的距离为 120 千米.

中考展望   点击中考

中考命题总结与展望

列二元一次方程组解应用题是历届中考的重要考点之一,许多地区都以此为考查学生运用数学知识解决实际问题的能力.多以解答题的形式出现,属中档题.

中考试题预测

例1 (2004·南宁)方程组 $\begin{cases} x + y = 6, &① \\ x - y = -2 &② \end{cases}$ 的解是 _____.

答案:$\begin{cases} x = 2 \\ y = 4 \end{cases}$

例 2 (2004·长沙)长沙市某公园的门票价格如下表所示:

购票人数	1～50 人	51～100 人	100 人以上
票价	10 元/人	8 元/人	5 元/人

某校初三年级甲、乙两个班共 100 多人去该公园举行毕业联欢活动,其中甲班有 50 多人,乙班不足 50 人,如果以班为单位分别买门票,两个班一共应付 920 元,如果两个班联合起来,作为一个团体购票,一共只要付 515 元,问甲、乙两班分别有多少人?

〔分析〕 根据两种交费情况,分别列两个方程:

(1)分别买门票,注意票价的不同;

(2)联合买票.

解:设甲班有 x 人,乙班有 y 人,由题意可知

$$\begin{cases} 8x+10y=920, \\ 5(x+y)=515, \end{cases}$$

解这个方程组,得 $\begin{cases} x=55, \\ y=48. \end{cases}$

答:甲班有 55 人,乙班有 48 人.

例 3 (2004·哈尔滨)"利海"通讯器材商场计划用 60000 元从厂家购进若干部新型手机,以满足市场需求.已知该厂家生产三种不同型号的手机出厂价分别为:甲种型号手机每部 1800 元,乙种型号手机每部 600 元,丙种型号手机每部 1200 元.

(1)若商场同时购进其中两种不同型号手机共 40 部,并将 60000 元恰好用完,请你帮助商场计算一下如何购买;

(2)若商场同时购进三种不同型号的手机共 40 部,并将 60000 元恰好用完,并且要求乙种型号手机的购买数量不少于 6 部且不多于 8 部,请你求出商场每种型号手机的购买数量.

〔分析〕 本题的关键在于分类,三种手机同时购进两种,共有 3 种不同的配制方案,一一求解即可.

解:(1)①设甲种型号手机购进 x 部,乙种型号手机购进 y 部,由题意可知

$$\begin{cases} x+y=40, \\ 1800x+600y=60000. \end{cases}$$

解这个方程组得 $\begin{cases} x=30, \\ y=10. \end{cases}$

②设甲种型号手机购进 x 部,丙种型号手机购进 z 部,由题意可知

$$\begin{cases} x+z=40, \\ 1800x+1200z=60000. \end{cases}$$

解这个方程组得 $\begin{cases} x=20, \\ z=20. \end{cases}$

③设乙种型号手机购进 y 部,丙种型号手机购进 z 部,由题意可知

$$\begin{cases} y+z=40, \\ 600y+1200z=60000. \end{cases}$$

解这个方程组得 $\begin{cases} y=-20, \\ z=60. \end{cases}$

因为 $y=-20<0,60>40$,不符合题意,舍去.

(2)根据题意,得 $\begin{cases} x+y+z=40, \\ 1800x+600y+1200z=60000, \\ 6\leqslant y\leqslant 8. \end{cases}$

解得 $\begin{cases} x=26, \\ y=6, \\ z=8; \end{cases}$ 或 $\begin{cases} x=27, \\ y=7, \\ z=6; \end{cases}$ 或 $\begin{cases} x=28, \\ y=8, \\ z=4. \end{cases}$

答:(1)商场购买手机的方案有两种:一种是甲种手机购买 30 部,乙种手机购买 10 部;另一种是甲和丙种手机各购买 20 部.

(2)甲种手机购买 26 部,乙种手机购买 6 部,丙种手机购买 8 部;甲种手机购买 27 部,乙种手机购买 7 部,丙种手机购买 6 部;甲种手机购买 28 部,乙种手机购买 8 部,丙种手机购买 4 部.

小结 (1)如何合理地购进货物是生产经营者一直思考的问题,本题正是基于这一点,对购进手机提出要求,安排合理可行的执行方案,培养学生应用数学知识解决实际问题的能力.

(2)解决实际问题时,应根据应用题的实际意义,检查求得的结果是否合理,不符合题意的解应该舍去.

例 4 (2004·安徽)某电视台在黄金时段的 2 分钟广告时间内,计划插播长度为 15 秒和 30 秒的两种广告,15 秒广告每播 1 次收费 0.6 万元,30 秒广告每播 1 次收费 1 万元,若要求每种广告播放不少于 2 次,问:

(1)两种广告的播放次数有几种安排方式?

(2)电视台选择哪种方式播放收益较大?

解:(1)设 15 秒广告播放 x 次,30 秒广告播放 y 次.由题意得

$15x+30y=2\times 60,$

即 $x+2y=8,$

因为 x,y 为不少于 2 的正整数,

所以 $\begin{cases} x=2, \\ y=3; \end{cases}$ 或 $\begin{cases} x=4, \\ y=2. \end{cases}$

所以有两种播放方式,即 15 秒广告播放 2 次,30 秒广告播放 3 次;或 15 秒广

告播放 4 次,30 秒广告播放 2 次.

(2)当 $x=2,y=3$ 时,$0.6×2+1×3=4.2$(万元).

当 $x=4,y=2$ 时,$0.6×4+1×2=4.4$(万元).

因为 $4.2<4.4$,

所以电视台选择播放 15 秒广告 4 次,30 秒广告播放 2 次的方式,收益较大.

答:略.

例 5 (2004·潍坊)甲、乙两件服装的成本共 500 元,商店老板为获取利润,决定将甲服装按 50% 的利润定价,乙服装按 40% 的利润定价,在实际出售时,应顾客要求,两种服装均按九折出售,这样商店共获利 157 元,求甲、乙两种服装的成本各是多少元.

〔分析〕 利润=售价-进价(或成本);

利润率=(售价-进价)÷进价×100%.

解:设甲、乙两种服装的成本分别为 x 元、y 元.

由题意得 $\begin{cases} x+y=500, \\ (1+50\%)x·90\%+(1+40\%)y·90\%-500=157, \end{cases}$

解这个方程组,得

$\begin{cases} x=300, \\ y=200. \end{cases}$

答:甲、乙两种服装的成本分别为 300 元、200 元.

例 6 (2004·海口)今年我省荔枝又喜获丰收,目前市场价格稳定,荔枝种植户普遍获利,据估计,全省荔枝总产量为 50000 吨,销售收入为 61000 万元,已知"妃子笑"品种售价为 1.5 万元/吨,其他品种平均售价为 0.8 万元/吨,求"妃子笑"和其他品种的荔枝产量各是多少吨.

如果设"妃子笑"荔枝产量为 x 吨,其他品种荔枝产量为 y 吨,那么可列方程组为

答案:$\begin{cases} x+y=50000 \\ 1.5x+0.8y=61000 \end{cases}$

例 7 (2004·昆明)在修建甲水厂的输水管道的工程中要运走 600 吨土石,运输公司派出 A 型、B 型两种载重汽车,A 型汽车 6 辆,B 型汽车 4 辆,分别运 5 次,可把土石运完;或者 A 型汽车 3 辆,B 型汽车 6 辆,分别运 5 次,也可把土石运完,那么每辆 A 型、B 型汽车每次运土石各多少吨?(每辆汽车运土石都以标准载重量满载)

解:设每辆 A 型汽车每次运土石 x 吨,每辆 B 型汽车每次运土石 y 吨,由题意得:

$\begin{cases} 5(6x+4y)=600, \\ 5(3x+6y)=600, \end{cases}$

解这个方程组,得

$$\begin{cases} x=10, \\ y=15. \end{cases}$$

答:每辆 A 型汽车每次运土石 10 吨,每辆 B 型汽车每次运土石 15 吨.

例 8 (2005·北京)夏季,为了节约用电,常对空调采取调高设定温度和清洗设备两种措施,某宾馆先把甲、乙两种空调的设定温度都调高 1 ℃,结果甲种空调比乙种空调每天多节电 27 度;再对乙种空调清洗设备,使得乙种空调每天的总节电量是只将温度调高 1 ℃后的节电量的 1.1 倍,而甲种空调节电量不变,这样两种空调每天共节电 405 度,求只将温度调高 1 ℃后两种空调每天节电多少度.

〔分析〕 可考虑用二元一次方程组或一元一次方程来解.

解法 1:设只将温度调高 1 ℃后,甲种空调每天节电 x 度,乙种空调每天节电 y 度.

由题意可知

$$\begin{cases} x-y=27, \\ x+1.1y=405, \end{cases}$$

解方程组得 $\begin{cases} x=207, \\ y=180. \end{cases}$

答:只将温度调高 1 ℃后,甲种空调每天节电 207 度,乙种空调每天节电 180 度.

解法 2:设只将温度调高 1 ℃后,乙种空调每天节电 x 度,则甲种空调每天节电 $(x+27)$ 度.

由题意可知 $1.1x+(x+27)=405$,

解得 $x=180$,

当 $x=180$ 时,$x+27=180+27=207$(度).

答:只将温度调高 1 ℃后,甲种空调每天节电 207 度,乙种空调每天节电 180 度.

例 9 (2005·重庆)为了解决民工子女入学难的问题,我市建立了一套进城民工子女就学的保障机制,其中一项就是免交"借读费",据统计,2004 年秋季有 5000 名民工子女进入主城区中小学学习,预测 2005 年秋季进入主城区中小学学习的民工将比 2004 年有所增加,其中小学增加 20%,中学增加 30%,这样 2005 年秋季将新增 1160 名民工子女在主城区中小学学习.

(1)如果按小学每年收"借读费"500 元,中学每年收"借读费"1000 元计算,求 2005 年新增的 1160 名中小学生共免收多少"借读费";

(2)如果小学每 40 名学生配备 2 名教师,中学每 40 名学生配备 3 名教师,若按 2005 年秋季入学后,民工子女在主城区中小学就读的学生人数计算,一共需配备多少名中小学教师?

〔分析〕 解决问题的关键是求出 2005 年秋季入学的学生中,小学生和初中生各有民工子女多少人,欲求这个问题,首先必须求 2004 年秋季入学学生中,中小学生的情况.

解:(1)设 2004 年秋季在主城区小学学习的民工子女有 x 人,在主城区中学学习的民工子女有 y 人.

由题意可知 $\begin{cases} x+y=5000, \\ 20\%x+30\%y=1160, \end{cases}$

解方程组得 $\begin{cases} x=3400, \\ y=1600. \end{cases}$

所以 $20\%x=20\%\times3400=680$(人),$30\%y=30\%\times1600=480$(人).

所以 $500\times680+1000\times480=820000$(元)$=82$(万元).

所以 2005 年秋季新增的 1160 名中小学生共免收 82 万元"借读费".

(2)2005 年秋季入学后,在小学就读的学生有 $3400\times(1+20\%)=4080$(名).

在中学就读的学生有 $1600\times(1+30\%)=2080$(名).

所以 $(4080\div40)\times2+(2080\div40)\times3=102\times2+52\times3=360$(名).

所以一共需配备 360 名中小学教师.

答:略.

例 10 (2005·山东)某水果批发市场香蕉的价格如下表:

购买香蕉数(千克)	不超过 20 千克	超过 20 千克但不超过 40 千克	40 千克以上
每千克价格	6 元	5 元	4 元

张强两次共购买香蕉 50 千克(第二次多于第一次),共付 264 元,问张强第一次、第二次分别购买香蕉多少千克?

〔**分析**〕 列二元一次方程组解题,考虑问题要全面.

解:设张强第一次购买香蕉 x 千克,第二次购买香蕉 y 千克.

由题意可得 $0<x<25$,则

(1)当 $0<x\leq20,y\leq40$ 时,由题意得

$\begin{cases} x+y=50, \\ 6x+5y=264, \end{cases}$

解这个方程组得 $\begin{cases} x=14, \\ y=36. \end{cases}$

(2)当 $0<x\leq20,y>40$ 时,由题意得

$\begin{cases} x+y=50, \\ 6x+4y=264. \end{cases}$

解这个方程组得 $\begin{cases} x=32, \\ y=18 \end{cases}$(不合题意,舍去).

(3)当 $20<x<25,25<y<30$ 时,由题意得

$5x+5y=5(x+y)=5\times50=250<264$(不合题意,舍去).

综上,张强第一次购买香蕉 14 千克,第二次购买香蕉 36 千克.

答:略.

课堂小结　本节归纳

1. 本节主要学习了列二元一次方程组解应用题,要掌握它的一般步骤.
2. 在学习过程中,要注意对比、总结.还要互相探索、互相交流.

习题选解　课本习题

课本第116~123页

习题8.3

1. (1) $\begin{cases} x=\dfrac{31}{12}, \\ y=\dfrac{11}{4}; \end{cases}$　(2) $\begin{cases} x=\dfrac{48}{55}, \\ y=-\dfrac{28}{55}. \end{cases}$

2. 解:设飞机的平均速度为 x km/h,风速为 y km/h,根据题意,得

$$\begin{cases} 3\dfrac{1}{3}(x-y)=1200, & ① \\ 2\dfrac{1}{2}(x+y)=1200, & ② \end{cases}$$

解这个方程组,得

$$\begin{cases} x=420, \\ y=60. \end{cases}$$

答:飞机的平均速度为 420 km/h,风速为 60 km/h.

3. 解:设这支部队第一天行军的平均速度为 x km/h,第二天行军的平均速度为 y km/h,根据题意,得

$$\begin{cases} 4x+5y=98, & ① \\ 5y-4x=2, & ② \end{cases}$$

解这个方程组,得

$$\begin{cases} x=12, \\ y=10. \end{cases}$$

答:这支部队第一天行军的平均速度为 12 km/h,第二天行军的平均速度为 10 km/h.

4. 解:设用 x 张制盒身,y 张制盒底可以使盒身与盒底正好配套,根据题意,得

$$\begin{cases} x+y=36, & ① \\ 2\times25x=40y, & ② \end{cases}$$

解这个方程组,得

$$\begin{cases} x=16, \\ y=20. \end{cases}$$

答:用 16 张铁皮制盒身,20 张铁皮制盒底可以使盒身与盒底正好配套.

5.解:设一辆大车一次可以运货 x 吨,一辆小车一次可以运货 y 吨,根据题意,得

$$\begin{cases} 2x+3y=15.5,① \\ 5x+6y=35,② \end{cases}$$

解这个方程组,得 $\begin{cases} x=4, \\ y=\dfrac{5}{2}. \end{cases}$

所以 $3x+5y=3\times4+5\times\dfrac{5}{2}=24.5$(吨).

答:3 辆大车与 5 辆小车一次可以运货 24.5 吨.

6.解:设坡路路程为 x km,平路路程为 y km,根据题意,得

$$\begin{cases} \dfrac{x}{3}+\dfrac{y}{4}=\dfrac{54}{60},① \\ \dfrac{y}{4}+\dfrac{x}{5}=\dfrac{42}{60},② \end{cases}$$

解这个方程组,得

$$\begin{cases} x=1.5, \\ y=1.6. \end{cases}$$

所以 $x+y=1.5+1.6=3.1$(km).

答:从甲地到乙地全程是 3.1 km.

8.解:设打折前 A 商品单价为 x 元,B 商品单价为 y 元,根据题意,得

$$\begin{cases} 60x+30y=1080,① \\ 50x+10y=840,② \end{cases}$$

解这个方程组,得

$$\begin{cases} x=16, \\ y=4. \end{cases}$$

所以 $500\times16+500\times4-9600=400$(元).

答:比不打折少花 400 元.

9.解:有误.理由如下:

设一支牙刷的价格为 x 元,一支牙膏的价格为 y 元,根据题意,得

$39x+21y=396$,

即 $13x+7y=132$,

所以 $52x+28y=39x+21y+13x+7y$,

$=396+132$,

$=528$(元).

因为 $518\neq528$,

所以这个纪录有误.

复习题 8

1.解:(1) $\begin{cases} a=2b+3,① \\ a=3b+20,② \end{cases}$

把①代入②,得 $2b+3=3b+20$,所以 $b=-17$.

把 $b=-17$ 代入①,得 $a=2\times(-17)+3$,所以 $a=-31$.

所以 $\begin{cases} a=-31, \\ b=-17. \end{cases}$

(2) $\begin{cases} x-y=13,① \\ x=6y-7,② \end{cases}$

由①得 $x=13+y,③$

把③代入②,得 $13+y=6y-7$,所以 $y=4$.

把 $y=4$ 代入③,得 $x=13+4$,所以 $x=17$.

所以 $\begin{cases} x=17, \\ y=4. \end{cases}$

(3) $\begin{cases} x-y=4,① \\ 4x+2y=-1,② \end{cases}$

由①得 $x=4+y,③$

把③代入②,得 $4(4+y)+2y=-1$,所以 $y=-\dfrac{17}{6}$.

把 $y=-\dfrac{17}{6}$ 代入③,得 $x=4+\left(-\dfrac{17}{6}\right)$,所以 $x=\dfrac{7}{6}$.

所以 $\begin{cases} x=\dfrac{7}{6}, \\ y=-\dfrac{17}{6}. \end{cases}$

(4) $\begin{cases} 5x-y=110,① \\ 9y-x=110,② \end{cases}$

由①得 $y=5x-110,③$

把③代入②,得 $45x-990-x=110$,

$44x=1100$,所以 $x=25$.

把 $x=25$ 代入③,得 $y=5\times25-110=15$.

所以 $\begin{cases} x=25, \\ y=15. \end{cases}$

2.解:(1) $\begin{cases} 3m+b=11,① \\ -4m-b=11,② \end{cases}$

①+②,得 $-m=22$,所以 $m=-22$.

把 $m=-22$ 代入①,得

$-66+b=11$. 所以 $b=77$.

所以 $\begin{cases} m=-22, \\ b=77. \end{cases}$

(2) $\begin{cases} 0.6x-0.4y=1.1, ① \\ 0.2x-0.4y=2.3, ② \end{cases}$

①-②,得 $0.4x=-1.2$,所以 $x=-3$.

把 $x=-3$ 代入①,得 $-1.8-0.4y=1.1$,所以 $y=\dfrac{29}{4}$.

所以 $\begin{cases} x=-3, \\ y=\dfrac{29}{4}. \end{cases}$

(3) $\begin{cases} 4f+g=15, ① \\ 3g-4f=-3, ② \end{cases}$

①+②,得 $4g=12$. 所以 $g=3$.

把 $g=3$ 代入①,得 $4f+3=15$,所以 $f=3$.

所以 $\begin{cases} g=3, \\ f=3. \end{cases}$

(4) $\begin{cases} \dfrac{1}{2}x+3y=-6, ① \\ \dfrac{1}{2}x+y=2, ② \end{cases}$

①-②,得 $2y=-8$,所以 $y=-4$.

把 $y=-4$ 代入②,得 $\dfrac{1}{2}x-4=2$,所以 $x=12$.

所以 $\begin{cases} x=12, \\ y=-4. \end{cases}$

3. 解:(1) $\begin{cases} 4(x-y-1)=3(1-y)-2, ① \\ \dfrac{x}{2}+\dfrac{y}{3}=2, ② \end{cases}$

原方程组可化为 $\begin{cases} 4x-y=5, ③ \\ 3x+2y=12, ④ \end{cases}$

③×2+④,得 $11x=22$,所以 $x=2$.

把 $x=2$ 代入③,得 $8-y=5$,所以 $y=3$.

所以 $\begin{cases} x=2, \\ y=3. \end{cases}$

(2) $\begin{cases} \dfrac{2(x-y)}{3}-\dfrac{x+y}{4}=-1, ① \\ 6(x+y)-4(2x-y)=16, ② \end{cases}$

原方程组可化为 $\begin{cases} 5x-11y=-12, ③ \\ x-5y=-8, ④ \end{cases}$

由④得 $x=5y-8,$ ⑤

把⑤代入③,得 $25y-40-11y=-12,$

所以 $y=2.$

把 $y=2$ 代入⑤,得 $x=5\times2-8,$ 所以 $x=2.$

所以 $\begin{cases} x=2, \\ y=2. \end{cases}$

4. 解:设 1 号仓库原来存粮 x 吨,2 号仓库原来存粮 y 吨,根据题意,得

$$\begin{cases} x+y=450, ① \\ y(1-40\%)-(1-60\%)x=30, ② \end{cases}$$

解这个方程组,得

$$\begin{cases} x=240, \\ y=210. \end{cases}$$

答:1 号仓库原来存粮 240 吨,2 号仓库原来存粮 210 吨.

5. 解:设甲每分跑 x 圈,乙每分跑 y 圈,根据题意,得

$$\begin{cases} 2(x+y)=1, ① \\ 6x-6y=1, ② \end{cases}$$

解这个方程组,得

$$\begin{cases} x=\dfrac{1}{3}, \\ y=\dfrac{1}{6}. \end{cases}$$

答:甲每分跑 $\dfrac{1}{3}$ 圈,乙每分跑 $\dfrac{1}{6}$ 圈.

6. 解:设用 A 型钢板 x 块,B 型钢板 y 块,根据题意,得

$$\begin{cases} 2x+y=15, ① \\ x+2y=18, ② \end{cases}$$

解这个方程组,得

$$\begin{cases} x=4, \\ y=7. \end{cases}$$

答:恰好用 A 型钢板 4 块,B 型钢板 7 块.

7. 解:设 1 个大桶可以盛酒 x 斛,1 个小桶可以盛酒 y 斛,根据题意,得

$$\begin{cases} 5x+y=3, ① \\ x+5y=2, ② \end{cases}$$

解这个方程组,得

$$\begin{cases} x = \dfrac{13}{24}, \\ y = \dfrac{7}{24}. \end{cases}$$

答:1个大桶可以盛酒$\dfrac{13}{24}$斛,1个小桶可以盛酒$\dfrac{7}{24}$斛.

8. 解:设弹簧应取 x cm,根据题意,得

$$\frac{2}{16.4-x} = \frac{5}{17.9-x},$$

解得 $x = 15.4$.

答:弹簧应取 15.4 cm.

9. 提示:设取 1 角 x 枚、5 角 y 枚、1 元 z 枚,根据题意,得

$$\begin{cases} x + y + z = 15, \\ x + 5y + 10z = 70, \end{cases}$$

解得 $\begin{cases} x = 5, \\ y = 7, \\ z = 3. \end{cases}$

答:取 1 角 5 枚、5 角 7 枚、1 元 3 枚.

自我评价 知识巩固

1. 船在顺水中速度为每小时 50 千米,在逆水中速度为每小时 30 千米,则船在静水中的速度为每小时 （　　）

A. 10 千米　　　B. 25 千米　　　C. 15 千米　　　D. 40 千米

2. 小红购买 6 角和 8 角的笔记本共 15 本,共花了 10 元,她购买的 6 角和 8 角的笔记本分别是 （　　）

A. 10 本、5 本　　　　　　　B. 8 本、6 本

C. 5 本、10 本　　　　　　　D. 6 本、8 本

3. 用绳子量井深,把绳子折三折来量,井外余 4 尺;把绳子折四折来量,井外余 1 尺,则井深和绳长分别是 （　　）

A. 8 尺、36 尺　　　　　　　B. 3 尺、13 尺

C. 10 尺、34 尺　　　　　　　D. 11 尺、37 尺

4. 一块矩形草坪的长比宽的 2 倍多 10 米,它的周长是 132 米,则宽和长分别为 _____.

5. 用 4800 张纸装订成甲、乙两种练习本,共可装订 500 本,其中甲种练习本每本 8 张,乙种练习本每本 12 张,则甲、乙两种练习本分别为 _____.

6. 某校为七年级学生安排宿舍,若每间宿舍住 5 人,则有 4 人住不下;若每间住 6 人,

则有一间只住了 4 人,且空两间宿舍,求该年级住宿生人数及宿舍间数.

7. 用 A,B 两种原料配制两种油漆,已知甲种油漆含 A,B 原料之比为 5:4,每千克 50 元;乙种油漆含 A,B 原料之比为 3:2,每千克 48.6 元,求 A,B 两种原料每千克的价格分别是多少.

8. 某林牧场面积为 162 公顷,为了保持生态平衡,需把牧区中的 27 公顷改造成林区,使林区面积是牧区面积的 5 倍,那么林牧场原来林区、牧区的面积各是多少?

9. 一个通讯员骑车送信给山上哨所,从营地到山脚下平路速度为 15 千米/时,上山速度为 10 千米/时,送到后立即返回,下山速度为 30 千米/时,若来回共花费了 2.4 小时,则往返路程共多少千米?

☺ 评价标准 ☹

1. D 2. A 3. B 4. $\dfrac{56}{3}$ 米、$\dfrac{142}{3}$ 米 5. 300 本、200 本

6. 解:设住宿生为 x 人,宿舍间数为 y 间,根据题意,得

$$\begin{cases} 5y+4=x, \\ 6(y-2)=x+2, \end{cases}$$

解得 $\begin{cases} x=94, \\ y=18. \end{cases}$

答:该年级住宿生共有 94 人,宿舍共有 18 间.

7. 解:设原料 A,B 每千克的价格分别为 x 元和 y 元,则甲种油漆每千克中含 A 种原料 $\dfrac{5}{9}$ 千克,价格 $\dfrac{5}{9}x$ 元;含 B 种原料 $\dfrac{4}{9}$ 千克,价格 $\dfrac{4}{9}y$ 元.乙种油漆每千克中含 A 种原料 $\dfrac{3}{5}$ 千克,价格 $\dfrac{3}{5}x$ 元;含 B 种原料 $\dfrac{2}{5}$ 千克,价格 $\dfrac{2}{5}y$ 元,则根据题意,得

$$\begin{cases} \dfrac{5}{9}x+\dfrac{4}{9}y=50, \\ \dfrac{3}{5}x+\dfrac{2}{5}y=48.6, \end{cases}$$

解得 $\begin{cases} x=36, \\ y=67.5. \end{cases}$

答:A,B 两种原料每千克的价格分别为 36 元和 67.5 元.

8. 解:设林牧场原来林区面积为 x 公顷,原来牧区面积为 y 公顷,根据题意,得

$$\begin{cases} x+y=162, \\ x+27=5(y-27), \end{cases}$$

解得 $\begin{cases} x=108, \\ y=54. \end{cases}$

答:林牧场原来林区面积是 108 公顷,牧区面积是 54 公顷.

9.解法1:设通讯员往返 x 千米,其中坡路为 y 千米,则平路来回共 $(x-2y)$ 千米,

根据题意,得 $\dfrac{x-2y}{15}+\dfrac{y}{10}+\dfrac{y}{30}=2.4$,

整理,得 $2x=72$,

$x=36$.

答:通讯员往返路程共 36 千米.

解法2:设通讯员途中的平路为 x 千米,坡路为 y 千米,则往返路程共 $(2x+2y)$ 千米,

根据题意,得

$\dfrac{2x}{15}+\dfrac{y}{10}+\dfrac{y}{30}=2.4$,

两边同乘以 15,得 $2x+2y=36$.

答:通讯员往返路程共 36 千米.

章 末 总 结

知识网络图示

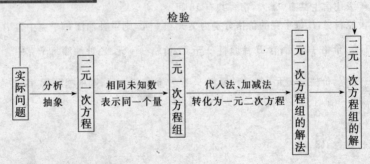

基本知识提炼整理

一、主要概念

1.二元一次方程的概念

在整式方程中,含有两个未知数,并且未知数的指数都是 1,像这样的方程,叫做二元一次方程.

2.二元一次方程组的概念

把两个二元一次方程合在一起,就组成了一个二元一次方程组.

只有两个二元一次方程中具有相同的未知数,并且相同的未知数表示同一个量,

这两个方程才能合在一起,这也是解二元一次方程组的理论依据.

3. 二元一次方程组的解的概念

一般地,二元一次方程组的两个方程的公共解,叫做二元一次方程组的解.

二、二元一次方程组的解法

1. 代入消元法

将方程组中的一个方程变形,用含一个未知数的代数式去表示另一个未知数,把这个代数式代入另一个方程,转化为一元一次方程,将解代入方程组中的任意一个方程或代入变形的方程,求出另一个未知数的值,这两个未知数合在一起就是这个方程组的解.

2. 加减消元法

首先将方程组化成 $\begin{cases} a_1 x + b_1 y = c_1, \\ a_2 x + b_2 y = c_2 \end{cases}$ 的形式,利用方程同解变形原理,将某一个相同的未知数的系数转化成绝对值相等的两个数,然后选择加法或减法消去这个未知数,再求解,最后代入方程组中的任意一个方程,求出另一个未知数的值.

三、列方程组解决实际问题的步骤

列方程组解决实际问题的一般步骤是:

(1)审题.

(2)设未知数.

(3)列方程组.

(4)解方程组.

(5)检验所得的解是否符合题意.

(6)写出答案.

专题总结及应用

1. 运用某些概念列方程组求解问题

例1 若 $3x^{2a+b+1} + 5y^{a-2b-1} = 0$ 是关于字母 x,y 的二元一次方程,则 $a = $ _____ ,$b = $ _____ .

〔分析〕 依题意,得

$$\begin{cases} 2a+b+1=1, \\ a-2b-1=1, \end{cases} \text{解得} \begin{cases} a = \dfrac{2}{5}, \\ b = -\dfrac{4}{5}. \end{cases}$$

例2 已知 $2a^{y+3}b^{3x}$ 和 $-3a^{2x}b^{8-2y}$ 是同类项,那么 $x = $ _____ ,$y = $ _____ .

〔分析〕 依题意,得 $\begin{cases} 2x=y+3, \\ 3x=8-2y, \end{cases}$

整理,得 $\begin{cases} 2x-y=3, \\ 3x+2y=8, \end{cases} \text{解得} \begin{cases} x=2, \\ y=1. \end{cases}$

将 $x=2, y=1$ 分别代入原代数式,得 $2a^4b^6$ 和 $-3a^4b^6$,

故 $x=2, y=1$ 符合题意.

2. 反复运用加减法解方程组

当方程组中未知数的系数和常数项较大时,注意观察其特点,不要盲目地利用加减法或代入法进行消元,可利用反复相加减得到两个系数较小的方程组,再求解.

例 3 解方程组 $\begin{cases} 8359x+1641y=28359, & ① \\ 1641x+8359y=21641. & ② \end{cases}$

解: ①-②,得 $x-y=1$,③

①+②,得 $x+y=5$,④

将③,④联立,得

$$\begin{cases} x-y=1, & ③ \\ x+y=5, & ④ \end{cases}$$

解得 $\begin{cases} x=3, \\ y=2. \end{cases}$

小结 此方程组属于 $\begin{cases} ax+by=c_1, \\ bx+ay=c_2 \end{cases}$ 型,其中 $|c_1-c_2|=k|a-b|$,$c_1+c_2=m|a+b|$,k, m 为整数.因此这样的方程组通过加和减可得到 $\begin{cases} x+y=m, \\ x-y=k \end{cases}$ 型方程组,显然后一个方程组容易求解.

3. 整体代入法解方程组

多元方程组中,每个方程都缺少一个未知数,且所缺少的未知数又都不相同,每个未知数的系数都是 1,这样的方程组若一一消元很麻烦,可考虑整体相加、整体代入的方法.

例 4 解方程组 $\begin{cases} x+y+z=8, & ① \\ x+y+m=12, & ② \\ x+z+m=14, & ③ \\ y+z+m=17. & ④ \end{cases}$

解: ①+②+③+④,得

$3(x+y+z+m)=51$,

即 $x+y+z+m=17$,⑤

⑤-①,得 $m=9$,

⑤-②,得 $z=5$,

⑤-③,得 $y=3$,

⑤-④,得 $x=0$.

所以 $\begin{cases} x=0, \\ y=3, \\ z=5, \\ m=9. \end{cases}$

4. 巧解连比型多元方程组

例 5 解方程组 $\begin{cases} \dfrac{x+y}{2}=\dfrac{t+x}{3}=\dfrac{y+t}{4}, ① \\ x+y+t=27. ② \end{cases}$

〔分析〕 此方程组中的方程①是用连比形式给出的,采用设辅助未知数的方法比较简便.

解:设 $\dfrac{x+y}{2}=\dfrac{t+x}{3}=\dfrac{y+t}{4}=k$,

则 $x+y=2k, t+x=3k, y+t=4k$,

三式相加,得

$x+y+t=\dfrac{9}{2}k$,

将 $x+y+t=\dfrac{9}{2}k$ 代入②,得

$\dfrac{9}{2}k=27$,所以 $k=6$.

所以 $\begin{cases} x+y=12, ③ \\ t+x=18, ④ \\ y+t=24, ⑤ \end{cases}$

②-⑤,得 $x=3$,

②-④,得 $y=9$,

②-③,得 $t=15$.

所以 $\begin{cases} x=3, \\ y=9, \\ t=15. \end{cases}$

5. 利用方程组解的情况求方程组中字母的值

对于方程组 $\begin{cases} a_1x+b_1y=c_1, \\ a_2x+b_2y=c_2, \end{cases}$ 当 $\dfrac{a_1}{a_2}\neq\dfrac{b_1}{b_2}$ 时,方程组有惟一解;当 $\dfrac{a_1}{a_2}=\dfrac{b_1}{b_2}\neq\dfrac{c_1}{c_2}$ 时,

方程组无解;当 $\dfrac{a_1}{a_2}=\dfrac{b_1}{b_2}=\dfrac{c_1}{c_2}$ 时,方程组有无数多组解.

例 6 已知关于 m,n 的方程组 $\begin{cases} am-n=a, \\ m-n=1. \end{cases}$

(1)当 $a\neq1$ 时,判断方程组的解的情况;

(2)当 $a=1$ 时,判断方程组的解的情况;

(3)当 $a=1$ 时,判断方程组 $\begin{cases} am-n=a, \\ m-n=2 \end{cases}$ 的解的情况.

解:(1)当 $a\neq1$ 时,$\dfrac{a}{1}\neq\dfrac{-1}{-1}$,方程组 $\begin{cases} am-n=a, \\ m-n=1 \end{cases}$ 有惟一解.

(2)当 $a=1$ 时,$\dfrac{a}{1}=\dfrac{-1}{-1}=\dfrac{a}{1}$,方程组有无数多组解.

(3)当 $a=1$ 时,$\dfrac{a}{1}=\dfrac{-1}{-1}\neq\dfrac{a}{2}$,方程组 $\begin{cases} am-n=a, \\ m-n=2 \end{cases}$ 无解.

6. 利用方程组解决实际问题

例7 某班进行个人投篮比赛,下表记录了在规定时间内进球数和人数情况(这张表缺损一块):

进球数 n	0	1	2	3	4	5
投进 n 个球的人数	1	2	7			2

已知进 3 个球或 3 个以上的人平均每人投进 3.5 个球;进 4 个球或 4 个以下的人平均每人投进 2.5 个球,问投进 3 个球和 4 个球的各有多少人?

〔**分析**〕 投进 3 个球和 4 个球的人数记录受到污损,可设分别为 x 人、y 人,利用进球 3 个或 3 个以上的人的总进球数建立方程,再由进球 4 个或 4 个以下的人的总进球数建立方程.

解:设投进 3 个球的有 x 人,投进 4 个球的有 y 人,由题意,得

$$\begin{cases} 3x+4y+5\times2=3.5(x+y+2), \\ 0\times1+1\times2+2\times7+3x+4y=2.5(1+2+7+x+y). \end{cases}$$

整理,得 $\begin{cases} x-y=6, \\ x+3y=18, \end{cases}$

解得 $\begin{cases} x=9, \\ y=3. \end{cases}$

答:投进 3 个球的有 9 人,投进 4 个球的有 3 人.

小结 本例题型新颖,贴近学生生活,主要考查学生分析问题的能力和计算能力.

例8 甲、乙、丙三个学生共解出 100 道数学题,但每个人都只解出了其中的 60 道,将其中只有 1 个人解出的题叫难题,将 3 个人都解出的题叫容易题.试说明:难题刚好比容易题多 20 道.

〔**分析**〕 100 道数学题中有难题(只有 1 个人解出的题)、容易题(3 个人都解出的题),还有中档题(2 人都解出的题),这是一层关系.另外 3 人解出了 60 道题.正

确利用这两层关系,就可使问题得证.

解:设难题为 x 道,容易题为 y 道,两人都做出的题有 z 道,

根据题意,得 $\begin{cases} x+y+z=100, \text{①} \\ x+3y+2z=180, \text{②} \end{cases}$

①×2−②,得 $x-y=20$.

这恰好说明结论正确.

例 9 如图 8 - 7 所示,六个小圆圈中的三个已分别填有 15, 26,31 三个数,这三个数分别等于和它相邻的两个空白圆圈里的数的和,那么在三个空白圆圈中,最小的一个数是多少?

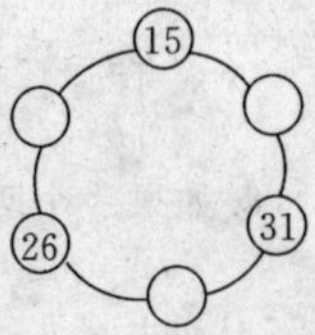

解:设 x,y,z 分别位于 15 和 31,31 和 26,26 和 15 之间,

则 $\begin{cases} x+y=31, \text{①} \\ y+z=26, \text{②} \\ x+z=15, \text{③} \end{cases}$

图 8 - 7

①+②+③,得 $x+y+z=36$,④

④−②,得 $x=10$,

④−③,得 $y=21$,

④−①,得 $z=5$.

所以最小的一个数是 5.

本章综合评价 走向成功

一、训练平台

1. 下列方程中,属于二元一次方程的是 　　　　　　　　　　　(　　)

A. $x+y-1=0$　　　　　　　　　B. $xy+5=-4$

C. $3x^2+y=89$　　　　　　　　　D. $x+\dfrac{1}{y}=2$

2. 方程 $3x-4y=10$ 的一个解是 　　　　　　　　　　　　　(　　)

A. $\begin{cases} x=4 \\ y=1 \end{cases}$　　B. $\begin{cases} x=6 \\ y=2 \end{cases}$　　C. $\begin{cases} x=0 \\ y=3 \end{cases}$　　D. $\begin{cases} x=2 \\ y=1 \end{cases}$

3. 方程 $3x+2y=5$ 与下面哪个方程所组成的方程组的解是 $\begin{cases} x=3 \\ y=-2 \end{cases}$ 　(　　)

A. $x-3y=4$　B. $4x+3y=4$　C. $y+x=1$　D. $4x-3y=2$

4. 已知方程组 $\begin{cases} 4x+y=7, \\ 3x+2y=8, \end{cases}$ 则 $x-y$ 等于 　　　　　　　　(　　)

A. 1　　　　　　B. 0　　　　　　C. −1　　　　　　D. 2

5. 如果 $5x^{3m-2n} - 2y^{n-m} + 11 = 0$ 是二元一次方程,那么 m,n 的值分别为 　　　　(　)

A. 2,3 　　　　 B. 2,1 　　　　 C. $-1,2$ 　　　　 D. 3,4

6. 若 $(x+y-5)^2 + |2x-3y-10| = 0$,则 　　　　　　　　　　　　　 (　)

A. $\begin{cases} x=3 \\ y=2 \end{cases}$ 　　 B. $\begin{cases} x=2 \\ y=3 \end{cases}$ 　　 C. $\begin{cases} x=5 \\ y=0 \end{cases}$ 　　 D. $\begin{cases} x=0 \\ y=5 \end{cases}$

7. 已知 $-0.5x^{a+b}y^{a-b}$ 与 $\dfrac{2}{3}x^{a-1}y^3$ 是同类项,那么 　　　　　　 (　)

A. $\begin{cases} a=-1 \\ b=2 \end{cases}$ 　 B. $\begin{cases} a=1 \\ b=-2 \end{cases}$ 　 C. $\begin{cases} a=-2 \\ b=1 \end{cases}$ 　 D. $\begin{cases} a=2 \\ b=-1 \end{cases}$

8. 如果一个两位数,十位上的数字与个位上的数字之和是 6,那么这样的正整数有

(　)

A. 4 个 　　　　 B. 5 个 　　　　 C. 6 个 　　　　 D. 7 个

9. 某年级学生共有 246 人,男生人数比女生人数的 2 倍少 2 人,问男、女生各有多少人? 若设男生人数为 x 人,女生人数为 y 人,则 　　　　　　 (　)

A. $\begin{cases} x+y=246 \\ 2y=x+2 \end{cases}$ 　　　　　　　　 B. $\begin{cases} x+y=246 \\ 2x=y+2 \end{cases}$

C. $\begin{cases} x+y=246 \\ y=2x+2 \end{cases}$ 　　　　　　　　 D. $\begin{cases} x+y=246 \\ x=2y-2 \end{cases}$

10. 6 年前,A 的年龄是 B 的 3 倍,现在 A 的年龄是 B 的 2 倍,则 A 现在的年龄是

(　)

A. 12 岁 　　　 B. 18 岁 　　　 C. 24 岁 　　　 D. 30 岁

二、探究平台

1. 在 $3x-2y=5$ 中,若 $y=-2$,则 $x=$ _____.

2. 由 $4x-3y+6=0$,可以得到用 y 表示 x 的式子为 _____.

3. 若 $\begin{cases} x=1 \\ y=2 \end{cases}$,是方程 $3mx-2y-1=0$ 的解,则 $m=$ _____.

4. 若 $\begin{cases} x=1 \\ y=-1 \end{cases}$ 是方程组 $\begin{cases} ax+2y=b \\ 4x-by=2a-1 \end{cases}$ 的解,则 $a+b=$ _____.

5. 若 $\dfrac{2x+y}{3} = \dfrac{x+3y}{5} = 1$,则 $3x+4y=$ _____.

6. 若 $\begin{cases} x=t^2 \\ y=2t^2 \end{cases}$,则 x,y 之间的关系式为 _____.

7. 已知 $\begin{cases} 2x+y=3 \\ x+y=1 \end{cases}$ 的解是方程组 $\begin{cases} 2x+my=2 \\ nx+y=1 \end{cases}$ 的解,则 $m=$ _____,n = _____.

8. 若 $\begin{cases} x-2y+3z=0 \\ 2x-3y+4z=0 \end{cases}$,则 $x:y:z=$ _____.

9. 已知 $\begin{cases} 4x-3y-6z=0, \\ 2x+4y-14z=0 \end{cases}(x,y,z \neq 0)$，则 $\dfrac{2x^2+3y^2+6z^2}{x^2+5y^2+7z^2}$ 的值为 _____．

10. 某哨卡运回一箱苹果，若每个战士分 6 个，则少 6 个；若每个战士分 5 个，则多 5 个，那么此哨卡共有 _____ 名战士，箱中共有 _____ 个苹果．

11. 一船在 A,B 两码头间航行，从 A 到 B 顺水航行需 2 小时，从 B 到 A 逆水航行需 3 小时，那么一只救生圈从 A 顺流漂到 B 需 _____ 小时．

12. 某人若买 13 个鸡蛋、5 个鸭蛋、9 个鹅蛋共用去 12.8 元；若买 4 个鸡蛋、2 个鸭蛋、3 个鹅蛋共用去 4.7 元，则买鸡蛋、鸭蛋、鹅蛋各一个共需 _____ 元．

三、交流平台

1. 解下列方程组．

(1) $\begin{cases} y=2x-3, \\ 2y+3x=1; \end{cases}$
　　　　(2) $\begin{cases} 3x-2y=8, \\ 2x-y=5; \end{cases}$

(3) $\begin{cases} 3x-5y=6, \\ 2x-3y=4; \end{cases}$
　　　　(4) $\begin{cases} \dfrac{x}{3}-\dfrac{y}{4}=1, \\ \dfrac{x}{2}+\dfrac{y}{3}=2; \end{cases}$

(5) $\begin{cases} \dfrac{x+y}{2}+\dfrac{x-y}{3}=1, \\ 4(x+y)-5(x-y)=2; \end{cases}$
　　　(6) $\begin{cases} y=|x|-2, \\ y=2-3|x|. \end{cases}$

2. 已知 $ax+by=10$ 的两个解为 $\begin{cases} x=1, \\ y=0 \end{cases}$ 和 $\begin{cases} x=1, \\ y=5, \end{cases}$ 求 a,b 的值．

3. 已知方程组 $\begin{cases} ax+y=3, \\ 3x-2y=5 \end{cases}$ 的解 x 和 y 互为相反数，求 a 的值．

4. 如图 8 - 8 所示，8 块相同的长方形地砖拼成了一个矩形图案（地砖间的缝隙忽略不计），求每块地砖的长和宽．

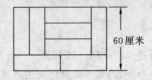

图 8 - 8

5. 某厂计划第一、二季度共生产产品 420 台，结果第一季度实际完成计划的 1.1 倍，第二季度超产 15%，两季度实际共生产 473 台，求两季度计划各生产多少台．

6. 某商场计划拨款 9 万元从厂家购进 50 台电视机，已知该厂家生产三种不同型号的电视机，出厂价分别为：甲型号电视机每台 1500 元，乙型号电视机每台 2100 元，丙型号电视机每台 2500 元．

(1)若商场同时购进其中两种不同型号的电视机共50台,用去9万元,请你设计一下商场的进货方案;

(2)若商场销售一台甲型号电视机可获利150元,销售一台乙型号电视机可获利200元,销售一台丙型号电视机可获利250元,在同时购进两种不同型号电视机的方案中,为使销售时获利最多,你选择哪种进货方案?

(3)若商场准备用9万元同时购进三种不同型号的电视机50台,请你设计进货方案,使这种方案获利最多.

 评价标准 ☹

一、1. A 2. B 3. C 4. C 5. D 6. C 7. D 8. C 9. D 10. C

二、1. $\dfrac{1}{3}$ 2. $x=\dfrac{3y-6}{4}$ 3. $\dfrac{5}{3}$ 4. 4 5. 8 6. $y=2x$ 7. 2 1 8. $1:2:1$ 9. 1

10. 11 60 11. 12 12. 2

三、1. (1) $\begin{cases} x=1, \\ y=-1. \end{cases}$ (2) $\begin{cases} x=2, \\ y=-1. \end{cases}$ (3) $\begin{cases} x=2, \\ y=0. \end{cases}$ (4) $\begin{cases} x=\dfrac{60}{17}, \\ y=\dfrac{12}{17}. \end{cases}$ (5) $\begin{cases} x=\dfrac{26}{23}, \\ y=\dfrac{8}{23}. \end{cases}$

(6) $\begin{cases} x=1, \\ y=-1, \end{cases}$ 或 $\begin{cases} x=-1, \\ y=-1. \end{cases}$

2. 提示: $\begin{cases} a=10, \\ a+5b=10, \end{cases}$ 解得 $\begin{cases} a=10, \\ b=0. \end{cases}$

3. 解:由题意,得 $\begin{cases} 3x-2y=5, \\ x+y=0, \end{cases}$ 解得 $\begin{cases} x=1, \\ y=-1. \end{cases}$

将 $\begin{cases} x=1, \\ y=-1 \end{cases}$ 代入 $ax+y=3$ 中,得 $a=4$.

4. 解:设每块地砖的长为 x 厘米,宽为 y 厘米,

由题意,得 $\begin{cases} x+y=60, \\ 3y+x=2x, \end{cases}$ 解得 $\begin{cases} x=45, \\ y=15. \end{cases}$

答:每块地砖的长和宽分别为45厘米、15厘米.

5. 解:设第一季度计划生产 x 台,第二季度计划生产 y 台,由题意,得

$\begin{cases} x+y=420, \\ 1.1x+(1+15\%)y=473, \end{cases}$ 解得 $\begin{cases} x=200, \\ y=220. \end{cases}$

答:两季度计划各生产200台、220台.

6. 解:(1)分以下几种情况计算:

①设购进甲型号电视机 x 台,乙型号电视机 y 台,根据题意,得

$\begin{cases} x+y=50, \\ 1500x+2100y=90000, \end{cases}$ 所以 $\begin{cases} x=25, \\ y=25. \end{cases}$

②设购进甲型号电视机 x 台,丙型号电视机 z 台,根据题意,得

$$\begin{cases} x+z=50, \\ 1500x+2500z=90000, \end{cases} 所以 \begin{cases} x=35, \\ z=15. \end{cases}$$

③设购进乙型号电视机 y 台,丙型号电视机 z 台,根据题意,得

$$\begin{cases} y+z=50, \\ 2100y+2500z=90000, \end{cases}$$

所以 $\begin{cases} y=87.5, \\ z=-37.5 \end{cases}$ (不符合题意,舍去).

故商场进货方案为购进甲型号电视机 25 台,乙型号电视机 25 台,或购进甲型号电视机 35 台,丙型号电视机 15 台.

(2)当购进甲、乙两种型号电视机各 25 台时,可获利

$150×25+200×25=8750$(元);

当购进甲型号电视机 35 台,丙型号电视机 15 台时,可获利

$150×35+250×15=9000$(元).

故选择购进甲型号电视机 35 台,丙型号电视机 15 台,获利最多.

(3)设购进甲型号电视机 x 台,乙型号电视机 y 台,丙型号电视机 z 台,

根据题意,得

$$\begin{cases} x+y+z=50, \\ 1500x+2100y+2500z=90000. \end{cases}$$

解得 $x=35-\dfrac{2}{5}y$.

方案一:当 $y=5$ 时,$x=33$,$z=12$;

方案二:当 $y=10$ 时,$x=31$,$z=9$;

方案三:当 $y=15$ 时,$x=29$,$z=6$;

方案四:当 $y=20$ 时,$x=27$,$z=3$.

方案一可获利:$33×150+5×200+12×250=8950$(元);

方案二可获利:$31×150+10×200+9×250=8900$(元);

方案三可获利:$29×150+15×200+6×250=8850$(元);

方案四可获利:$27×150+20×200+3×250=8800$(元).

所以,按照方案一进货,获利最多.

第九章

不等式与不等式组

一、课标要求与内容分析

1. 本章的课标要求是：能够根据具体问题中的大小关系了解不等式的意义，并探索不等式的基本性质，会解简单的一元一次不等式，并能在数轴上表示出解集，会解由两个一元一次不等式组成的不等式组，并会用数轴确定解集，能够根据具体问题中的数量关系，列出一元一次不等式和一元一次不等式组，解决简单的实际问题.

2. 本章首先通过实际例子引入不等式的概念和不等式的三条基本性质，接着研究不等式的解、解集及其在数轴上的表示法和一元一次不等式的解法、一元一次不等式组的解法，进而学习利用一元一次不等式和一元一次不等式组解决实际问题的一般方法.

3. 本章的重点是一元一次不等式的解法. 难点是求不等式的解集和不等式组的解集，以及不等式性质3的运用.

引入不等式的基本性质，研究不等式的解集与其在数轴上的表示法，都是为研究一元一次不等式的解集作准备的，学会了一元一次不等式的解法，又可进一步学习一元一次不等式组的解法. 不等式的知识是初中阶段在一元一次方程和二元一次方程组的学习之后，进一步探究现实世界数量关系的重要内容，不等式的基本性质和解一元一次不等式,是一项基本的运算技能,也是学生以后学习一元二次方程、函数以及进一步学习不等式知识的基础.通过实际问题中一元一次不等式的应用,进一步提高学生分析问题、解决问题的能力,增强学生学数学、用数学的意识.

二、学法指导

掌握分析现实世界中量与量的不等关系,并抽象出不等式.在不等式变形时特别注意"当不等式两边都乘以同一个负数时,不等号要改变方向".会将一元一次不等式组的解集表示在数轴上,以便直观地得到一元一次不等式组的解集.联系和比较一元一次方程的解法,体会数学中类比、数形结合的数学思想方法.

9.1 不等式

教材解读　精华要义

数学与生活

两个体重相同的孩子正在跷跷板上做游戏,现在换了一个小胖子上去,跷跷板发生了倾斜,游戏无法继续进行下去了,这是什么原因呢?

知识详解

知识点 1　不等式的概念

用"<"或">"号表示大小关系的式子,叫做不等式.如 $5>2, a\geq 1, b<-1$ 等.像 $x\neq 3$ 这样用"$\neq$"号表示不等关系的式子也是不等式.

知识点 2　不等式成立与不等式不成立的意义

对于含有未知数的不等式来说,当未知数取某些值时,不等式的左、右两边符合不等号所表示的大小关系,我们就说不等式成立;当未知数取某些数值时,不等式的左、右两边不符合不等号所表示的大小关系,我们就说不等式不成立.

知识点3　不等式的解

对于一个含有未知数的不等式,任何一个使这个不等式成立的未知数的值,都叫做这个不等式的解.

知识点4　不等式的解集

对于一个含有未知数的不等式,它的所有解的集合叫做这个不等式的解集.

知识点5　如何用数轴表示不等式的解集

类似于一元一次方程,含有一个未知数,未知的次数是1的不等式,叫做一元一次不等式.

一元一次不等式的解集一般来说有以下四种情况:

(1)如图9-1所示,$x > a$.

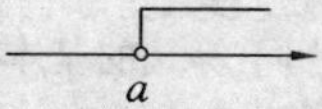

图9-1

(2)如图9-2所示,$x < a$.

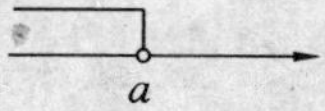

图9-2

(3)如图9-3所示,$x \geqslant a$.

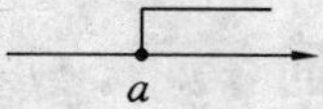

图9-3

(4)如图9-4所示,$x \leqslant a$.

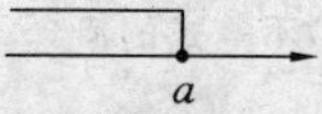

图9-4

用数轴表示不等式的解集,应记住下面规律:

大于向右画,小于向左画,有等号($\geqslant$,$\leqslant$)画实心点,无等号($>$,$<$)画空心圈.

知识点6　不等式的性质

不等式的性质1:不等式两边加(或减)同一个数(或式子),不等号的方向不变.

即:如果$a > b$,那么$a \pm c > b \pm c$.

不等式的性质2:不等式两边乘(或除以)同一个正数,不等号的方向不变.

即:如果$a > b$,$c > 0$,那么$ac > bc \left(或 \dfrac{a}{c} > \dfrac{b}{c} \right)$.

不等式的性质3:不等式两边乘(或除以)同一个负数,不等号的方向改变.

即:如果$a > b$,$c < 0$,那么$ac < bc \left(或 \dfrac{a}{c} < \dfrac{b}{c} \right)$.

探究交流

? 同桌甲和乙正对 $4a>3a$ 进行争论,甲说:"$4a>3a$ 是正确的."乙说:"这不可能正确."你认为谁说得对?为什么?

点拨 两人说的都不对,因为 a 的值不确定,应分情况讨论:

①当 $a>0$ 时,由不等式性质 2 得 $4a>3a$;

②当 $a<0$ 时,由不等式性质 3 得 $4a<3a$;

③当 $a=0$ 时,$4a=3a=0$.

知识点 7 解不等式

求不等式的解集的过程,叫做解不等式.

主要利用基本性质去解,即应用不等式的基本性质进行同解变形.

【注意】 本节知识比较常见的错误有:

(1)不能正确理解不等式的解集的概念.

(2)表示不等式的解集时,不注意"空心圈"与"实心点"的区别.

(3)在应用不等式性质 3 时,不等式的两边都乘以或除以同一个负数时,忘改变不等号的方向.

知识规律小结 将不等式与等式概念、不等式与等式的基本性质进行对比学习,这样更有利于弄清两者的区别与联系,更能深入、透彻理解这两部分的知识.

典例剖析 师生互动

基础知识应用题

本节基础知识的应用包括:(1)不等式的概念;(2)不等式的解与解集;(3)不等式的基本性质.

例 1 用不等式表示下列语句.

(1)a 是正数;

(2)b 是非负数;

(3)a,b 两数的平方和的 2 倍再加上 c 不小于 10;

(4)a 与 b 的和不是正数;

(5)a 与 b 的和的绝对值不大于 a 与 b 的绝对值的和.

〔分析〕 在列不等式时,除了要注意正确"翻译"运算顺序之外,还要注意"正数"、"负数"、"非正数"、"非负数"、"大于"、"小于"、"不大于"、"不小于"等表示不等关系的关键性词语.

解:(1)$a>0$;

   (2)$b\geqslant0$;

   (3)$2(a^2+b^2)+c\geqslant10$;

(4)$a+b \leqslant 0$;

(5)$|a+b| \leqslant |a|+|b|$.

例 2　下列各数中,哪些是不等式 $x+1<3$ 的解?哪些不是?哪些是方程 $x+1$ $=3$ 的解?

$-2.5,0,1,2,3$.

〔分析〕　不等式的解是指能使不等式成立的未知数的值.把题中给出的值逐一代入不等式,求出其值.若符合不等式表示的关系,就是不等式的解,否则不是.由此题还可知道,一元一次方程的解只有一个,而一元一次不等式的解不惟一.

解:当 $x=-2.5$ 时,$x+1=-2.5+1=-1.5<3$,不等式 $x+1<3$ 成立,

所以 $x=-2.5$ 是不等式 $x+1<3$ 的解.

当 $x=0$ 时,$x+1=0+1=1<3$,不等式 $x+1<3$ 成立,

所以 $x=0$ 是不等式 $x+1<3$ 的解.

当 $x=1$ 时,$x+1=1+1=2<3$,不等式 $x+1<3$ 成立,

所以 $x=1$ 是不等式 $x+1<3$ 的解.

当 $x=2$ 时,$x+1=2+1=3$,左边=右边,方程 $x+1=3$ 成立,

所以 $x=2$ 是方程 $x+1=3$ 的解,不是不等式 $x+1<3$ 的解.

当 $x=3$ 时,$x+1=3+1=4>3$,不等式 $x+1<3$ 不成立,

所以 $x=3$ 不是不等式 $x+1<3$ 的解.

例 3　用不等式表示直角三角形的斜边比任何一条直角边长.

解:设直角三角形的两条直角边分别是 a,b,斜边是 c,根据题意,有 $c>a,c>b$.

例 4　有理数 a,b 在数轴上的位置如图 9-5 所示,用不等号填空.

(1)$a-b$ ＿＿＿＿ 0;　　(2)$a+b$ ＿＿＿＿ 0;

(3)ab ＿＿＿＿ 0;　　(4)a^2 ＿＿＿＿ b^2;

(5)$\dfrac{1}{a}$ ＿＿＿＿ $\dfrac{1}{b}$;　　(6)$|a|$ ＿＿＿＿ $|b|$.

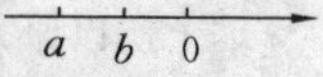

图 9-5

答案:(1)$<$　(2)$<$　(3)$>$　(4)$>$　(5)$>$　(6)$>$

例 5　在数轴上表示下列不等式的解集.

(1)$x \geqslant 2$;　　　　　　　　　　(2)$x<-3$.

〔分析〕　可以用数轴表示数 2 的右边、数 -3 的左边部分,在表示 -3 的点的位置上画空心圆圈(因不含等号);在表示 2 的位置上画实心圆点(表示包括这个数).

解:数轴表示如图 9-6 所示.

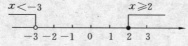

图 9-6

【注意】 以上是两道小题的解集表示在同一数轴上,这样可以节省作图,但必须标明所表示的不等式.

例 6 求不等式 $x-5<2$ 的自然数解.

解:将 $x-5<2$ 的两边都加上 5,得 $x<7$.

所以此不等式的自然数解为 $0,1,2,3,4,5,6$.

【注意】 解此类题容易遗漏 0 这个自然数.

例 7 求不等式 $5-x\geqslant4$ 的解集,并把它在
数轴上表示出来.

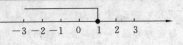

图 9 - 7

解:将原不等式两边同时加上 -5,得

$$-x\geqslant-1,$$

将上式两边同乘以 -1,得 $x\leqslant1$.

解集在数轴上的表示如图 9 - 7 所示.

例 8 把不等式 $\frac{3}{4}(y-7)\leqslant0$ 变成最简形式,并指出它的正偶数解.

解:因为 $\frac{3}{4}>0$,所以 $y-7\leqslant0$,不等式两边都加上 7,得 $y\leqslant7$.

所以此不等式的正偶数解为 $2,4,6$.

例 9 关于 x 的方程 $\frac{2}{3}x=5(x-k)+3k+1$ 的解是负数,求 k 的取值范围.

解:原方程可化为 $\frac{2}{3}x=5x-5k+3k+1$,

即 $\frac{13}{3}x=2k-1$,

所以原方程的解为 $x=\frac{3(2k-1)}{13}$.

因为这个解为负数,

所以 $2k-1<0$,即 $k<\frac{1}{2}$.

【注意】 这是一道一元一次方程与一元一次不等式的综合题,解方程分离 x 和 k,利用根为负数求 k,是本题的解题思路.

综合应用题

本节知识的综合应用为与方程等知识的综合应用.

例 10 k 取什么值时,代数式 $\frac{1}{2}\left(1-5k-\frac{1}{3}k^2\right)+\frac{2}{3}\left(\frac{k^2}{4}-k\right)$ 的值,

(1)小于 0?

(2)不小于 0?

解: $\frac{1}{2}\left(1-5k-\frac{1}{3}k^2\right)+\frac{2}{3}\left(\frac{k^2}{4}-k\right)$

$$= \frac{1}{2} - \frac{5}{2}k - \frac{1}{6}k^2 + \frac{k^2}{6} - \frac{2}{3}k$$

$$= \frac{1}{2} - \frac{19}{6}k.$$

(1)根据题意,解不等式

$\frac{1}{2} - \frac{19}{6}k < 0$,得 $k > \frac{3}{19}$.

所以,当 $k > \frac{3}{19}$ 时,原式的值小于 0.

(2)根据题意,解不等式

$\frac{1}{2} - \frac{19}{6}k \geq 0$,得 $k \leq \frac{3}{19}$.

所以,当 $k \leq \frac{3}{19}$ 时,原式的值不小于 0.

【注意】　由上述可见,数学综合题可以看成是几个互相关联的"小题"组合成的一个"大题".解题时,应当先对综合题进行分析,把它分解成几个互相关联的"小题",并逐一解答这些"小题".然后把分析所得的结果综合起来,从而求出综合题的答案.

例 11　a 取什么值时,解方程 $3x - 2 = a$ 得到的 x 值,

(1)是正数?

(2)是 0?

(3)是负数?

〔分析〕　这是一道既涉及方程,又涉及不等式的综合题.它可以分成如下四个"小题":

①解含有字母系数的方程 $3x - 2 = a$,求 x 的值.

②a 取什么值时,x 的值是正数?

③a 取什么值时,x 的值是 0?

④a 取什么值时,x 的值是负数?

解:解方程 $3x - 2 = a$,得

$$x = \frac{a + 2}{3}.$$

(1)根据题意,解不等式

$\frac{a + 2}{3} > 0$,得 $a > -2$.

所以,当 a 取大于 -2 的值时,x 的值是正数.

(2)根据题意,解方程

$\frac{a + 2}{3} = 0$,得 $a = -2$.

所以,当 a 的值为 -2 时,x 的值是 0.

(3)根据题意,解不等式

$\dfrac{a+2}{3}<0$,得 $a<-2$.

所以,当 a 取小于 -2 的值时,x 的值是负数.

例 12 x 取什么值时,代数式 $3x+2$ 的值,

(1)小于 $4x+3$ 的值?

(2)不小于 $4x+3$ 的值?

解:(1)根据题意,解不等式

$3x+2<4x+3$,得 $x>-1$.

所以,当 $x>-1$ 时,$3x+2$ 的值小于 $4x+3$ 的值.

(2)根据题意,解不等式

$3x+2\geqslant4x+3$,得 $x\leqslant-1$.

所以,当 $x\leqslant-1$ 时,$3x+2$ 的值不小于 $4x+3$ 的值.

例 13 已知 $p>0,m>n$,试比较 m,n 与 $\dfrac{m+np}{1+p}$ 的大小.

〔分析〕 m 与 n 的关系是显然的,只要用比差法比较 m 与 $\dfrac{m+np}{1+p}$,n 与 $\dfrac{m+np}{1+p}$ 的大小关系即可.

解:$\dfrac{m+np}{1+p}-m=\dfrac{m+np-m(1+p)}{1+p}=\dfrac{p(n-m)}{1+p}$,

$\dfrac{m+np}{1+p}-n=\dfrac{m+np-n(1+p)}{1+p}=\dfrac{m-n}{1+p}$,

因为 $m>n$,所以 $m-n>0,n-m<0$.

又 $p>0$,所以 $\dfrac{p}{1+p}>0$,

所以 $\dfrac{m+np}{1+p}-m<0,\dfrac{m+np}{1+p}-n>0$.

所以 $n<\dfrac{m+np}{1+p}<m$.

例 14 已知四个不相等的正数 x,y,m,n 中,x 最小,n 最大,且 $x:y=m:n$,试比较 $x+n$ 与 $y+m$ 的大小.

〔分析〕 由已知条件中的连比式,可考虑用比差法.

解:设 $\dfrac{x}{y}=\dfrac{m}{n}=k$,则

$x=ky,m=kn$.

所以 $(x+n)-(y+m)=(ky+n)-(y+kn)$

$=ky+n-y-kn$

$=(ky-y)-(kn-n)$

$=y(k-1)-n(k-1)$

$$=(k-1)(y-n).$$

因为在 x,y,m,n 中,x 最小,n 最大,

所以 $k<1,y<n$.

所以 $k-1<0,y-n<0$.

所以 $(k-1)(y-n)>0$.

即 $(x+n)-(y+m)>0$.

所以 $x+n>y+m$.

【注意】　本例如果直接比差,很难得出这个差与 0 的大小关系,但设了参数 k 以后,字母少了,关系反而明确了.

探索与创新题

例 15　某施工工地每天需挖土 700 立方米,有甲、乙两个施工队,如果甲队每小时挖土 55 立方米,需要费用 550 元;乙队每小时挖土 45 立方米,需要费用 495 元.

(1)甲、乙两队同时挖土,每天需几小时?

(2)如果规定工地每天最多挖土费用不得超过 7370 元,甲队每天至少挖土多少立方米?

〔分析〕　不等式的应用很广泛,常涉及最佳方案设计、最佳选择、最佳效益的问题.解决这类问题借鉴于方程知识,列出不等式,求得结论,从而确定选取方案.它们的共同点是问题中存在同类量不等关系,借助不等式进行计算和讨论.注意"不大于""不小于"等关键词,不要丢掉"=".

解:(1)$700 \div (55+45)=7$(小时).

(2)设甲队每天挖土 x 立方米,则乙队每天挖土 $(700-x)$ 立方米,每天用于挖土的费用是 $\left[\dfrac{550}{55}x+\dfrac{495}{45}(700-x)\right]$ 元,根据题意,得

$$\dfrac{550}{55}x+\dfrac{495}{45}(700-x)\leqslant 7370,$$

解不等式,得 $x\geqslant 330$.

答:甲队每天至少挖土 330 立方米.

易错与疑难题

本节知识在理解与应用上常出现的错误包括:(1)应用基本性质时出现错误;(2)对不等式的解理解不透彻.

例 16　判断正误.

(1)$x>5$ 是不等式 $x+4>8$ 的解集. 　　　　　　　　　(　　)

(2)不等式 $x+4<5$ 有一个正整数解. 　　　　　　　　　(　　)

(3)$x=7$ 是不等式 $x+1>2$ 的解集. 　　　　　　　　　(　　)

(4)$x>5$ 是不等式 $x+1>2$ 的解. 　　　　　　　　　(　　)

(5)$x+3<4$ 的解有无穷多个. 　　　　　　　　　(　　)

(6) $x > 0$ 是不等式 $x + 4 > 3$ 的解集. ( )

错解:(1)√ (2)√ (3)√ (4)√ (5)× (6)√

〔分析〕 对不等式的解、解集的意义理解不透彻,将二者混淆.

正解:(1)× (2)× (3)× (4)× (5)√ (6)×

中考展望 点击中考

中考命题总结与展望

一元一次不等式及解法是本章重点,也是历届中考的重要考点之一.其主要题型是选择题和填空题,有时也与方程知识综合起来考查.要注意把一元一次不等式与实际问题综合起来考查的创新题.

中考试题预测

例 1 (2004·南京)不等式 $x - 2 < 0$ 的正整数解是_____.

〔分析〕 由不等式的基本性质1,得

$x - 2 + 2 < 0 + 2$,

$x < 2$,

所以 $x - 2 < 0$ 的正整数解为 $x = 1$.

例 2 (2004·重庆)不等式 $(a-1)x < a - 5$ 和 $2x < 4$ 的解集相同,则 a 的值为_____.

〔分析〕 由题意可知 $\begin{cases} a - 1 > 0, \\ \dfrac{a+5}{a-1} = 2, \end{cases}$ 解得 $a = 7$.

例 3 (2004·宁夏)不等式_____的解集是 $x < 2$.

〔分析〕 这是一道开放性试题,答案不惟一.已知不等式的解集,它本身就是一个不等式,只需根据不等式的性质适当变形,即可写出无数个满足条件的不等式,例如:$2x - 5 < -1, x - 3 < -1$ 等.

例 4 (2005·宁波)不等式 $2 - x < 1$ 的解集是 ( )

A. $x > 1$ B. $x > -1$ C. $x < 1$ D. $x < -1$

〔分析〕 解不等式 $2 - x < 1$,移项得 $-x < 1 - 2$,整理得 $-x < -1$,不等式两边同时除以 -1,得 $x > 1$,故正确答案为 A.

课堂小结 本节归纳

1. 本节主要学习了不等式的有关定义及不等式的基本性质.要注意区分不等式的有关定义,同时要会灵活、准确应用不等式的基本性质解决问题.

2. 在学习过程中,要注意体会对比及总结.

3. 在学习过程中,注意类比等思想方法的应用.

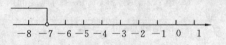

课本第 $134\sim135$ 页

习题 9.1

1. 是不等式 $2x+3>9$ 的解的有:$3.01,4,6,100$.

不是不等式 $2x+3>9$ 的解的有:$-4,-2,0,3$.

2. (1)$a+5>0$; (2)$a-2<0$; (3)$b+15<27$; (4)$b-12>-5$;

(5)$4c\geqslant8$; (6)$\dfrac{1}{2}c\leqslant3$; (7)$d+e\geqslant0$; (8)$d-e\leqslant-2$.

5. (1)$>$ (2)$>$ (3)$>$ (4)$<$

6. 解:(1)$x+3>-1$,

$x+3-3>-1-3$,

$x>-4$.

解集在数轴上的表示如图 9-8 所示.

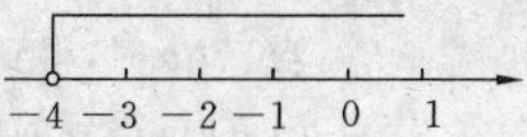

图 9-8

(2)$6x<5x-7$,

$6x-5x<5x-5x-7$,

$x<-7$.

解集在数轴上的表示如图9-9所示.

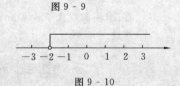

图 9-9

(3)$-\dfrac{1}{3}x<\dfrac{2}{3}$,

$\dfrac{-\dfrac{1}{3}x}{-\dfrac{1}{3}}>\dfrac{\dfrac{2}{3}}{-\dfrac{1}{3}}$,

$x>-2$.

图 9-10

解集在数轴上的表示如图 9-10 所示.

(4)$4x>-12$,

$\dfrac{4x}{4}>\dfrac{-12}{4}$,

$x>-3$.

解集在数轴上的表示如图 9-11 所示.

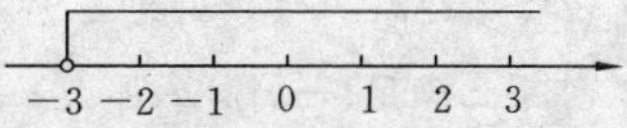

图 9-11

7. (1)$>$ (2)$>$

8. $39.98\leqslant L\leqslant40.02$.

9. 解:设其中蛋白质含量为 x g,根据题意,得

$x\geqslant300\times0.6\%$,所以 $x\geqslant1.8$.

答:其中蛋白质的含量不少于 1.8 g.

10.解:设他们的平均体重应为 x kg,根据题意,得

$12x+40 \leqslant 1000, 12x \leqslant 960$,

所以 $x \leqslant 80$.

答:他们的平均体重不大于 80 kg.

11.解:(1)$10a+b > 10b+a$,

$9a-9b > 0, a-b > 0$,

即 $a > b$.

(2)$10a+b < 10b+a$,

$9a-9b < 0, a-b < 0$,

即 $a < b$.

(3)$10a+b = 10b+a$,

$9a-9b = 0, a-b = 0$,

即 $a = b$.

答:当 $a > b$ 时,得到的两位数比原来的两位数大;

当 $a < b$ 时,得到的两位数比原来的两位数小;

当 $a = b$ 时,得到的两位数等于原来的两位数.

13.解:设李明需以 x m/s 的速度同时开始冲刺,才能够在张华之前到达终点,

根据题意,得 $\dfrac{100}{4} > \dfrac{110}{x}$,

所以 $x > 4.4$.

答:李明需以大于 4.4 m/s 的速度同时开始冲刺,才能够在张华之前到达终点.

自我评价 知识巩固

1. 已知 $x > 0$,则下列不等式正确的是 （　）

　A. $x \geqslant -x$ 　　　　　　　　B. $x^2 \geqslant (-x)^2$

　C. $x > -x$ 　　　　　　　　D. $|x| > |-x|$

2. 如果 a 满足 $|-a| > a$,那么 a 是 （　）

　A. 正数 　　　　　　　　B. 负数

　C. 非负数 　　　　　　　　D. 任何有理数

3. 在数轴上与原点的距离小于 2 的点对应的 x 满足 （　）

　A. $-2 < x < 2$ 　　　　　　　　B. $x < 2$

　C. $x > 2$ 　　　　　　　　D. $x < -2$,或 $x > 2$

4. 如果关于 x 的方程 $\dfrac{2x+a}{3} = \dfrac{4x+b}{5}$ 的解不是负值,那么 a 与 b 的关系是 （　）

A. $a < \dfrac{3}{5}b$ B. $b \leqslant \dfrac{5}{3}a$

C. $5a = 3b$ D. $5a > 3b$

5. 不等式 $x - \dfrac{x}{2} + \dfrac{x+1}{3} < 1 + \dfrac{x+8}{6}$ 的解集是   (　　)

A. $x < 1$ B. $x < 2$

C. $x < 3$ D. $x < 4$

6. 若 x 不大于 y, 则用不等式表示为 x _____ y.

7. x, y 都是正数, 若 $\dfrac{x}{y} > 1$, 则 x _____ y; 若 $\dfrac{x}{y} < 1$, 则 x _____ y; 若 $\dfrac{x}{y} = 1$, 则 x _____ y.

8. 已知 a 是有理数, 那么 $a^2 + 1$ 的最小值是 _____, $3 - a^2$ 的最大值是 _____.

9. 若关于 x 的方程 $x + a = 1$ 的解是正数, 则 a 的取值范围是 _____.

10. 已知不等式 $5(x-2) + 8 < 6(x-1) + 7$ 的最小正整数解为方程 $2x - ax = 4$ 的解, 求 a 的值.

11. 某同学在 A, B 两家超市发现他看中的随身听单价相同, 书包单价也相同. 随身听和书包单价之和是 452 元, 且随身听的单价比书包单价的 4 倍少 8 元.

(1) 求该同学看中的随身听和书包的单价各是多少元;

(2) 某一天, 该同学上街, 恰好赶上商家促销, 超市 A 所有商品打 8 折销售, 超市 B 全场按购物满 100 元返购物券 30 元销售 (不足 100 元不返券, 购物券全场通用), 但他只带了 400 元钱, 如果他只在一家超市购买看中的这两样物品, 你能说明他可以选择哪一家购买吗? 若两家都可以选择, 在哪一家购买更省钱?

☺评价标准☹

1. C　2. B　3. A　4. B　5. C　6. $\leqslant$　7. $>$　$<$　$=$　8. 1　3　9. $a < 1$

10. 解: 不等式 $5(x-2) + 8 < 6(x-1) + 7$ 的解集为 $x > -3$, 最小正整数解是 1.

把 $x = 1$ 代入方程 $2x - ax = 4$, 得 $a = -2$.

11. 解: (1) 设书包的单价为 x 元, 随身听的单价为 y 元, 根据题意, 得

$$\begin{cases} x + y = 452, \\ y = 4x - 8, \end{cases} \text{解得} \begin{cases} x = 92, \\ y = 360. \end{cases}$$

(2) 在 A 超市购买随身听与书包各一件需花费现金 $452 \times 80\% = 361.6$(元).

因为 $361.6 < 400$, 所以可以选择在超市 A 购买.

在 B 超市可先花费现金 360 元购买随身听, 再利用得到的 90 元购物券加上 2 元现金购买书包, 总计花费现金 $360 + 2 = 362$(元).

因为 $362 < 400$, 所以也可以选择在超市 B 购买,

因为 $362 > 361.6$, 所以在超市 A 购买更省钱.

9.2 实际问题与一元一次不等式

教材解读　精华要义

数学与生活

　　某学校计划购买若干台电脑,现从两家商场了解到同一型号的电脑每台报价均为 6000 元,并且多买都有一定的优惠,甲商场的优惠条件是:第一台按原报价收款,其余每台优惠 25%;乙商场的优惠条件是:每台优惠 20%. 如果你是校长,你该怎么考虑? 如何选择?

　　思考讨论　设购买 x 台电脑,则在甲商场购买需付购货款 $[6000+6000 \cdot (1-25\%)(x-1)]$ 元. 在乙商场购买需付货款 $[6000 \cdot (1-20\%)x]$ 元.

　　(1)在什么情况下,到甲商场购买更优惠?

　　(2)在什么情况下,到乙商场购买更优惠?

　　(3)在什么情况下,两个商场收费相同?

知识详解

　　知识点　探究应用不等式解决实际问题

　　问题:甲、乙两商店以同样价格出售同样的商品,并且又各自推出不同的优惠方案. 在甲店累计购买 100 元商品后,再购买的商品按原价的 90% 收费;在乙店累计购买 50 元商品后,再购买的商品按原价的 95% 收费. 顾客怎样选择商店购物获得更大优惠?

　　探究:这个问题较复杂,从何处入手考虑它呢?

甲商店优惠方案的起点为购物款达_____元后；

乙商店优惠方案的起点为购物款达_____元后．

我们是否应分情况考虑？可以怎样分情况呢？

(1)如果累计购物不超过 50 元，那么在两店购物花费有区别吗？

(2)如果累计购物超过 50 元而不超过 100 元，那么在哪家商店购物花费小？为什么？

(3)如果累计购物超过 100 元，那么在甲店购物花费小吗？

请你自己考虑(1)(2)两种情况，现讨论情况(3)．

设累计购物 x 元$(x>100)$，如果在甲店购物花费小，那么

$50+0.95(x-50)>100+0.9(x-100)$．

怎样理解这个不等式呢？你的解法是下面这样吗？

去括号，得 $50+0.95x-47.5>100+0.9x-90$．

移项，合并同类项，得 $0.05x>7.5$．

所以 $x>150$．

这就是说，累计购物超过_____元时在甲店购物花费小．

从上面可以看出，由实际问题中的不等关系列出不等式，能够建立解决问题的数学模型．通过解不等式可以得到实际问题的答案．

列一元一次不等式解决实际问题的关键是要从问题中找出一个不等关系，然后恰当地得出未知数，把不等式左、右两边各个量用含有已知数和未知数的代数式表示，这样就得到一元一次不等式，最后进行解不等式．

这一过程可简单表述为：问题 $\xrightarrow[\text{抽象}]{\text{分析}}$ 不等式 $\xrightarrow[\text{检验}]{\text{求解}}$ 解答．

【注意】　要类比列一元一次方程解实际问题．同时要特别注意等与不等的区别．利用一元一次不等式解决实际问题的关键是要找准题目当中的不等关系．

典例剖析　师生互动

基础知识应用题

本节基础知识的应用是解一元一次不等式和利用一元一次不等式解决实际问题．

例 1　解下列不等式，并把解集表示在数轴上．

(1)$2(x-1)+3>5$；

(2)$\dfrac{3-x}{4}-1<\dfrac{3x-1}{4}$；

(3)$\dfrac{x}{3}+\dfrac{2x-3}{4}<\dfrac{4}{3}+\dfrac{9-6x}{12}$；

(4)$3[x-2(x-2)]>x-3(x-1)$．

〔**分析**〕 解一元一次不等式的步骤与解一元一次方程的步骤大体相同,只在最后一步"化系数为1"时有区别.若不等式两边同时乘以(或除以)一个负数,不等号的方向改变.

解:(1)$2x-2+3>5$,

$2x>5+2-3$,

$2x>4$,

所以 $x>2$.

把这个不等式的解集表示在数轴上如图9-12所示.

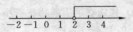

图9-12

(2)$3-x-4<3x-1$,

$-x-3x<-1-3+4$,

$-4x<0$,

所以 $x>0$.

把这个不等式的解集表示在数轴上如图9-13所示.

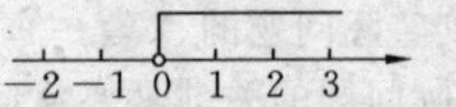

图9-13

(3)$4x+3(2x-3)<16+(9-6x)$,

$4x+6x-9<16+9-6x$,

$4x+6x+6x<16+9+9$,

$16x<34$,

所以 $x<\dfrac{17}{8}$.

把这个不等式的解集表示在数轴上如图9-14所示.

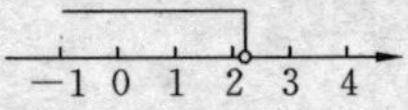

图9-14

(4)$3(x-2x+4)>x-3x+3$,

$3x-6x+12>x-3x+3$,

$3x-6x+3x-x>3-12$,

$-x>-9$,

所以 $x<9$.

把这个不等式的解集表示在数轴上如图9-15所示.

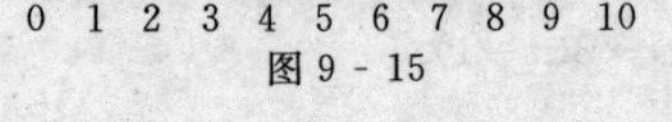

图9-15

学生做一做 解下列不等式,并把它的解集表示在数轴上.

(1) $\dfrac{x-2}{5}-\dfrac{x+3}{10}-\dfrac{2x-5}{3}+3 \geqslant 0$;

(2) $\dfrac{x}{3}+\dfrac{1}{2}\left(\dfrac{2x}{3}-4\right)<2$;

(3) $-5+\dfrac{x}{3} \geqslant \dfrac{4x+1}{8}-\dfrac{7}{2}$;

(4) $\dfrac{3}{2}x-7<\dfrac{1}{6}(9x-51)$.

老师评一评 (1) $x \leqslant 7$. (2) $x<6$. (3) $x \leqslant -\dfrac{39}{4}$. (4) 此不等式无解.

例 2 一个假分数的值等于 3,在它的分子里减去 4,在它的分母里加上 4,就变成一个真分数,求原来的假分数(这个假分数和后来的真分数的分子和分母都是正整数).

〔分析〕 由定义可知,真分数小于 1,而假分数大于 1,假分数的值是 3,那么可设分母是 x,则分子为 $3x$.

解:设假分数的分母为 x,则其分子为 $3x$.

由题意,得 $0<\dfrac{3x-4}{x+4}<1$,

因为 $x+4>0$,则原不等式变为 $0<3x-4<x+4$,

即 $4<3x<x+8$,

由 $4<3x$,得 $x>1\dfrac{1}{3}$;

由 $3x<x+8$,得 $x<4$.

所以原不等式的解集为 $1\dfrac{1}{3}<x<4$.

由于 x 为正整数,则 x 可取的数值为 2 或 3.

所以 $3x=6$,或 $3x=9$.

答:原来的假分数为 $\dfrac{6}{2}$ 或 $\dfrac{9}{3}$.

【注意】 真分数和假分数这两个概念是在正数的范围内规定的,所以应有 $\dfrac{3x-4}{x+4}>0$ 这一条件.

例 3 在 1 千克盐水中,含盐 4%.再加入盐,使它成为浓度不小于 20% 的食盐水,问应加入多少盐?

〔分析〕 若以浓度之间的关系列不等式,分母中会出现未知数,给解不等式带来麻烦.若以加盐前后的纯盐之间的不等关系列不等式,则可以避免上述麻烦.

解:设加入盐 x 克.

由题意,得 $(1000 \times 4\%)+x \geqslant (1000+x) \cdot 20\%$,

整理,得 $0.8 \geqslant 160$,

解得 $x \geqslant 200$.

答:应加人不少于 200 克的盐.

【注意】 在解应用题时,单位一定要统一,否则会给运算带来麻烦.

例 4 有两种质量(分别设为 m 和 n,且 $m > n$)的石块 5 个,涂红、黄、蓝三种颜色,其中两个红石块质量不同,两个黄石块质量也不同,一个蓝石块不知它的质量是 m 还是 n,从外形上不能判断石块的轻重,请你用一台无砝码的天平(只能比较轻重,不能称出具体质量)称两次,将 5 个石块的轻重都区分出来.

〔分析〕 由题意可知有两个石块质量相同,另有三个石块质量相同且有蓝石块.若天平一端各放一个,显然两次称无法完成任务;若一端放两个,另一端放一个也不行.惟一可行的方法是两端各放两个,且颜色相同的不能放一块,蓝色的石块必须放进去.

解:设 x_1,x_2 表示两个红石块的质量,y_1,y_2 表示两个黄石块的质量,z 表示蓝石块的质量,不妨将 $x_1 + z$,$x_2 + y_1$ 分别放到天平两端进行第一次称量.

第一种情况:

若 $x_1 + z = x_2 + y_1$,

因为 $x_1 \neq x_2$,所以 $z = x_2$,

再将 z 与 y_1 用天平比较(即第二次称).

若 $z > y_1$,由于 $m > n$,$x_1 \neq x_2$,$y_1 \neq y_2$,

所以 5 个球的轻重可知,

即 $z = x_2 = y_2 = m$,$x_1 = y_1 = n$;

若 $z < y_1$,同理可知

$z = x_2 = y_2 = n$,$x_1 = y_1 = m$.

第二种情况:

若 $x_1 + z > x_2 + y_1$,

此时必有 $x_1 > x_2$,且 $z \geqslant y_1$,从而 $x_1 = m$,$x_2 = n$.

再将 z 与 y_2 用天平比较(即第二次称).

若 $z > y_2$,则 $z = y_1 = m$,$y_2 = n$;

若 $z = y_2$,则 $z = y_2 = m$,$y_1 = n$;

若 $z < y_2$,则 $z = y_1 = n$,$y_2 = m$.

第三种情况:

若 $x_1 + z < x_2 + y_1$,

此时必有 $x_1 < x_2$,且 $z \leqslant y_1$,

所以 $x_1 = n$,$x_2 = m$.

再将 z 与 y_2 用天平比较(即第二次称).

若 $z > y_2$,则 $z = y_1 = m$,$y_2 = n$;

若 $z = y_2$,则 $z = y_2 = n$,$y_1 = m$;

若 $z<y_2$，则 $z=y_1=n$，$y_2=m$.

【注意】 本例充分利用不等式的有关性质,通过称两次,把 5 个石块的质量区分开来,其中第一次称很重要.

例 5 如图 9 - 16 所示,在边长为 100 米的正三角形路上,有甲、乙二人分别从两个不同的顶点处按逆时针方向同时出发,甲速度为 4 米/秒,乙速度为 3 米/秒.问出发多长时间,甲、乙二人第一次走在同一条边上?

〔分析〕 由题意,知甲、乙有两种可能位置:(1)甲在乙后 100 米;(2)甲在乙后 200 米.

解:分两种情况讨论:

(1)若开始时甲在 C 处,乙在 A 处.

已知甲速>乙速,那么当甲走完 AC 边 100 米进入 AB 边时,乙还没有离开 AB 边.

而甲走 100 米需 $100\div4=25$(秒),

即在这种情况下,出发 25 秒后,甲、乙二人第一次走在同一条边上.

图 9 - 16

(2)若开始时甲在 A 处,乙在 C 处.

设甲经过 x 秒后追赶乙至正三角形的同一边上,则 x 需满足

$0\leqslant200-(4x-3x)\leqslant100$,

即 $100\leqslant x\leqslant200$.

当 $x=100$ 时,乙的路程为 $3\times100=300$(米),说明乙又到了点 C.

而此时甲的路程为 $4\times100=400$(米),说明甲到了点 B,点 B 和 C 在同一边 BC 上,所以在这种情况下,出发 100 秒后,甲、乙二人第一次走在同一条边上.

答:略.

【注意】 本例第二种情况的连续不等式非常重要,忽略任何一边都不完整,所以对应用题一定要考虑周全.

例 6 将若干铅笔分给甲、乙两个班级,甲班有一人分到 6 只,其余的每人都分到 13 只;乙班有一人分到 5 只,其余的每人都分到 10 只,如果分到两个班级的铅笔数目相同,并且大于 100 而不超过 200,那么甲、乙两班各有多少人?

〔分析〕 可设甲、乙两班各 x 人、y 人,那么 x 与 y 都应该是正整数.

解:设甲、乙两班各有 x 人、y 人,则铅笔数目是 $6+13(x-1)$ 或 $5+10(y-1)$,由题意,得

$100<6+13(x-1)=5+10(y-1)\leqslant200$,

由 $100<6+13(x-1)\leqslant200$,可得

$8\frac{3}{13}<x\leqslant15\frac{12}{13}$.①

由 $100<5+10(y-1)\leqslant200$,可得

$10\frac{1}{2}<y\leqslant20\frac{1}{2}$.②

又由 $6+13(x-1)=5+10(y-1)$,得

$13x = 10y + 2 = 2(5y + 1)$. ③

则同时满足①,②,③三个条件的 x, y 的值只能是 $x = 14, y = 18$.

答:甲、乙两班各有 14 人、18 人.

【注意】 本例如果不抓住①,②,③这三个要求,而把从 100 到 200 之间的所有自然数——代入所列式子中验证,那就太繁琐了.

例7 一个堆有红、白两种颜色的球各若干个,已知白球的个数比红球少,但白球个数的 2 倍比红球多,若把每一个白球都记作"2",每一个红球都记作"3",则总数为"60",那么这两种球各有多少个?

〔分析〕 题目中有一个等量关系,红、白球的总数为 60,有两个不等关系:白球的个数比红球少,白球个数的 2 倍比红球多.由此可以设两个未知数,列一个方程和一个连续不等式(也可以列两个不等式).

解:设白球有 x 个,红球有 y 个,由题意,得

$$\begin{cases} x < y < 2x, & ① \\ 2x + 3y = 60. & ② \end{cases}$$

由①得 $3x < 3y < 6x$,

由②得 $3y = 60 - 2x$,

则有 $3x < 60 - 2x < 6x$,

所以 $7.5 < x < 12$.

所以 x 可以取 $8, 9, 10, 11$.

又 $2x$ 应是 3 的倍数.

所以 x 只能取 9.

所以 $y = \dfrac{60 - 2 \times 9}{3} = 14$.

答:白球有 9 个,红球有 14 个.

【注意】 在求出 x 的可能值后,也可以把这些值代入方程②求 y 的值,然后排除不符合题意的数值.

综合应用题

本节知识的综合应用是不等式与现实生活中一些实际问题的综合应用.

例8 用每分可抽 30 吨水的抽水机来抽河水管道里积存的污水,估计积存的污水在 1200 吨到 1500 吨之间,那么大约要用多少时间才将污水抽完?

〔分析〕 假设抽水时间为 x 分,那么 x 分抽出的水量为 $30x$ 吨,根据题意,可知 $30x$ 的取值范围在 $1200 \sim 1500$ 之间(包括 1200 和 1500),即 $1200 \leqslant 30x \leqslant 1500$.

解:设需 x 分才能将污水抽完,

依题意,得 $1200 \leqslant 30x \leqslant 1500$,

解得 $40 \leqslant x \leqslant 50$.

答:大约需要 $40 \sim 50$ 分才能将污水抽完.

【注意】 本例是有关不等式的实际应用题,解完不等式后不要忘记写出答案.

例9 已知不等式 $10(x+4)+x<62$，求不等式的解集.

解：$10(x+4)+x<62$，

　　解不等式，得 $x<2$.

学生做一做 (1)求不等式 $10(x+4)+x<62$ 的正整数解.

(2)利用不等式 $10(x+4)+x<62$ 的正整数解，求 $2(a+x)-3x=a+1$ 中的 a 值，并求 $a^2-\dfrac{1}{a^2}$ 的值.

(3)利用不等式 $10(x+4)+x<62$ 的正整数解，求 $(x-2)^{2003}-\dfrac{2}{x}$ 的值.

(4)不等式 $10(x+4)+x<62$ 的正整数解满足 $|12x-12|+(3x-y-m)^2=0$，且 $y<0$，求 m 的取值范围.

老师评一评 (1)解不等式，得 $x<2$，所以，不等式 $10(x+4)+x<62$ 的正整数解是 1.

(2)解不等式，得 $x<2$，

所以，不等式 $10(x+4)+x<62$ 的正整数解是 1.

把 $x=1$ 代入方程，得 $2(a+1)-3\times1=a+1$，

解得 $a=2$.

把 $a=2$ 代入 $a^2-\dfrac{1}{a^2}$，得 $a^2-\dfrac{1}{a^2}=4-\dfrac{1}{4}=\dfrac{15}{4}$.

(3)解不等式，得 $x<2$，

所以，不等式的正整数解是 1，

所以有 $(1-2)^{2003}-\dfrac{2}{1}=-1-2=-3$.

(4)解不等式，得 $x<2$，所以，不等式的正整数解是 1.

因为 x 的正整数解满足 $|12x-12|+(3x-y-m)^2=0$，

所以有 $|12\times1-12|+(3\times1-y-m)^2=0$，

$0+(3-y-m)^2=0$，

即 $3-y-m=0$.

又因为 $y<0$，所以 $y=3-m<0$，所以 $m>3$.

【**注意**】 首先要明确不等式中未知数 x 与每个关系式的关系，解决问题的关键是把不等式中满足要求的 x 的解代入关系式中，从而求得答案.

例10 解不等式 $\dfrac{0.4-x}{0.2}-\dfrac{x-0.3}{0.3}>0.4$.

解：原不等式变为 $\dfrac{4-10x}{2}-\dfrac{10x-3}{3}>\dfrac{2}{5}$，

　　去分母，得 $15(4-10x)-10(10x-3)>12$，

　　去括号，得 $60-150x-100x+30>12$，

　　合并同类项，得 $-250x>-78$，

未知数系数化为 1，得 $x < \dfrac{39}{125}$.

例 11 已知 $2a - 3x^{3+3a} > 1$ 是关于 x 的一元一次不等式，求：

(1)a 的值；

(2)不等式的解集，并把它在数轴上表示出来.

解：(1)因为 $2a - 3x^{3+3a} > 1$ 是关于 x 的一元一次不等式，

所以 $3 + 3a = 1$，所以 $a = -\dfrac{2}{3}$.

(2)由(1)可得，原不等式可化为

$$2 \times \left(-\dfrac{2}{3}\right) - 3x > 1,$$

整理，得 $-9x > 7$，

解不等式，得 $x < -\dfrac{7}{9}$.

解集在数轴上的表示如图 9 - 17 所示.

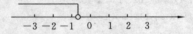

图 9 - 17

【注意】 满足一元一次不等式的条件与满足一元一次方程的条件类似；在一元一次方程中的解题方法，有的在不等式中也可以使用.

例 12 已知 $2x - 1 < 4x + 13$ 的解集是 $x > -7$，请验证这个解集是否正确.

〔分析〕 在学习解方程这部分知识时，方程的解是否正确，可以把未知数的解代入方程进行检验. 而不等式往往有无数个解，能否进行检验呢？事实上，不等式的解集也是可以检验的，我们当然不可能将这些值一一代入原不等式检验，可以这样进行：

(1)不等式的解集为 $x > a$(或 $x < a$)，则令 $x = a$，把 $x = a$ 代入不等式左右两边，若两边相等，则求得的不等式的解集可能正确；若两边不相等，则一定错了.

(2)取符合 $x > a$(或 $x < a$)的一个特殊值 m，分别代入不等式左右两边，若使原不等式成立，则 m 是不等式的解. 因为 m 是在满足 $x > a$(或 $x < a$)的情况下任意取的，因此求得的不等式的解集 $x > a$(或 $x < a$)一定正确；若不能使原不等式成立，则一定是解错了.

解：将 $x = -7$ 代入 $2x - 1 < 4x + 13$，得

左边 $= -15$，右边 $= -15$，说明 $x > -7$ 可能正确.

任取满足 $x > -7$ 的解 $x = -1$，

代入原不等式 $2x - 1 < 4x + 13$，得

左边 $= -3$，右边 $= 9$，左边 $<$ 右边，

所以 $x = -1$ 能使原不等式成立.

所以 $x > -7$ 是不等式 $2x - 1 < 4x + 13$ 的解集.

例 13 有一个凸透镜，当物距大于焦距时的成像规律如下表：

物体到凸透镜的距离	像到凸透镜的距离	像的大小	像的正倒
$u>2f$	$f<v<2f$	缩小	倒
$u=2f$	$v=2f$	等大	倒
$f<u<2f$	$v>2f$	放大	倒

我们用数学的眼光来看这个问题.

(1)在表格所表示的凸透镜成像规律中,变化的量有哪些?

(2)观察表格,每一列从上到下的物距是怎样变化的?像距是怎样变化的?成像特点怎样变化?

(3)根据(2)的观察,说说你的看法;

(4)根据物距 u、像距 v 和焦距 f 满足下列数据表,你能找出符合规律的公式吗?

u	v	f
30	15	10
25	$\dfrac{50}{3}$	10
20	20	10
15	30	10

解:(1)变化的量有物距、像距和成像的大小.

(2)每一列从上到下,物距逐渐变小,像距逐渐变大,像也在逐渐变大.

(3)像距随物距减小而增大.

(4)$\dfrac{1}{u}+\dfrac{1}{v}=\dfrac{1}{f}$.

探索与创新题

例 14　一玩具厂用于生产的全部劳动力为 450 个工时,原料为 400 个单位,生产一个小熊要使用 15 个工时、20 个单位的原料,售价为 80 元;生产一个小猫要使用 10 个工时、5 个单位的原料,售价为 45 元.在劳动力和原料的限制下合理安排生产小熊、小猫的个数,使小熊和小猫的总售价尽可能高,请你运用所学过的数学知识分析,总售价是否可能达到 2200 元.

解:设生产小熊和小猫的个数分别为 x 个、y 个,总售价为 z 元,则

$$\begin{cases} z=80x+45y=5(16x+9y) \\ 15x+10y\leqslant450, \\ 20x+5y\leqslant400. \end{cases}$$

当总售价 $z=2200$ 元时,

即 $\begin{cases} 16x+9y=440, \\ 3x+2y\leqslant90, \\ 4x+y\leqslant80. \end{cases}$

即 $\begin{cases} 3x+2\times\dfrac{440-16x}{9}\leqslant 90, \\ 4x+\dfrac{440-16x}{9}\leqslant 80, \end{cases}$

解得 $14\leqslant x\leqslant 14$，故 $x=14$，此时 $y=24$.

当 $x=14$，$y=24$ 时，$z=80\times 14+45\times 24=2200$（元），

所以安排生产小熊 14 个、小猫 24 个可达总售价为 2200 元.

例15 把一篮苹果分给几个学生，如果每人分 4 个，那么剩下 9 个；如果每人分 6 个，那么最后一个学生分得的苹果数将少于 3 个，求学生人数和苹果的数量.

〔分析〕 设学生人数为 x 人，于是苹果有 $(4x+9)$ 个. 若按第二种分法分时，有 $(x-1)$ 人分得 6 个苹果，即分了 $6(x-1)$ 个苹果，由苹果总数减去 $6(x-1)$ 就是最后一个学生所得的苹果数，它将少于 3 个，但不会为负数.

解： 设学生人数为 x 人，由题意可列不等式

$0\leqslant(4x+9)-6(x-1)<3$，

所以 $6<x\leqslant 7.5$.

因为学生人数为整数，

所以 $x=7,4x+9=4\times 7+9=37$.

答： 学生有 7 人，苹果有 37 个.

中考展望   点击中考

中考命题总结与展望

本节知识是中考考查的热点之一，会出现与实际问题相结合的创新题或探究题型. 一般属于中档题.

中考试题预测

例1 （2004·新疆）某城市平均每天生产垃圾 700 t，由甲乙两个大型垃圾处理厂处理，已知甲厂每小时处理垃圾 55 t，需费用 550 元；乙厂每小时处理垃圾 45 t，需费用 495 元.

(1)甲、乙两厂同时处理该城市的垃圾，每天几小时完成？

(2)如果该城市每天用于处理垃圾的费用不超过 7370 元，则甲厂每天处理垃圾至少需要几小时？

〔分析〕 (1)甲乙每小时处理垃圾的数量×时间＝总垃圾数量；

(2)甲厂处理垃圾吨数×每吨费用＋乙厂处理垃圾吨数×每吨费用≤7370 元.

解： (1)设甲、乙两厂同时处理垃圾每天需 x 小时，由题意可知：

$(55+45)x=700$，

所以 $x=7$.

(2)设甲厂每天至少处理垃圾 y 小时,则乙厂每天处理垃圾$(700-55y)$t.

由题意可知:

$$55y \cdot \frac{550}{55} + (700-55y) \cdot \frac{495}{45} \leqslant 7370,$$

$$550y + 11(700-55y) \leqslant 7370,$$

所以 $y \geqslant 6$.

答:甲、乙两厂同时处理该城市的垃圾,每天需 7 小时.甲厂每天处理垃圾至少需 6 小时.

例 2 (2004·吉林)小王家里装修,他去商店买灯,商店柜台里现有功率为 100 W 的白炽灯和 40 W 的节能灯,它们的单价分别为 2 元和 32 元,经了解知这两种灯的照明效果和使用寿命都一样,已知小王家所在地的电价为每度 0.5 元,请问当这两种灯的使有寿命超过多长时间时,小王选择节能灯合算?(注:用电量(度)=功率(千瓦)×时间(时))

〔分析〕 这是一道学科间综合应用题,注意理解用电量=功率(千瓦)×时间(时).

解:设使用寿命为 x 小时,选择节能灯合算.

由题意可知 $2+0.5 \times \frac{100}{1000}x > 0.5 \times \frac{40}{1000}x + 32$.

$2+0.05x > 32+0.02x$,所以 $x > 1000$.

答:当这两种灯的使用寿命超过 1000 小时时,小王选择节能灯合算.

例 3 (2004·哈尔滨)某市出租车的收费标准:起步价 7 元(即行驶距离不超过 3 千米都需付 7 元车费),超过 3 千米,每增加 1 千米,加收 2.4 元(不足 1 千米按 1 千米计),某人乘出租车从甲地到乙地共支付车费 19 元,设此人从甲地到乙地经过的路程是 x 千米,那么 x 的最大值是 (　　)

A.11　　　　　　B.8　　　　　　C.7　　　　　　D.5

〔分析〕 由题意可知 $7+2.4(x-3) \leqslant 19$,解得 $x \leqslant 8$,故选 B.

例 4 (2004·北京)不等式 $\frac{1+2x}{5} \geqslant 1$ 的解集在数轴上表示正确的是(如图 9 - 18所示) (　　)

图 9 - 18

答案:A

例 5 (2005·宁夏回族自治区)已知方程 $ax+12=0$ 的解是 $x=3$,求不等式 $(a+2)x < -6$ 的解集.

〔分析〕 本题综合考查一元一次不等式与一元一次方程的知识.

解:因为方程 $ax+12=0$ 的解为 $x=3$,

所以 $a \cdot 3+12=0$,所以 $a=-4$.

所以不等式 $(a+2)x<-6$ 化为 $(-4+2)x<-6$,

解这个不等式得 $x>3$.

所以这个不等式的解集为 $x>3$.

例 6 (2005·杭州)宏志高中高一年级近几年来招生人数逐年增加,去年达到 550 名,其中有面向全省招收"宏志班"学生,也有一般普通班学生,由于场地、师资等限制,今年招生最多比去年增加 100 人,其中普通班学生可多招 20%,"宏志班"学生可多招 10%,问今年最少可招收"宏志班"学生多少名?

〔分析〕 本题是二元一次方程与二元一次不等式的综合应用.

解:设去年招收"宏志班"学生 x 名,普通班学生 y 名,由题意得:

$$\begin{cases} x+y=550,① \\ 10\%x+20\%y\leqslant100,② \end{cases}$$

由①得 $y=550-x$,③

把③代入②中,得 $10\%x+20\%(550-x)\leqslant100$,

解得 $x\geqslant100$.

所以 $(1+10\%)x\geqslant110$.

答:今年最少可招收"宏志班"学生 110 名.

课堂小结   本节归纳

1. 本节学习了利用一元一次不等式解决与生活息息相关的实际问题的知识.

2. 在学习过程中要注意自己探索,并互相交流、合作.

3. 要注意类比思想方法的应用.

习题选解   课本习题

📖 **课本第 140～141 页**

习题9.2

1.解:(1)$3(2x+5)>2(4x+3)$,

$6x+15>8x+6$,

$-2x>-9$,

$x<\dfrac{9}{2}$.

图 9 - 19

解集在数轴上的表示如图 9 - 19 所示.

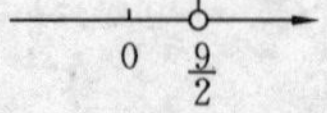

(2)$10-4(x-4)\leqslant2(x-1)$,

$10-4x+16\leqslant2x-2$,

$-6x \leqslant -28$,

$x \geqslant \dfrac{14}{3}$.

解集在数轴上的表示如图 9 - 20 所示.

(3) $\dfrac{x-3}{2} < \dfrac{2x-5}{3}$,

$3x-9 < 4x-10$,

$-x < -1$,

$x > 1$.

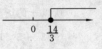

图 9 - 20

解集在数轴上的表示如图 9 - 21 所示.

(4) $\dfrac{2x-1}{3} \leqslant \dfrac{3x-4}{6}$,

$4x-2 \leqslant 3x-4$,

$x \leqslant -2$.

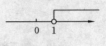

图 9 - 21

解集在数轴上的表示如图 9 - 22 所示.

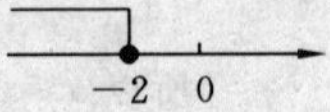

(5) $\dfrac{5x+1}{6} - 2 > \dfrac{x-5}{4}$,

$10x+2-24 > 3x-15$,

$7x > 7$,

$x > 1$.

图 9 - 22

解集在数轴上的表示如图 9 - 23 所示.

(6) $\dfrac{y+1}{6} - \dfrac{2y-5}{4} \geqslant 1$,

$2y+2-6y+15 \geqslant 12$,

$-4y \geqslant -5$,

$y \leqslant \dfrac{5}{4}$.

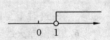

图 9 - 23

解集在数轴上的表示如图 9 - 24 所示.

2. 解：(1)根据题意，得 $\dfrac{4a+1}{6} > 0$,

$4a+1 > 0$，所以 $a > -\dfrac{1}{4}$.

(2)根据题意，得 $\dfrac{4a+1}{6} < -2$,

$4a+1 < -12$，$4a < -13$,

所以 $a < -\dfrac{13}{4}$.

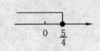

图 9 - 24

(3)根据题意，得 $\dfrac{4a+1}{6} = 0$，$4a+1 = 0$,

所以 $a = -\frac{1}{4}$.

3.解:(1)$x+2<6$,所以 $x<4$.

所以 x 的正整数解为 $1,2,3$.

(2)$2x+5<10, 2x<5$,所以 $x<\frac{5}{2}$.

所以 x 的正整数解为 $1,2$.

(3)$\frac{x-3}{2} \geqslant \frac{2x-5}{3}$,$3x-9 \geqslant 4x-10$,

$-x \geqslant -1$,

所以 $x \leqslant 1$.

所以 x 的正整数解为 1.

(4)$\frac{2+x}{2} \geqslant \frac{2x-1}{3} - 2$,

$6+3x \geqslant 4x-2-12, -x \geqslant -20$,

所以 $x \leqslant 20$.

所以 x 的正整数解为 $1,2,3,4,\cdots,18,19,20$.

5.解:设这时至少已售出 x 辆自行车,根据题意,得

$275x > 250 \times 200, x > 181\frac{9}{11}$.

答:这时至少已售出 182 辆自行车.

6.解:设导火线至少需要 x 厘米,根据题意,得

$x \geqslant \frac{400}{5} \times 1$,

所以 $x \geqslant 80$.

答:导火线至少需要 80 厘米.

7.解:设前年全厂年利润是 x 万元,根据题意,得

$\frac{x+100}{280-40} - \frac{x}{280} \geqslant 0.6$,所以 $x \geqslant 308$.

答:前年全厂利润不小于 308 万元.

8.解:设进苹果 a 千克,售价至少 b 元,才能避免亏本,根据题意,得

$1.5a \leqslant (1-5\%) a \cdot b$,所以 $b \geqslant 1\frac{11}{19}$.

答:售价至少为 $1\frac{11}{19}$ 元,才能避免亏本.

9.解:设这批计算机以 5000 元/台出售的最少有 x 台,根据题意,得

$5500 \times 60 + 5000x > 550000$,所以 $x > 44$.

所以 $60 + 44 = 104$(台).

答:这批计算机最少有 105 台.

10.解:解不等式 $5x-1>3(x+1)$,

　　$5x-1>3x+3,2x>4,x>2$.

　　$\frac{1}{2}x-1<7-\frac{3}{2}x,2x<8,x<4$.

　　所以 $2<x<4$.

11.解:因为 $3x-1$ 表示正偶数,

　　所以 $3x$ 表示正奇数.

　　所以 $3x$ 是能被 3 整除的数.

　　所以 x 满足分子是正奇数,而分母是 3 的所有分数.

自我评价　知识巩固

1.若 $a-b<0$,则下列各题中,一定成立的是 　　　　　　　　　　　(　)

　A. $a>b$ 　　　　　　　　　　　B. $ab>0$

　C. $\frac{a}{b}>0$ 　　　　　　　　　　D. $-a>-b$

2.不等式 $3(x+2)\geqslant 4+2x$ 的负整数解为_____,非正整数解为_____.

3.当 y _____时,代数式 $\frac{y}{2}-2$ 的值不大于 $\frac{y}{3}-3$ 的值.

4.解下列不等式.

　(1) $3[x-2(x-2)]>x-3(x-3)$;

　(2) $\frac{x-1}{2}-\frac{2x+1}{3}<\frac{x}{6}$;

　(3) $\frac{x+5}{2}-1<\frac{3x+2}{2}$.

5.解关于 x 的不等式 $a(x+1)>b(x-1)$.

6.已知 $2k-3x=6$,要使 x 是非负数,求 k 的取值范围.

7.求代数式 $3(x+1)$ 的值不小于 $5x-9$ 的值的最大的整数 x.

8.已知 a,b 是有理数,若不等式 $(2a-b)x+3a-4b<0$ 和 $4-9x<0$ 是同解不等式,则不等式 $(a-4b)x+2a-3b>0$ 的解是什么?

9.小明家平均每月付电话费 28 元以上,其中月租费为 22.88 元,已知市内通话不超过 3 分,每次话费为 0.18 元.如果小明家的市内通话时间都不超过 3 分,那么小明家平均每月通话至少多少次?

😊评价标准☹

1.D 　2. $-2,-1$ 　 $-2,-1,0$ 　3. $\leqslant -6$

4.(1) $x<3$; 　(2) $x>-\frac{5}{2}$; 　(3) $x>\frac{1}{2}$.

5. 解：$ax+a>bx-b,(b-a)x<a+b$.

(1)当 $b>a$ 时，$x<\dfrac{a+b}{b-a}$；

(2)当 $b<a$ 时，$x>\dfrac{a+b}{b-a}$；

(3)当 $b=a>0$ 时，x 取一切实数；

(4)当 $b=a\leqslant0$ 时，x 取任何实数，不等式都不成立，即不等式无解.

6. 解：根据题意，得 $x=\dfrac{2k-6}{3}$.

要使 x 是非负数，则 $\dfrac{2k-6}{3}\geqslant0$，所以 $k\geqslant3$.

7. 提示：$x\leqslant6$，所以最大整数 x 是 6.

8. 解：由 $4-9x<0$，得 $x>\dfrac{4}{9}$.

由 $(2a-b)x+3a-4b<0$，得

$(2a-b)x<4b-3a$.

由不等式 $(2a-b)x+3a-4b<0$ 和 $4-9x<0$ 是同解不等式，得

$\begin{cases}2a-b<0,\\ \dfrac{4b-3a}{2a-b}=\dfrac{4}{9},\end{cases}$ 即 $\begin{cases}a=\dfrac{8}{7}b,\\ b<0.\end{cases}$

又因为 $a-4b=\dfrac{8}{7}b-4b=-\dfrac{20}{7}b>0$，

所以由 $(a-4b)x+2a-3b>0$，得

$x>\dfrac{3b-2a}{a-4b}$.

又因为 $\dfrac{3b-2a}{a-4b}=\dfrac{3b-\dfrac{16}{7}b}{\dfrac{8}{7}b-4b}=\dfrac{\dfrac{5}{7}b}{-\dfrac{20}{7}b}=-\dfrac{1}{4}$.

所以不等式 $(a-4b)x+2a-3b>0$ 的解集为 $x>-\dfrac{1}{4}$.

9. 解：设小明家平均每月通话至少 x 次，则

$22.88+0.18x>28$，所以 $x>28\dfrac{4}{9}$.

所以 x 的最小整数值是 29.

答：小明家平均每月通话至少 29 次.

9.3　一元一次不等式组
9.4　课题学习　利用不等关系分析比赛

教材解读　精华要义

数学与生活

小宝和爸爸、妈妈三人在操场上玩跷跷板,爸爸体重为72千克,坐在跷跷板的一端,体重只有妈妈一半的小宝和妈妈一同坐在跷跷板上的另一端,这时爸爸的一端仍然着地,后来,小宝拿来一个质量为6千克的锤子,加在她和妈妈坐的一端,结果爸爸被跷起离地,猜猜小宝的体重约是多少.

思考讨论　在这个问题中,如果设小宝的体重为 x kg,可以得到下列两个不等关系:

$$\begin{cases} 2x+x<72, \\ 2x+x+6>72. \end{cases}$$

其中 x 同时满足以上两个不等式.如何利用这两个不等式求出 x 的取值范围呢?

知识详解

知识点1 一元一次不等式组的概念

几个一元一次不等式合在一起,就组成了一个一元一次不等式组.如

$$\begin{cases} 3x+2>5x-3, \\ \frac{1}{2}x-\frac{1}{3} \leqslant \frac{1}{4}+\frac{1}{3}x \end{cases}$$等.

知识点2 一元一次不等式组的解集的概念

一般地,几个一元一次不等式的解集的公共部分,叫做由它们所组成的一元一次不等式组的解集.如

$$\begin{cases} x \geqslant 2, \\ x \leqslant 3 \end{cases}$$的公共部分为$2 \leqslant x \leqslant 3$,解集在数轴上的表示如

图9-25

图9-25所示.

知识点3 一元一次不等式组的解法

(1)分别求出不等式组中各个不等式的解集;

(2)利用数轴求出这些不等式的解集的公共部分,即求出这个不等式组的解集.

【注意】 不要将不等式组的解法与方程组的解法相混淆.

知识点4 利用不等关系分析比赛

在体育比赛中,比赛者的比赛成绩往往互相联系,此消彼长.对于比赛结果的分析,经常要考虑问题中的不等关系.

例如:第27届雅典奥运会上的射击比赛中,我国选手贾庆波在最后一枪射击前落后暂列首位的美国选手3环,贾庆波最后一枪打了10.2环,请问,美国选手最后一枪不超过多少环,贾庆波才能获得冠军?

解:设美国选手最后一枪的成绩为x环,则由题意可得$x+3 \leqslant 10.2$,$x \leqslant 7.2$,即最后一枪的成绩不超过7.2环.

知识规律小结 对于由两个不等式组成的不等式组,可以直接按"同大取大,同小取小,大于小的小于大的取中间,大于大的小于小的是空集"这种方法来确定解集.

若$a>b$,用数轴表示不等式的解集:

不等式组$(a>b)$	$\begin{cases} x>a \\ x>b \end{cases}$	$\begin{cases} x<a \\ x<b \end{cases}$	$\begin{cases} x>a \\ x<b \end{cases}$	$\begin{cases} x<a \\ x>b \end{cases}$
不等式组的解集	$x>a$	$x<b$	无解(或空集)	$b<x<a$
不等式组解集在数轴上的表示				

典例剖析　师生互动

基础知识应用题

本节基础知识的应用有一元一次不等式组的概念及一元一次不等式组的解法.

例1 解下列不等式组.

(1) $\begin{cases} 3x-15>0,① \\ 7x-2<8x;② \end{cases}$ 　(2) $\begin{cases} 3x-1\leqslant x-2,① \\ -3x+4>x-2;② \end{cases}$

(3) $\begin{cases} 5x-4\leqslant 2x+5,① \\ 7+2x\leqslant 6+3x;② \end{cases}$ 　(4) $\begin{cases} 1-2x>4-x,① \\ 3x-4>3.② \end{cases}$

〔分析〕 解不等式组时,要先分别求出不等式组中每个不等式的解集,然后画数轴找它们的解集的公共部分,这个公共部分就是不等式组的解集.

解:(1)解不等式①,得 $x>5$.解不等式②,得 $x>-2$.

在同一数轴上表示出不等式①,②的解集如图9-26所示.

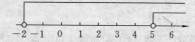

图 9 - 26

所以这个不等式组的解集是 $x>5$.

(2)解不等式①,得 $x\leqslant-\dfrac{1}{2}$.

解不等式②,得 $x<\dfrac{3}{2}$.

在同一数轴上表示出不等式①,②的解集如图9-27所示.

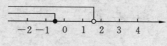

图 9 - 27

所以这个不等式组的解集是 $x\leqslant-\dfrac{1}{2}$.

(3)解不等式①,得 $x\leqslant3$.解不等式②,得 $x\geqslant1$.

在同一数轴上表示出不等式①,②的解集如图9-28所示.

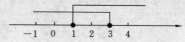

图 9 - 28

所以这个不等式组的解集是 $1\leqslant x\leqslant3$.

(4)解不等式①,得 $x < -3$.

解不等式②,得 $x > \dfrac{7}{3}$.

在同一数轴上表示出不等式①,②的解集如图9-29所示.

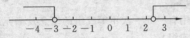

图9-29

所以这个不等式组无解.

【注意】 用数轴表示不等式组的解集时,要时刻牢记:大于向右画,小于向左画,有等号画实心圆点,无等号画空心圆圈.

例2 解不等式组 $\begin{cases} 2(x-3)+4 \leqslant x, & ① \\ \dfrac{x}{2}-(x-1) > 2. & ② \end{cases}$ 并且在数轴上表示出其解集.

解:解不等式①,得 $x \leqslant 2$.

解不等式②,得 $x < -2$.

在同一数轴上表示出不等式①,②的解集如图9-30所示.

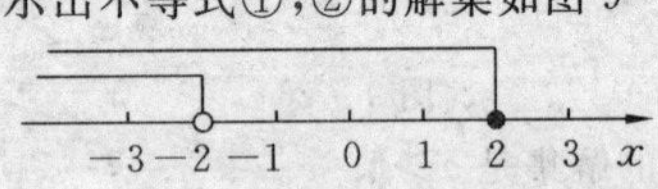

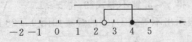

图9-30

所以这个不等式组的解集是 $x < -2$.

【注意】 最后的解集应找两个不等式解集的公共部分.

例3 解不等式组 $\begin{cases} 5x-2 > 3(x+1), & ① \\ \dfrac{1}{2}x \leqslant 8-\dfrac{3}{2}x. & ② \end{cases}$

解:解不等式①,得 $x > \dfrac{5}{2}$.

解不等式②,得 $x \leqslant 4$.

在同一数轴上表示出不等式①,②的解集如图9-31所示.

图9-31

所以不等式组的解集是 $\dfrac{5}{2} < x \leqslant 4$.

例4 解不等式组 $-3 \leqslant \dfrac{2x-1}{3} < 7$.

解法 1:把原不等式组转化成

$$\begin{cases} \dfrac{2x-1}{3}<7,① \\[2mm] \dfrac{2x-1}{3}\geqslant-3,② \end{cases}$$

解不等式①得 $x<11$,

解不等式②得 $x\geqslant-4$,

所以这个不等式组的解集为 $-4\leqslant x<11$.

解法 2: $-3\leqslant\dfrac{2x-1}{3}<7$,

去分母,得 $-9\leqslant2x-1<21$,

移项得 $-9+1\leqslant2x<21+1$,

合并同类项得 $-8\leqslant2x<22$,

所以 $-4\leqslant x<11$.

【说明】 解法1是把连写的形式转化为用大括号的不等式组的形式;解法2适用于中间项含有未知数.

学生做一做 已知 $|a-2|+(b+3)^2=0$,求 $-2<a(x-3)-b(x-2)+4<2$ 的解集.

老师评一评 首先运用绝对值和平方的非负性,分别求出 a 和 b,其中 $a=2$, $b=-3$,再把 a,b 代入不等式组中,求出解集为 1. $2<x<2$.

例 5 m 取什么整数时,不等式 $2(1+2m)>m-1$ 和 $\dfrac{m}{2}+\dfrac{m+1}{3}<1+\dfrac{m+8}{6}$ 同时成立?

解:解不等式 $2(1+2m)>m-1$,得 $m>-1$.

解不等式 $\dfrac{m}{2}+\dfrac{m+1}{3}<1+\dfrac{m+8}{6}$,得 $m<3$.

故 m 的取值范围是 $-1<m<3$.

所以 m 的整数值为 0,1,2.

【注意】 解此类题时要理解"同时成立"和求"整数解",即将问题转化为解不等式组,再求其整数解.

例 6 一群游客到宾馆住宿,如果每间住 4 人,则余 27 人;如果每间住 8 人,则最后一间不空也不满.那么共有多少名游客?多少间客房?

解:设有 x 间客房,则有游客 $(4x+27)$ 人,依题意,得

$$8(x-1)<4x+27<8x,$$

解得 $6\dfrac{3}{4}<x<8\dfrac{3}{4}$.

满足此式的整数 x 等于 7 或 8,因而 $4x+27$ 等于 55 或 59.

答:客房有 7 间或 8 间,相应的游客有 55 人或 59 人.

【注意】 解此类题时应注意客房与游客间的相互关系,只要设一个未知数来表示二者之间的关系即可,千万不要设两个未知数,若设两个未知数,则会使问题复杂化.

例7 学校为家远的同学安排住宿,现有房间若干间,若每间住 5 人,则还有 14 人安排不下;若每间住 7 人,则有一房间还余一些床位,问学校可能有几间房间可以安排同学住宿? 住宿的学生可能有多少人?

解法1:设可能有房间 x 间,则住宿学生的人数为 $(5x+14)$ 人,根据题意,得

$$0<7x-(5x+14)<7,解得 7<x<10.5.$$

因为 x 取正整数,所以 x 取 8,9 或 10.

当 $x=8$ 时,住宿的人数为 54 人;

当 $x=9$ 时,住宿的人数为 59 人;

当 $x=10$ 时,住宿的人数为 64 人.

答:学校可能有 8,9 或 10 间房,可以安排 54,59 或 64 人住宿.

解法2:设可能有房间 x 间,则住宿学生的人数为 $(5x+14)$ 人,根据题意,得

$$7(x-1)<5x+14<7x,解得 7<x<10.5.$$

因为 x 取正整数,所以 x 取 8,9 或 10.

以下同解法 1.

解法3:设可能有房间 x 间,住宿学生的人数为 y 人,根据题意,得

$$\begin{cases} y=5x+14, & ① \\ 0<7x-y<7. & ② \end{cases}$$

将①代入②,得 $0<7x-(5x+14)<7$,③

解③得 $7<x<10.5$,

因为 x 取正整数,所以 $x=8,9$ 或 10.

以下同解法 1.

解法4:设学生人数是 x 人,则房间有 $\dfrac{x-14}{5}$ 间,根据题意,得

$$x<\frac{7(x-14)}{5}<x+7,解得 49<x<66.5.$$

因为 x 取正整数,所以 x 取 $50,51,52,53,\cdots,64,65,66$.

又 $\dfrac{x-14}{5}$ 必为整数,因此 $x=54,59$ 或 64,则房间可能有 8,9 或 10 间.

答:学生人数为 54,59 或 64 人,房间有 8,9 或 10 间.

【注意】 此题是典型的不空不满的问题,关键是弄清题中有两个量,住宿人数和房间安排方式不同,就有不同的结果,依据题中给出的安排方式,列出不等式组,从而求解.

综合应用题

本节知识的综合应用包括:(1)与二元一次方程组的综合应用;(2)与实际问题相结合的综合应用.

例8 已知关于 x,y 的方程组 $\begin{cases} x-y=a+3, \\ 2x+y=5a. \end{cases}$

(1)方程组的解是什么?

(2)若 $x>y>0$,求 a 的取值范围;

(3)若 x,y 是正整数,a 取不超过 10 的正整数,求 a 的值,并化简 $|a|+|3-a|$;

(4)a 满足什么条件时,$x-y>0$?

解:(1)$\begin{cases} x-y=a+3, ① \\ 2x+y=5a. ② \end{cases}$

①+②,得 $3x=6a+3$,即 $x=2a+1$.

把 $x=2a+1$ 代入②,得 $y=a-2$.

所以方程组的解为 $\begin{cases} x=2a+1, \\ y=a-2. \end{cases}$

(2)因为 $x>y>0$,所以有 $\begin{cases} 2a+1>0, ① \\ a-2>0, ② \\ 2a+1>a-2. ③ \end{cases}$

解不等式①,得 $a>-\dfrac{1}{2}$;

解不等式②,得 $a>2$;

解不等式③,得 $a>-3$.

所以不等式组的解集为 $a>2$,即 a 的取值范围是 $a>2$.

(3)因为 x,y 是正整数,a 取不超过 10 的正整数,

所以当 $a=1$ 时,$\begin{cases} x=2a+1=3, \\ y=a-2=-1 \end{cases}$(舍去).

当 $a=2$ 时,$\begin{cases} x=2a+1=2\times2+1=5, \\ y=a-2=2-2=0 \end{cases}$(舍去).

依次把 $a=3,4,5,6,7,8,9,10$ 分别代入 $\begin{cases} x=2a+1, \\ y=a-2 \end{cases}$ 可知,当 $a=3,4,5,6,7$, $8,9,10$ 时,都满足 x,y 是正整数,所以 a 的值为 $3,4,5,6,7,8,9,10$.

因为 $3\leqslant a\leqslant10$,所以 $|a|+|3-a|=a+a-3=2a-3$.

(4)由(1)可得 $\begin{cases} x=2a+1, \\ y=a-2. \end{cases}$

若满足 $x-y>0$,则 $x-y=2a+1-a+2>0$.

解不等式,得 $a>-3$,

所以当 $a>-3$ 时,$x-y>0$.

例9 求满足不等式组 $5<1-2x<9$ 的整数解.

〔**分析**〕 该不等式可按不等式的性质变形求解,也可以化成不等式组求解.

解法1:因为 $5<1-2x<9$,

所以 $4 < -2x < 8$,

所以 $-2 > x > -4$,

即 $-4 < x < -2$,

所以不等式组的整数解为 -3.

解法 2: 将不等式组化成

$$\begin{cases} 5 < 1-2x, & ① \\ 1-2x < 9. & ② \end{cases}$$

由①得 $x < -2$.

由②得 $x > -4$,

图 9 - 32

在同一数轴上表示它们的解集如图 9 - 32 所示.

所以 $-4 < x < -2$.

故不等式组的整数解为 -3.

【注意】 解法的选取应以求解过程简单为准.

例 10 解不等式 $\left(x+\dfrac{2}{3}\right)(x-2) < 0$.

解: 两因式之积为负数,说明两因式异号,故有以下两种情况:

(1) $\begin{cases} x+\dfrac{2}{3} > 0, \\ x-2 < 0, \end{cases}$ 所以 $\begin{cases} x > -\dfrac{2}{3}, \\ x < 2. \end{cases}$

(2) $\begin{cases} x+\dfrac{2}{3} < 0, \\ x-2 > 0, \end{cases}$ 所以 $\begin{cases} x < -\dfrac{2}{3}, \\ x > 2. \end{cases}$

它们的解集在数轴上的表示如图 9 - 33 所示.

所以,(1)的解集是 $-\dfrac{2}{3} < x < 2$;(2)的解集是空集.

因此原不等式的解集为 $-\dfrac{2}{3} < x < 2$.

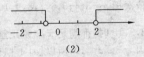

(1)   (2)

图 9 - 33

例 11 解不等式 $\dfrac{3x-4}{x+2} \geqslant 1$.

解: $\dfrac{3x-4}{x+2} \geqslant 1 \Rightarrow \dfrac{3x-4}{x+2} - 1 \geqslant 0$,

即 $\dfrac{3x-4}{x+2} - \dfrac{x+2}{x+2} \geqslant 0$,

得 $\dfrac{2x-6}{x+2} \geqslant 0$,即 $\dfrac{x-3}{x+2} \geqslant 0$.

两式商为非负数,说明分子、分母同号,且当 $x+2\neq 0$,即 $x\neq -2$ 时,它应有以下两种情况:

(1) $\begin{cases} x-3\geqslant 0, \\ x+2>0, \end{cases}$ 所以 $\begin{cases} x\geqslant 3, \\ x>-2. \end{cases}$

解集为 $x\geqslant 3$(如图 9-34 所示).

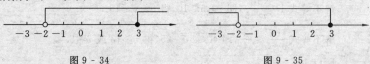

图 9-34　　　　　　　　　　图 9-35

(2) $\begin{cases} x-3\leqslant 0, \\ x+2<0, \end{cases}$ 所以 $\begin{cases} x\leqslant 3, \\ x<-2. \end{cases}$

解集为 $x<-2$(如图 9-35 所示).

因此原不等式的解集为 $x\geqslant 3$,或 $x<-2$.

【注意】　解此类不等式需注意分母不为零的条件,一般采取先移项的方法求解.若先去分母,则在 $x+2>0$,或 $x+2<0$ 的条件下,按不等式的性质进行变形求解也可以.

例 12　若不等式组 $\begin{cases} x+a<b, \\ x-a>b \end{cases}$ 的解集是 $-1<x<3$,求不等式 $ax+b<0$ 的解集.

〔分析〕　由不等式组的解集可求出 a,b 的值,从而求不等式 $ax+b<0$ 的解集.

解: $\begin{cases} x+a<b,① \\ x-a>b.② \end{cases}$

由①得 $x<b-a$,

由②得 $x>b+a$.

因为解集是 $-1<x<3$,

所以 $\begin{cases} b-a=3, \\ b+a=-1. \end{cases}$

解得 $\begin{cases} a=-2, \\ b=1. \end{cases}$

不等式 $ax+b<0$ 即为 $-2x+1<0$,

所以 $x>\dfrac{1}{2}$.

例 13　甲以 5 千米/时的速度步行前进,经 2 小时后,乙骑自行车从同地出发沿同路追赶甲,要求乙在 60 分至 75 分内追上甲,问乙的车速应保持在什么范围内?

解:设乙追上甲花去的时间为 t 小时,乙的速度为 v 千米/时,依题意,得

$\begin{cases} 5\times 2+5t=vt,① \\ 1\leqslant t\leqslant \dfrac{5}{4}.② \end{cases}$

由①得 $10=t(v-5)$，即 $t=\dfrac{10}{v-5}$.③

将③代入②，得

$$1\leqslant\dfrac{10}{v-5}\leqslant\dfrac{5}{4},$$

解不等式 $1\leqslant\dfrac{10}{v-5}$，即 $v-5\leqslant10$，得 $5\leqslant v\leqslant15$.

解不等式 $\dfrac{10}{v-5}\leqslant\dfrac{5}{4}$，即 $40\leqslant5v-25$，得 $v\geqslant13$ 或 $v\leqslant5$.

所以 $13\leqslant v\leqslant15$.

答：乙的车速应保持在 13 千米/时至 15 千米/时之间（包括 13 千米/时和 15 千米/时）.

易错与疑难题

本节知识的理解与应用常出现的错误是将不等式组的解法与方程组的解法相混淆.

例 14 解不等式组 $\begin{cases}\dfrac{x}{2}-2(x+3)\leqslant11,\\[2mm]\dfrac{3}{2}x+2(x+3)\leqslant3.\end{cases}$

错解：$\begin{cases}\dfrac{x}{2}-2(x+3)\leqslant11,①\\[2mm]\dfrac{3}{2}x+2(x+3)\leqslant3.②\end{cases}$

由①+②，得 $2x\leqslant14$，$x\leqslant7$.

所以原不等式组的解集是 $x\leqslant7$.

〔分析〕 产生错误的原因是误将解方程组中的加减法用在了解不等式组中.

正解：$\begin{cases}\dfrac{x}{2}-2(x+3)\leqslant11,①\\[2mm]\dfrac{3x}{2}+2(x+3)\leqslant3,②\end{cases}$

由①得 $\dfrac{3}{2}x\geqslant-17$，即 $x\geqslant-\dfrac{34}{3}$.

由②得 $\dfrac{7}{2}x\leqslant-3$，即 $x\leqslant-\dfrac{6}{7}$.

所以原不等式组的解集是 $-\dfrac{34}{3}\leqslant x\leqslant-\dfrac{6}{7}$.

中考展望 点击中考

中考命题总结与展望

由于在日常生活、生产和科学研究中，到处都要用到不等式的知识，所以不等式和不等式组的解法及应用是中考命题的重要考点之一,而且从近几年的发展情况看,不等式组的解法和应用有逐年上升的趋势.

中考试题预测

例 1 (2004·南京)解不等式组 $\begin{cases} 2(x-1) \leqslant 3x+1, ① \\ \dfrac{x}{3} < \dfrac{x+1}{4}, ② \end{cases}$

〔分析〕 解不等式组时,首先分别求出每个不等式的解集,再求出这几个解集的公共部分,即为不等式组的解集.

解: 解不等式①得 $x \geqslant -3$,

解不等式②得 $x < 3$,

所以这个不等式组的解集是 $-3 \leqslant x < 3$.

例 2 (2004·江西)仔细观察图 9-36,认真阅读对话,根据对话内容,求出饼干和牛奶的标价各是多少元.

图 9-36

〔分析〕 本题以漫画的形式给出了实际生活中的一个涉及二元一次方程和不等式综合应用的题目.

解: 设饼干的标价为每盒 x 元,牛奶的标价为每袋 y 元,

由题意可知:

$$\begin{cases} x+y > 10, ① \\ 0.9x+y+0.8 = 10, ② \\ x < 10. ③ \end{cases}$$

由②得 $y = 9.2 - 0.9x$,④

把④代入①中,得:

$x + (9.2 - 0.9x) > 10$,

解得 $x > 8$.

由③综合得 $8 < x < 10$.

又因为 x 是整数,所以 $x = 9$.

把 $x = 9$ 代入④中,得 $y = 9.2 - 0.9 \times 9 = 1.1$.

答:一盒饼干的标价为9元,一袋牛奶的标价为1.1元.

例3 (2004·哈尔滨)建网就等于建一所学校,哈市慧明中学为加强现代信息技术课的教学,拟投资建一个初级计算机机房和一个高级计算机机房,每个计算机机房只配置1台教师用机,若干台学生用机,其中初级机房的教师用机每台8000元,学生用机每台3500元;高级机房的教师用机每台11500元,学生用机每台7000元,已知两机房购买计算机的总钱数相等,且每个机房购买计算机的总钱数不少于20万元,但不超过21万元,则该校拟建的两个机房各应有多少台计算机?

解:设初级机房有 x 台计算机,高级机房有 y 台计算机,

由题意可知:

$$\begin{cases} 0.8+0.35(x-1)=1.15+0.7(y-1), \\ 20\leq 0.8+0.35(x-1)\leq 21, \\ 20\leq 1.15+0.7(y-1)\leq 21. \end{cases}$$

解得

$$\begin{cases} x=2y, \\ 55\dfrac{6}{7}\leq x\leq 58\dfrac{5}{7}, \\ 27\dfrac{13}{14}\leq y\leq 29\dfrac{5}{14}. \end{cases}$$

因为 x,y 均为整数,所以 $x=56,57,58;y=28,29$.

又因为 $x=2y$,所以 $x=56,y=28$ 或 $x=58,y=29$.

答:该校拟建的初级机房有56台计算机,高级机房有28台计算机或初级机房有58台计算机,高级机房有29台计算机.

例4 (2004·新疆)用若干辆载重量为8 t的汽车运一批货物,若每辆汽车只装5 t,则剩下10 t的货物,若每辆汽车装8 t,则最后一辆汽车不空也不满,问有多少辆汽车?

解:设有 x 辆汽车,则共有货物 $(5x+10)$ t.

由题意可知:

$$0<(5x+10)-8(x-1)<8,$$

解这个不等式得 $3\dfrac{1}{3}<x<6$.

因为 x 是正整数,

所以 $x=4$ 或 5.

答:有4辆或5辆汽车.

【说明】 解本题要注意下列两个方面:

(1)对于问题的理解:①认真分析题意,依据题目中的不等关系列出不等式;②要抓住关键语句,用"最后一辆汽车不空也不满"去建立不等关系;③注意设未知数的技巧.

(2)本题也可以列出方程组 $\begin{cases} (5x+10)-8(x-1)<8, \\ (5x+10)-8(x-1)>0. \end{cases}$

例 5 (2004·青岛)水是人类最宝贵的资源之一,我国水资源人均占有量远远低于世界平均水平.为了节约用水,保护环境,学校于本学期初便制定了详细的用水计划.如果实际每天比计划多用 1 t 水,那么本学期的用水总量将会超过 2300 t,如果实际每天比计划节约 1 t 水,那么本学期的用水总量将不足 2100 t,如果本学期的在校时间按 110 天(22 周)计算,那么学校计划每天用水量应控制在什么范围?(结果保留四个有效数字)

解:设学校计划每天用水 x t.

由题意可知:

$$\begin{cases} 110(x+1) > 2300, \\ 110(x-1) < 2100, \end{cases}$$

解得 $\dfrac{219}{11} < x < \dfrac{221}{11}$,

所以 $19.91 < x < 20.09$.

答:学校计划每天用水量应控制在 $19.91 \sim 20.09$ t.

例 6 (2004·四川)不等式组 $\begin{cases} 2x > -3, \\ x-1 \leqslant 8-2x \end{cases}$ 的最小整数解是 ( )

A. -1 B. 0 C. 2 D. 3

〔分析〕 由 $2x > -3$ 得 $x > -\dfrac{3}{2}$,由 $x-1 \leqslant 8-2x$ 得 $x \leqslant 3$.所以这个不等式组的解集为 $-\dfrac{3}{2} < x \leqslant 3$,其整数解为 $-1,0,1,2,3$,故最小整数解为 -1,所以应选择 A.

例 7 (2004·宁夏)不等式 $2 \leqslant 3x-7 < 8$ 的解集是 ( )

A. $\dfrac{5}{3} \leqslant x < 5$ B. $3 < x \leqslant 5$

C. $-\dfrac{5}{3} \leqslant x < \dfrac{1}{3}$ D. $3 \leqslant x < 5$

〔分析〕 本题有两种解法.

方法 1:$2 \leqslant 3x-7 < 8$,$9 \leqslant 3x < 15$,

所以 $3 \leqslant x < 5$.

方法 2:原不等式化为 $\begin{cases} 2 \leqslant 3x-7, ① \\ 8 > 3x-7, ② \end{cases}$

由不等式①得 $x \geqslant 3$,

由不等式②得 $x < 5$,

所以这个不等式组的解集为 $3 \leqslant x < 5$.

故正确答案为 D.

例 8 (2005·天津)不等式组 $\begin{cases} 2x+7 > 3x-1, \\ x-2 \geqslant 0 \end{cases}$ 的解集为 ( )

A. $2 < x < 8$ B. $2 \leqslant x < 8$

C. $x < 8$ D. $x \geqslant 2$

〔分析〕 本题意在考查不等式组的解法,由不等式 $2x+7 > 3x-1$ 得 $x < 8$. 由不等式 $x-2 \geqslant 0$ 得 $x \geqslant 2$,故这个不等式组的解集是 $2 \leqslant x < 8$,故选 B.

例 9 (2005·湖南)不等式组 $\begin{cases} 2x > 4, \\ 6-x \geqslant 1 \end{cases}$ 的解集在数轴上可表示为(如图 9 - 37 所示) ( )

图 9 - 37

〔分析〕 本题考查解不等式组,并把解集在数轴上表示出来.由 $2x > 4$ 得 $x > 2$,由 $6-x \geqslant 1$ 得 $x \leqslant 5$,所以不等式组的解集为 $2 < x \leqslant 5$,在数轴上表示为 A 项.

答案:A

例 10 (2005·山东)不等式组 $\begin{cases} x+9 < 5x+1, \\ x > m+1 \end{cases}$ 的解集是 $x > 2$,则 m 的取值范围是 ( )

A. $m \leqslant 2$ B. $m \geqslant 2$ C. $m \leqslant 1$ D. $m > 1$

〔分析〕 由 $x+9 < 5x+1$ 得 $x > 2$,再由 $x > m+1$,得 $x > 2$,由不等式组的求解规则"小小取小,大大取大,大小小大取中间,小小大大是空集"可知 $2 \geqslant m+1$,所以 $m \leqslant 1$,故正确答案为 C 项.

例 11 (2005·四川)求不等式组 $\begin{cases} 3(x-1)+2 < 5x+3, \\ \dfrac{x-1}{2}+x \geqslant 3x-4 \end{cases}$ 的自然数解.

〔分析〕 求不等式的特殊解,首先求出其解集,再求特殊解.

解:解不等式 $3(x-1)+2 < 5x+3$ 得 $x > -2$,

解不等式 $\dfrac{x-1}{2}+x \geqslant 3x-4$ 得 $x \leqslant 2\dfrac{1}{3}$.

所以这个不等式组的解集为 $-2 < x \leqslant 2\dfrac{1}{3}$,它的自然数解为 $0,1,2$.

例 12 (2005·太原)解不等式组 $\begin{cases} 4x-10 < 0, & \text{①} \\ 5x+2 > 3x, & \text{②} \\ 11-2x \geqslant 1+3x. & \text{③} \end{cases}$

〔分析〕 这是一道由两个以上不等式组成的不等式组问题,解法与以前不等式组的解法相同.

解:解①得 $x < 2\dfrac{1}{2}$,

解②得 $x > -1$,

解③得 $x \leqslant 2$,

把不等式①②③的解集表示在数轴上如图 9 - 38 所示.

图 9 - 38

所以这个不等式组的解集是 $-1 < x \leqslant 2$.

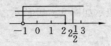 （2005·广东)解不等式组 $\begin{cases} 5x-1>3x-4, \\ -2 \leqslant 2-x, \end{cases}$ 并求它的整数解的和.

〔分析〕　这道题首先要解不等式,然后求出其整数解,再求其整数解之和.

解:解不等式 $5x-1>3x-4$ 得 $x>-\dfrac{3}{2}$,

解不等式 $-2 \leqslant 2-x$ 得 $x \leqslant 4$,

把这两个不等式的解集表示在数轴上,如图 9 - 39 所示.

图 9 - 39

所以这个不等式组的解集是 $-\dfrac{3}{2}<x \leqslant 4$.

它的整数解是 $-1,0,1,2,3,4$.

所以整数解的和为 $-1+0+1+2+3+4=9$.

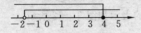 本节归纳

1. 本节学习了一元一次不等式组及解法,还学习了利用一元一次不等式组解决实际问题的方法,要会解一元一次不等式组,并会灵活应用一元一次不等式组解决与生活息息相关的实际问题.

2. 在学习过程中,要注意认真体会、对比和总结.

3. 通过学习要善于归纳、总结.例如,两个一元一次不等式组成的不等式组的解集可以直接按"同大取大,同小取小,大于小的小于大的取中间,大于大的小于小的是空集"这种方法求解.

习题选解　课本习题

课本第147~157页

习题9.3

1. 解:(1) $\begin{cases} x-1<3, & ① \\ x+1<3. & ② \end{cases}$

由①得 $x<4$.

由②得 $x<2$.

它们的解集在数轴上的表示如图 9-40 所示.

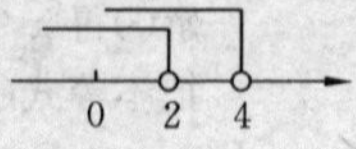

所以 $x<2$.

图 9-40

(2) $\begin{cases} x-1>3, & ① \\ x+1>3. & ② \end{cases}$

由①得 $x>4$.

由②得 $x>2$.

它们的解集在数轴上的表示如图 9-41 所示.

所以 $x>4$.

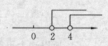

图 9-41

(3) $\begin{cases} x-1<3, & ① \\ x+1>3. & ② \end{cases}$

由①得 $x<4$.

由②得 $x>2$.

它们的解集在数轴上的表示如图 9-42 所示.

所以 $2<x<4$.

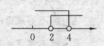

图 9-42

(4) $\begin{cases} x-1>3, & ① \\ x+1<3. & ② \end{cases}$

由①得 $x>4$.

由②得 $x<2$.

它们的解集在数轴上的表示如图 9-43 所示.

所以此不等式组无解.

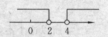

图 9-43

2. 解:(1) $\begin{cases} 2x-1>0, & ① \\ x+1<3. & ② \end{cases}$

由①得 $x>\dfrac{1}{2}$

由②得 $x<2$.

它们的解集在数轴上的表示如图 9-44 所示.

所以 $\dfrac{1}{2}<x<2$.

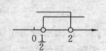

图 9-44

(2) $\begin{cases} -3x-1>3, & ① \\ 2x+1>3. & ② \end{cases}$

由①得 $x<-\dfrac{4}{3}$.

由②得 $x>1$.

它们的解集在数轴上的表示如图 9-45 所示.

所以此不等式组无解.

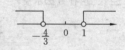

图 9-45

(3) $\begin{cases} 3(x-1)+13>5x-2(5-x),① \\ 5-(2x+1)<3-6x.② \end{cases}$

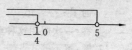

由①得 $x<5$.

由②得 $x<-\dfrac{1}{4}$.

图 9 - 46

它们的解集在数轴上的表示如图 9 - 46 所示.

所以 $x<-\dfrac{1}{4}$.

(4) $\begin{cases} x-3(x-2)\geqslant 4,① \\ \dfrac{1+2x}{3}>x-1.② \end{cases}$

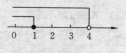

由①得 $x\leqslant 1$.

由②得 $x<4$.

图 9 - 47

它们的解集在数轴上的表示如图 9 - 47 所示.

所以 $x\leqslant 1$.

(5) $\begin{cases} x-3(x-2)\geqslant 4,① \\ \dfrac{2x-1}{5}>\dfrac{x+1}{2},② \end{cases}$

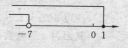

由①得 $x\leqslant 1$.

由②得 $x<-7$,

图 9 - 48

它们的解集在数轴上的表示如图 9 - 48 所示.

所以 $x<-7$.

(6) $\begin{cases} \dfrac{1}{2}(x+4)<2,① \\ \dfrac{x+2}{2}>\dfrac{x+3}{3}.② \end{cases}$

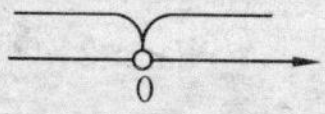

由①得 $x<0$.

由②得 $x>0$.

图 9 - 49

它们的解集在数轴上的表示如图 9 - 49 所示.

所以此不等式组无解.

4. 解:设进价为 x 元,根据题意,得

$10\%x\leqslant 150-x\leqslant 20\%x$.

所以 $125\leqslant x\leqslant 136\dfrac{4}{11}$.

答:进价的取值范围是 125 元 $\leqslant x\leqslant 136\dfrac{4}{11}$ 元.

6. 解:设一次服用这种药的剂量为 x mg,根据题意,得

$\dfrac{60}{4}\leqslant x\leqslant \dfrac{120}{3}$.

即 $15 \leqslant x \leqslant 40$.

答:一次服用这种药的剂量为不小于 15 mg 且不大于 40 mg.

7. 解:解不等式 $5x-1>3(x+1)$,得 $x>2$.

解不等式 $\dfrac{1}{2}x-1>3-\dfrac{3}{2}x$,得 $x>2$.

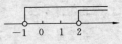

图 9 - 50

解不等式 $x-1<3x+1$,得 $x>-1$.

它们的解集在数轴上的表示如图 9 - 50 所示.

所以三个不等式的解集的公共部分为 $x>2$.

8. 解:解不等式 $2 \leqslant 3x-7<8$,

得 $9 \leqslant 3x<15$,

即 $3 \leqslant x<5$.

又因为 x 为整数,

所以 x 取 3,4.

9. 解:设有学生 x 人,根据题意,得

$0<3x+8-5(x-1)<3$,

所以 $5<x<6.5$.

又因为 x 为整数,所以 x 取 6.

$3 \times 6+8=26$(本).

答:有 6 名学生,26 本书.

复习题 9

1. 解:(1)$3(2x+7)>23$,

$6x+21>23$,

$6x>2$,

$x>\dfrac{1}{3}$.

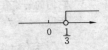

图 9 - 51

解集在数轴上的表示如图 9 - 51 所示.

(2)$12-4(3x-1) \leqslant 2(2x-16)$,

$12-12x+4 \leqslant 4x-32$,

$-16x \leqslant -32-12-4$,

$-16x \leqslant -48$,

$x \geqslant 3$.

图 9 - 52

解集在数轴上的表示如图 9 - 52 所示.

(3)$\dfrac{x+3}{5}<\dfrac{2x-5}{3}-1$,

$3x+9<10x-25-15$,

$-7x<-49$,

$x>7$.

图 9 - 53

解集在数轴上的表示如图 9 - 53 所示.

(4) $\dfrac{2x-1}{3}-\dfrac{3x-1}{2}\geqslant\dfrac{5}{12}$,

$8x-4-18x+6\geqslant5$,

$-10x\geqslant3$,

$x\leqslant-\dfrac{3}{10}$.

图 9 - 54

解集在数轴上的表示如图 9 - 54 所示.

3. 解：(1) $\begin{cases}2x+1>-1,① \\ 2x+1<3,②\end{cases}$

由①得 $x>-1$.

由②得 $x<1$.

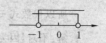

图 9 - 55

它们的解集在数轴上的表示如图 9 - 55 所示.

所以 $-1<x<1$.

(2) $\begin{cases}-(x-1)>3,① \\ 2x+9>3,②\end{cases}$

由①得 $x<-2$.

由②得 $x>-3$.

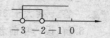

图 9 - 56

它们的解集在数轴上的表示如图 9 - 56 所示.

所以 $-3<x<-2$.

(3) $\begin{cases}3(x-1)+1>5x-2(1-x),① \\ 5-(2x-1)<-6x,②\end{cases}$

由①得 $x<0$.

由②得 $x<-\dfrac{3}{2}$.

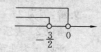

图 9 - 57

它们的解集在数轴上的表示如图 9 - 57 所示.

所以 $x<-\dfrac{3}{2}$.

(4) $\begin{cases}-3(x-2)\geqslant4-x,① \\ \dfrac{1+2x}{3}>x-1,②\end{cases}$

由①得 $x\leqslant1$.

由②得 $x<4$.

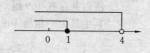

图 9 - 58

它们的解集在数轴上的表示如图 9 - 58 所示.

所以 $x\leqslant1$.

4. 解：不能. 理由如下：

由题意,得

$\dfrac{x+3}{5}>2x+3$,①

所以 $x < -\dfrac{4}{3}$.

$\dfrac{x+3}{5} > 1 - x$, ②

所以 $x > \dfrac{1}{3}$.

因为①与②的解集没有公共部分,

所以代数式 $\dfrac{x+3}{5}$ 的值不能同时大于代数式 $2x+3$ 和 $1-x$ 的值.

5. 解:不对,因为如果 a 是正数时正像赵军说的一样;如果 a 是负数,他说的就不成立,不符合不等式基本性质 3.

7. 解:由题意,得
$$10(v+3) < 12(v-3),$$
所以 $v > 33$.

答:v 要大于 33 千米/时.

8. 解:设一年前老张至少买了 x 只种兔,根据题意,得
$$x + 2 \leqslant \dfrac{2}{3}(2x-1),$$
所以 $x \geqslant 8$.

所以一年前老张至少买了 8 只种兔.

9. 解:因为 $2x-1$ 表示负奇数,

所以 $2x$ 表示非正偶数.

所以 x 为非正整数.

10. 解:设中间正整数为 x,则最小的为 $x-1$,最大的为 $x+1$,根据题意,得
$$x + x - 1 + x + 1 < 333,$$
$$3x < 333,$$
$$x < 111.$$
所以共存在 109 组.

其中最大一组为 109,110,111.

自我评价 知识巩固

1. 若 $a > b > c$,则不等式 $\begin{cases} x - a < 0, \\ x - b > 0, \\ x - c > 0 \end{cases}$ 的解集是 　　　　　(　　)

　A. $b < x < a$ 　　　　　　　　B. $x < a$

　C. $c < x < a$ 　　　　　　　　D. $x > b$

2. 一元一次不等式组 $\begin{cases} x > a, \\ x < b \end{cases}$ $(a \neq b)$ 的解集为空集,则 a 与 b 的关系是 　(　　)

A. $a<b$　　　　B. $a>b$　　　　C. $a>b>0$　　　　D. $a<b<0$

3. 不等式组 $\begin{cases} x+2>0, \\ x-4>0, \\ x-6<0 \end{cases}$ 的正整数解的个数是 　　　　　　（　　）

A. 1 个　　　　B. 2 个　　　　C. 3 个　　　　D. 无数个

4. 如果 $|x+1|=x+1$，$|3x+2|=-3x-2$，那么 x 的取值范围是 　　（　　）

A. $-1\leqslant x\leqslant -\dfrac{2}{3}$ 　　　　　　　　　B. $x\geqslant -1$

C. $x\leqslant -\dfrac{2}{3}$ 　　　　　　　　　D. $x\leqslant -1$，或 $x\geqslant -\dfrac{2}{3}$

5. 不等式组 $\begin{cases} 1-2x<2, \\ \dfrac{1}{2}x\geqslant 1 \end{cases}$ 的解集是 _____．

6. 不等式组 $\begin{cases} x<m, \\ x>n \end{cases}$ 的解集是 $n<x<m$ 的条件是 _____．

7. 若不等式组 $\begin{cases} x+2>a, \\ x-1<b \end{cases}$ 的解集为 $-1<x<2$，则 $a=$ _____，$b=$ _____．

8. 解下列不等式组．

(1) $\begin{cases} \dfrac{x+1}{5}<\dfrac{3-x}{5}, \\ \dfrac{2x-2}{3}>\dfrac{x}{3}+\dfrac{x-2}{4}; \end{cases}$ 　　　　(2) $\begin{cases} x-2<6(x+3), \\ 5(x-1)-6\geqslant 4(x+1); \end{cases}$

(3) $\begin{cases} 2x-1\geqslant 0, \\ 3x+1>0, \\ 3x-2<0; \end{cases}$ 　　　　(4) $\begin{cases} -3x<-2, \\ 3-2x>x+4, \\ 6-5x<2x-3. \end{cases}$

9. 已知三个非负数 a,b,c 满足 $3a+2b+c=5$ 和 $2a+b-3c=1$，若 $m=3a+b-7c$，求 m 的最大值和最小值．

☺评价标准☹

1. A　2. B　3. A　4. A　5. $x\geqslant 2$　6. $n<m$　7. 1　1

8. (1) 无解；　(2) $x\geqslant 15$；　(3) $\dfrac{1}{2}\leqslant x<\dfrac{2}{3}$；　(4) 无解．

9. 解：由已知条件，得 $\begin{cases} 3a+2b=5-c, \\ 2a+b=1+3c, \end{cases}$ 所以 $\begin{cases} a=7c-3, \\ b=7-11c. \end{cases}$

则 $m=3c-2$，由 $\begin{cases} a\geqslant 0, \\ b\geqslant 0, \\ c\geqslant 0, \end{cases}$ 得 $\begin{cases} 7c-3\geqslant 0, \\ 7-11c\geqslant 0, \\ c\geqslant 0. \end{cases}$

所以 $\dfrac{3}{7}\leqslant c\leqslant \dfrac{7}{11}$，故 m 的最大值为 $-\dfrac{1}{11}$，最小值为 $-\dfrac{5}{7}$．

章末总结

知识网络图示

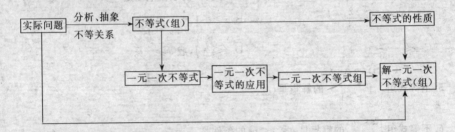

基本知识提炼整理

一、主要概念

1. 不等式

用不等号表示不等关系的式子,叫做不等式.

2. 不等式的解

能使不等式成立的未知数的值叫做不等式的解.

3. 不等式的解集

一个含有未知数的不等式的所有的解,组成这个不等式的解的集合,简称这个不等式的解集.

4. 解不等式

求不等式的解集的过程,叫做解不等式.

5. 一元一次不等式

只含有一个未知数,并且未知数的次数是 1 的不等式,叫做一元一次不等式.

6. 一元一次不等式组

几个一元一次不等式所组成的不等式组叫做一元一次不等式组.

7. 解一元一次不等式组

求不等式组的解集的过程叫做解一元一次不等式组.

二、主要性质

一般地说,不等式有三条基本性质:

(1)不等式两边加(或减)同一个数或(式子),不等号的方向不变.

(2)不等式两边乘(或除以)同一个正数,不等号的方向不变.

(3)不等式两边乘(或除以)同一个负数,不等号的方向改变.

三、求几个不等式解集的公共部分的规律

求几个不等式解集的公共部分的一般规律:

(1)同大取大.

(2)同小取小.

(3)大于小的且小于大的中间找.

(4)小于小的且大于大的是空集.

专题总结及应用

1. 求不等式(组)的整数解

例 1　求不等式 $4x-6 \geq 7x-15$ 的正整数解.

解:解不等式 $4x-6 \geq 7x-15$,得 $x \leq 3$.

所以原不等式的正整数解是 $1,2,3$.

【注意】　本题不要把 0 也写进去,也不要忽略带等号的情况,如 3 也是本例中要求的解.

例 2　有一个两位数,它的十位上的数字比个位上的数字小 2,如果这个两位数大于 20,并且小于 40,求这个两位数.

解法 1:设十位上的数字是 x,那么个位上的数字是 $x+2$,根据题意,得

$$20 < 10x+(x+2) < 40,$$

解这个不等式,得

$$1\frac{7}{11} < x < 3\frac{5}{11}.$$

其正整数值为 $2,3$.

当 $x=2$ 时,$x+2=4$,原两位数是 24;

当 $x=3$ 时,$x+2=5$,原两位数是 35.

答:这个两位数是 24 或 35.

解法 2:设十位上的数字是 x,个位上的数字是 y,根据题意,得

$$\begin{cases} y=x+2, & ① \\ 20 < 10x+y < 40, & ② \end{cases}$$

把①代入②,得

$$20 < 11x+2 < 40,$$

解得 $1\frac{7}{11} < x < 3\frac{5}{11}.$

以下同解法 1.

【说明】　本例还可以通过"心算"直接求解,心算的方法是:当两位数大于 20 并且小于 40 时,其十位数字只能是 2 和 3,当十位上的数字是 2 时,个位上的数字应是 4,原两位数是 24;当十位上的数字是 3 时,个位上的数字应为 5,原两位数是 35.

例 3　三个连续正整数的和小于 15,这样的正整数组共有多少? 把它们分别写出来.

解:设这三个连续的正整数是 $x,x+1,x+2$.根据题意,得

$$x+(x+1)+(x+2)<15,①$$

解得 $x<4$.

所以它的正整数解为 $x=1,2,3$.

得三组满足题意的正整数,

即 $1,2,3;2,3,4;3,4,5$.

【注意】 解此类题时,三个连续正整数可设为 $x-1,x,x+1$,但此时应注意 $x>1$.

2.一元一次不等式(组)中求参数的技巧

例 4 已知关于 x 的不等式组 $\begin{cases} x-b\leqslant 0, \\ 2x-4\geqslant 5 \end{cases}$ 的整数解共有 3 个,则 b 的取值范围是_____.

〔分析〕 化简不等式组,得 $\begin{cases} x\leqslant b, \\ x\geqslant 4.5. \end{cases}$

将其表示在数轴上如图 9 - 59 所示,其整数解有 3 个,即为 $x=5,6,7$.由图可知 $7\leqslant b<8$.

图 9 - 59

例 5 若不等式组 $\begin{cases} x+4<2x-\dfrac{1}{2}, \\ x>m \end{cases}$ 的解集是 $x>4\dfrac{1}{2}$,则 m 的取值范围是 ( )

A.$m\leqslant 4\dfrac{1}{2}$ B.$m=4\dfrac{1}{2}$ C.$m>4\dfrac{1}{2}$ D.$m\geqslant 4\dfrac{1}{2}$

〔分析〕 当一元一次不等式(组)化简后未知数含参数时,比较已知解集列不等式(组)或列方程来确定参数范围是一种常用技巧.

答案:A

例 6 若不等式组 $\begin{cases} x<2, \\ x<a \end{cases}$ 的解集是 $x<a$,则 a 的取值范围是 ( )

A.$a\leqslant 2$ B.$a=2$ C.$a>2$ D.$a\geqslant 2$

〔分析〕 根据不等式解集的法则:同小取小.对照已知解集 $x<a$,得 $a\leqslant 2$,故选 A.

例 7 若不等式 $\dfrac{1}{2}(3x-k)\geqslant x-k$ 的解集为 $x\geqslant -\dfrac{1}{2}$,求 k 的值.

解:化简不等式,得 $x\geqslant -k$,

比较已知解集 $x\geqslant -\dfrac{1}{2}$,得 $-k=-\dfrac{1}{2}$,

所以 $k=\dfrac{1}{2}$.

例 8 已知关于 x 的不等式 $(2-a)x>3$ 的解集为 $x<\dfrac{-3}{2-a}$,则 a 的取值范围是

( )

A. $a>0$ B. $a>2$ C. $a<0$ D. $a<2$

〔**分析**〕 分析本题解集,结合不等式性质3,则可知 $2-a<0$,即 $a>2$,故选 B.

3. 不等式(组)与方程(组)的解的类比

例 9 已知 $|3x-12|+(5x-y-15)^2=0$,z 为正整数,且满足 $5xz-10<3yz$,求 z 的值.

〔**分析**〕 应先确定 x,y 的值,然后解关于 z 的不等式,即可求得 z.

解: 因为 $|3x-12|+(5x-y-15)^2=0$,

所以 $\begin{cases} 3x-12=0, \\ 5x-y-15=0. \end{cases}$

所以 $x=4$,所以 $y=5x-15=5$.

将 $x=4$,$y=5$ 代入原不等式,得

$20z-10<15z$,即 $5z<10$,

所以 $z<2$.

又因为 z 为正整数,

故 $z=1$.

【**注意**】 本例先由条件构造了一个关于 x 和 y 的方程组,再构造关于 z 的一元一次不等式.

例 10 解不等式 $1.2(x+5)+4\left(\dfrac{3}{10}x+\dfrac{1}{5}\right)<-0.4$.

〔**分析**〕 既含有分数又含有小数的不等式,可将小数化为分数,也可将分数化为小数,但后者可能出现无限小数,所以常选择前者来解题.

解: 将小数全化成分数,

$\dfrac{6}{5}(x+5)+4\left(\dfrac{3}{10}x+\dfrac{1}{5}\right)<-\dfrac{2}{5}$,

两边同乘以10,得

$12(x+5)+40\left(\dfrac{3}{10}x+\dfrac{1}{5}\right)<-4$,

整理,得 $24x<-72$,

所以 $x<-3$.

例 11 已知两个正整数 $a,b,a>b$,且满足 $(a+b)^2=a^3+b^3$,求 a 与 b 的值.

〔**分析**〕 结合条件,把 a,b 的取值范围明确下来.

解: 因为 $a>b>0$,

所以 $a^3+b^3=(a+b)^2<(a+a)^2$.

即 $a^3+b^3<4a^2$,

所以 $(4-a)a^2>b^3$,

解得 $4-a>\dfrac{b^3}{a^2}>0$,即 $4-a>0$,

所以 $a<4$,则 a 可取 $3,2$.

若 $a=3$,则 $(3+b)^2=27+b^3$.

将 $b=2$,或 $b=1$ 代入上式,左边 $\neq$ 右边.

所以 $a\neq3$;

若 $a=2$,则 $(2+b)^2=8+b^3$.

把 $b=1$ 代入上式,左边 $=$ 右边.

故 $a=2,b=1$.

【注意】 本例中由 $a^3+b^3<4a^2$,得 $(4-a)a^2>b^3$,进一步得到 $4-a>\dfrac{b^3}{a^2}>0$ 很关键,正是由于这样的变化,我们才找到了 a 的可能值.

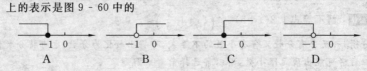

本章综合评价 走向成功

一、训练平台

1. 在方程组 $\begin{cases}2x-y=m,\\2y-x=1\end{cases}$ 中,若未知数 x,y 满足 $x+y>0$,则 m 的取值范围在数轴上的表示是图 9-60 中的 （　）

A. ────●──→　　B. ──○────→　　C. ───●──→　　D. ──○───→
　　　-1 0　　　　　　-1 0　　　　　　-1 0　　　　　-1 0
　　　A　　　　　　　　B　　　　　　　　C　　　　　　　　D

图 9-60

2. 已知关于 x 的不等式 $(1-a)x>2$ 的解集为 $x<\dfrac{2}{1-a}$,则 a 的取值范围是（　）

A. $a>0$ 　　　B. $a>1$ 　　　C. $a<0$ 　　　D. $a<1$

3. 如果不等式组 $\begin{cases}x>2m+1,\\x>m+2\end{cases}$ 的解集是 $x>-1$,那么 m 的值是 （　）

A. 1 　　　B. 3 　　　C. -1 　　　D. -3

4. 三个连续的自然数的和不大于 12,则符合条件的自然数有 （　）

A. 1 组 　　　B. 2 组 　　　C. 3 组 　　　D. 4 组

5. 已知关于 x 的不等式组 $\begin{cases}x<2,\\x>-1,\\x>a\end{cases}$ 无解,则 a 的取值范围是 （　）

A. $a \leqslant -1$ B. $a \geqslant 2$

C. $-1 < a < 2$ D. $a < -1$,或 $a > 2$

6. 若 $a < b$,则不等式组 $\begin{cases} x - a < 0, \\ x - b > 0 \end{cases}$ 的解集是 _____.

7. 已知 $a < 5$ 时,不等式 $ax \geqslant 5x + a + 1$ 的解集是 _____.

8. 不等式组 $\begin{cases} 3x - 2 > 4, \\ 2x + 3 > 5 \end{cases}$ 的解集是 _____.

9. 若 $\frac{1}{2} x^{2m-1} - 8 > 5$ 是一元一次不等式,则 $m =$ _____.

10. 已知一元一次方程 $3x - m + 1 = 2x - 1$ 的根是负数,那么 m 的取值范围是 _____.

二、探究平台

1. 已知 $6 < a < 10, \frac{a}{2} \leqslant b \leqslant 2a, c = a + b$,那么有   (　　)

A. $9 < c \leqslant 30$ B. $15 < c < 30$

C. $9 < c \leqslant 18$ D. $9 < c < 30$

2. 一种灭虫药粉30千克,含药率为 15%,现在要用含药率较高的同种灭虫药粉50千克和它混合,使混合后的含药率大于 20% 而小于 35%,则所用药粉的含药率 x 的范围是   (　　)

A. $15\% < x < 23\%$ B. $15\% < x < 35\%$

C. $23\% < x < 47\%$ D. $23\% < x < 50\%$

3. 代数式 $1 - \frac{x-2}{2}$ 的值不小于 $\frac{1+3x}{3}$ 的值,则 x 的取值范围是 _____.

4. 满足不等式组 $\begin{cases} \dfrac{x-1}{2} > -2, \\ 1 - \dfrac{1-x}{3} \geqslant x \end{cases}$ 的整数 x 的值为 _____.

5. 若关于 x 的不等式组 $\begin{cases} \dfrac{x+4}{3} > \dfrac{x}{2} + 1, \\ x + a < 0 \end{cases}$ 的解集为 $x < 2$,则 a 的取值范围是 _____.

6. 解下列不等式(组).

(1) $x - \frac{3x-8}{2} + 1 \geqslant 2(10-x)$;   (2) $\frac{x}{2} - \frac{5x+7}{3} \geqslant 1 - \frac{3x-5}{4}$;

(3) $\begin{cases} \dfrac{1}{2}x - \dfrac{1}{3}x > -1, \\ 2(x-3) - 3(x-2) < 0; \end{cases}$ (4) $5 \leqslant \frac{3x+5}{2} - 1 \leqslant 8$.

三、交流平台

1. 已知方程组 $\begin{cases} x + y = -7 - a, \\ x - y = 1 + 3a \end{cases}$ 的解 x 为非正数,y 为负数,求 a 的取值范围.

2. 已知正整数 x 满足 $\dfrac{x-2}{7}<0$,求代数式 $(x-3)^5-\dfrac{2}{x}$ 的值.

3. 若干名学生合影留念,需交照相费 2.85 元(有两张照片),如果另外加洗一张照片,又需收费 0.48 元,预定每人平均交钱不超过 1 元,并都能分到一张照片,问参加照相的至少有几位同学?

☺ 评价标准 ☹

一、1. B 2. B 3. D 4. D 5. B 6. 无解 7. $x\leqslant\dfrac{a+1}{a-5}$ 8. $x>2$ 9. 1 10. $m<2$

二、1. D 2. C 3. $x\leqslant\dfrac{10}{9}$ 4. $-2,-1,0,1$ 5. $a\leqslant-2$ 6. (1) $x\leqslant10$. (2) $x\leqslant-11$. (3) $x>0$. (4) $\dfrac{7}{3}\leqslant x\leqslant\dfrac{13}{3}$.

三、1. $-2<a\leqslant3$.

2. 提示:$x=1$,$(x-3)^5-\dfrac{2}{x}=-34$.

3. 解:设参加照相的至少有 x 位同学,根据题意,得

$2.85+(x-2)\times0.48\leqslant1\times x$,

所以 $x\geqslant3\dfrac{33}{52}$,即至少有 4 位同学参加照相.

第十章

实 数

一、课标要求与内容分析

1. 本章的课标要求是：了解平方根、算术平方根、立方根的概念，会用根号表示数的平方根、立方根；了解开方与乘方互为逆运算，会用平方运算求某些非负数的平方根，会用立方运算求某些数的立方根，会用计算器求平方根和立方根；了解无理数的概念，知道实数与数轴上的点一一对应；能用有理数估计一个无理数的大致范围。

2. 本章的主要内容是了解平方根、立方根、实数及相关的概念；会用根号表示并会求数的平方根、立方根；会进行有关实数的简单四则运算。本章知识为进一步学习二次根式、一元二次方程、函数等奠定了基础。

3. 教材从平面图形（正方形）和空间图形（正方体）出发，引出平方根和立方根以及相关的概念（开方运算、算术平方根），通过开方开不尽的数引出无理数的概念、实数的组成。这部分内容为今后的学习打下了基础，所以一定要牢牢掌握。

4. 本章的重点是平方根、算术平方根、立方根、无理数的概念及实数的分类。其中算术平方根的概念和无理数的建立是本章的一个难点。

二、学法指导

1. 学习本章的关键是密切联系生活实际，正确理解基本概念，在训练中加深对基本概念的理解。

2. 在本章的学习中，要深刻理解并掌握归纳的方法，并深入学习化归及分类讨论的思想。

10.1 平方根

教材解读　精华要义

数学与生活

一个正方体的表面积是 150 cm^2,求这个正方体的体积.

思考讨论　设这个正方体的棱长为 x cm,由题意可知,正方体的表面积＝6 × 一个面的面积,即 $6x^2＝150$,由等式的基本性质可知 $x^2＝150÷6＝25$.我们又知道 $(\pm 5)^2＝25$,所以 $x＝\pm 5$,因为 x 是正方体的棱长,所以 x 是正数,所以 $x＝5$,因此,这个正方体的体积是 $x^3＝5^3＝125(cm^3)$.

因为 $x^2＝25$,所以 $x＝\pm 5$,

如果 $x^2＝3$,那么如何求得 x 呢?

知识详解

知识点 1　算术平方根

一般地,如果一个正数 x 的平方等于 a,即 $x^2＝a$,那么这个正数 x 叫做 a 的算术平方根.a 的算术平方根记作 $\sqrt{a}$,读作"根号 a",即 $\sqrt{a}＝x$.规定:0 的算术平方根是 0,即 $\sqrt{0}＝0$.

【说明】　根据算术平方根的定义和规定可知,式子 $\sqrt{m}$ 中 $m \geqslant 0$.

知识点 2　平方根

一般地,如果一个数的平方等于 a,那么这个数叫做 a 的平方根或二次方根.即:

如果 $x^2 = a$,那么 x 叫做 a 的平方根.

如 $(\pm 4)^2 = 16$,所以 ± 4 是 16 的平方根.

【说明】 (1)显然一个正数有两个平方根,如 25 的平方根是 ± 5.根据前面算术平方根的意义可知:一个正数的两个平方根中,其中正的平方根就是它的算术平方根.如 5 是 25 的算术平方根,即 $\sqrt{25} = 5$,而 5 的相反数 -5 是 25 的另一平方根.

(2)非平方数的平方根可利用算术平方根来求得,比如 5 的算术平方根是 $\sqrt{5}$,而另一平方根是 $-\sqrt{5}$,所以 5 的平方根是 $\pm\sqrt{5}$.

探究交流

? $\sqrt{16} = \pm 4$,对吗?

点拨 混淆了算术平方根与平方根的概念.我们知道 $\sqrt{a}$ 表示一个非负数 a 的算术平方根,16 的平方根是 ± 4,而它的算术平方根是 4,即 $\sqrt{16} = 4$.

知识点 3 开平方

求一数 a 的平方根的运算,叫做开平方.

开平方像我们以前学过的乘、除一样,是一种运算,它和平方是互逆运算.

知识点 4 平方根的性质

正数有两个平方根,它们互为相反数;0 的平方根是 0;负数没有平方根.

例如:36 的平方根是 ± 6,6 和 -6 互为相反数;0 只有一个平方根,也是它的算术平方根;由于任何一个数的平方都不能是负数,所以负数没有平方根.

知识点 5 无限不循环小数

在小学我们知道 $\pi = 3.14159\cdots$ 是无限不循环小数,而今天学习了开平方运算后,我们会遇到许多无限不循环小数.例如,求 2 的算术平方根.我们知道 2 的算术平方根是 $\sqrt{2}$,$\sqrt{2}$ 有多大呢? $\sqrt{2} = 1.4142135\cdots$,它是无限不循环小数.所有的非平方数,如 3,5,7 等,它们开平方都是开不到尽头的,所以像 $\sqrt{3}$,$\sqrt{5}$,$\sqrt{7}$ 等都是无限不循环小数.

知识点 6 $(\pm\sqrt{a})^2 = a (a \geqslant 0)$

一个非负数的平方根的平方还等于这个数.如 $(\pm 3)^2 = 9$,而 ± 3 是 9 的平方根. $\pm\sqrt{a}(a \geqslant 0)$ 表示 a 的平方根.所以 $(\pm\sqrt{a})^2 = a$.

知识点 7 $\sqrt{a^2}$ 的化简

我们知道 $\sqrt{m}$ 表示非负数 m 的算术平方根,所以 $\sqrt{m} \geqslant 0 (m = 0$ 时,等号成立). 所以化简 $\sqrt{a^2}$ 时要考虑 a 的正负性.

当 $a > 0$ 时,$\sqrt{a^2} = a$,如 $\sqrt{3^2} = \sqrt{9} = 3$.

当 $a = 0$ 时,$\sqrt{a^2} = 0$.

当 $a<0$ 时，$\sqrt{a^2}=-a$，如 $\sqrt{(-3)^2}=\sqrt{9}=-(-3)=3$.

因此综合起来说，$\sqrt{a}=|a|$.

探究交流

? $\sqrt{(-4)^2}=-4$，对吗？

点拨 没有考虑算术平方根的意义，单纯地将平方与开方混淆，导致错误，实际上 $\sqrt{(-4)^2}=\sqrt{16}=4$.

知识规律小结 (1)正数 a 有两个平方根，即 $\pm\sqrt{a}$，其中 $\sqrt{a}$ 是 a 的算术平方根.

(2)0 的算术平方根及平方根都是 0.

(3)负数没有平方根.

(4)如果 a 是非平方数，那么 $\sqrt{a}$ 是无限不循环小数($a>0$).

(5)$(\pm\sqrt{a})^2=a(a\geqslant0)$.

(6)$\sqrt{a^2}=|a|$.

典例剖析 师生互动

基本概念题

主要考查对平方根概念的理解和平方根的求法.

例1 求下列各数的算术平方根.

(1)64；　(2)$\dfrac{9}{25}$；　(3)0.04；　(4)11.

〔分析〕 (1),(2),(3)都是平方数，即 $8^2=64$，$\left(\dfrac{3}{5}\right)^2=\dfrac{9}{25}$，$0.2^2=0.04$，所以算术平方根可求，而(4)是非平方数，借助于符号"$\sqrt{}$"表示即 $\sqrt{11}$.

解：(1)因为 $8^2=64$，所以 64 的算术平方根是 8.

(2)因为 $\left(\dfrac{3}{5}\right)^2=\dfrac{9}{25}$，所以 $\dfrac{9}{25}$ 的算术平方根是 $\dfrac{3}{5}$.

(3)因为 $0.2^2=0.04$，所以 0.04 的算术平方根是 0.2.

(4)因为 $(\sqrt{11})^2=11$，所以 11 的算术平方根是 $\sqrt{11}$.

例2 求下列各数的平方根.

(1)10^6；　(2)0.09；　(3)5.

〔分析〕 (1)$10^6=1000000$，而 $(\pm1000)^2=1000000$；(2)$(\pm0.3)^2=0.09$；

(3)$(\pm\sqrt{5})^2=5$. 所以平方根可求.

解：(1)因为 $(\pm10^3)^2=10^6$，所以 10^6 的平方根是 $\pm10^3$.

(2)因为 $(\pm0.3)^2=0.09$，所以 0.09 的平方根是 ±0.3.

(3)因为 $\left(\pm\sqrt{5}\right)^2 = 5$,所以 5 的平方根是 $\pm\sqrt{5}$.

例3 $\sqrt{45}$ 在哪两个整数之间?

〔分析〕 距离 45 最近的两个平方数是 36 和 49,而 $\sqrt{36}=6$,$\sqrt{49}=7$,所以可知 $\sqrt{45}$ 的整数范围.

解:因为 $36 < 45 < 49$,

所以 $\sqrt{36} < \sqrt{45} < \sqrt{49}$,

即 $6 < \sqrt{45} < 7$.

所以 $\sqrt{45}$ 在 6 和 7 之间.

例4 求下列各式的值.

(1)$\sqrt{3^2}$; (2)$\sqrt{(-5)^2}$; (3)$\left(\sqrt{6}\right)^2$; (4)$\left(-\sqrt{0.2}\right)^2$.

〔分析〕 $\sqrt{3^2}$ 即 $\sqrt{9}=3$;$\sqrt{(-5)^2}$ 即 $\sqrt{25}=5$;$\sqrt{6}$ 是 6 的算术平方根,所以 $\left(\sqrt{6}\right)^2 = 6$.而 $-\sqrt{0.2}$ 是 0.2 的一个平方根,所以 $\left(-\sqrt{0.2}\right)^2 = 0.2$.

解:(1)$\sqrt{3^2}=\sqrt{9}=3$.

(2)$\sqrt{(-5)^2}=\sqrt{25}=5$.

(3)$\left(\sqrt{6}\right)^2 = 6$.

(4)$\left(-\sqrt{0.2}\right)^2 = 0.2$.

基础知识应用题

主要考查运用平方根的意义解方程和解决简单的实际问题.

例5 求下列各式中的 x.

(1)$x^2 = 49$; (2)$2x^2 = 200$; (3)$3x^2 - 60 = 0$.

〔分析〕 (3)可化简为 $x^2 = 20$.本例中的 x 分别是 49,100,20 的平方根,所以 x 可求.

解:(1)因为 $x^2 = 49$,所以 $x = \pm 7$.

(2)化简,得 $x^2 = 100$,所以 $x = \pm 10$.

(3)化简,得 $x^2 = 20$,所以 $x = \pm\sqrt{20}$.

例6 自由下落物体的高度 h(m)与下落时间 t(s)的关系式是 $h = 4.9t^2$.今有一个物体从 100 m 高的建筑物上自由落下,到达地面需多少时间?(精确到 0.01 s)

〔分析〕 由 $h = 4.9t^2$,可知 $t^2 = \dfrac{h}{4.9}$.根据算术平方根的意义,知 $t = \sqrt{\dfrac{h}{4.9}}$,再将 h 代入,用计算器便可求 t.

解:由 $h = 4.9t^2$,可得

$t = \sqrt{\dfrac{h}{4.9}}$,因为 $h = 100$ m,

所以 $t = \sqrt{\dfrac{100}{4.9}} \approx 4.52(\mathrm{s})$.

答:从 100 m 高的建筑物上自由落下的物体到达地面约需 4.52 s.

综合应用题

本节知识的综合应用包括:(1)与方程的综合应用;(2)与绝对值的综合应用;(3)与物理学的综合应用.

例 7 求下列各式中的 x.

(1)$2(2x-1)^2 - 14 = 0$;   (2)$3\left(\dfrac{1}{3}x+2\right)^2 - 9 = 0$.

〔分析〕 首先把 $2x-1$ 和 $\dfrac{1}{3}x+2$ 看作一个整体,通过化简可得 $(2x-1)^2 = 7$, $\left(\dfrac{1}{3}x+2\right)^2 = 3$. 所以 $2x-1$ 便是 7 的平方根, $\dfrac{1}{3}x+2$ 便是 3 的平方根. 所以 $2x-1 = \pm\sqrt{7}$, $\dfrac{1}{3}x+2 = \pm\sqrt{3}$, 再分别求 x.

解:(1)$2(2x-1)^2 - 14 = 0$,

化简,得 $(2x-1)^2 = 7$,

所以 $2x-1 = \pm\sqrt{7}$.

当 $2x-1 = \sqrt{7}$ 时, $2x = \sqrt{7}+1$, $x = \dfrac{\sqrt{7}+1}{2}$.

当 $2x-1 = -\sqrt{7}$ 时, $2x = 1-\sqrt{7}$, $x = \dfrac{1-\sqrt{7}}{2}$.

(2)$3\left(\dfrac{1}{3}x+2\right)^2 - 9 = 0$,

化简,得 $\left(\dfrac{1}{3}x+2\right)^2 = 3$,

所以 $\dfrac{1}{3}x+2 = \pm\sqrt{3}$.

当 $\dfrac{1}{3}x+2 = \sqrt{3}$ 时, $\dfrac{1}{3}x = \sqrt{3}-2$, $x = 3(\sqrt{3}-2)$.

当 $\dfrac{1}{3}x+2 = -\sqrt{3}$ 时, $\dfrac{1}{3}x = -\sqrt{3}-2$, $x = -3(\sqrt{3}+2)$.

例 8 已知 $5:x = x:7$,求 x.

〔分析〕 解此题的根据是比例的基本性质:内项之积等于外项之积.

解:因为 $5:x = x:7$,所以 $x^2 = 35$,

所以 $x = \pm\sqrt{35}$.

例 9 已知 $\sqrt{a+1} + \sqrt{b-1} = 0$,求 $a^{100} + b^{101}$.

〔分析〕 $\sqrt{a+1}$ 非负, $\sqrt{b-1}$ 非负,而它们的和为 0,所以 $\sqrt{a+1} = 0$, $\sqrt{b-1} =$

0,即 $a+1=0,b-1=0$,从而可求出 a,b,再求 $a^{100}+b^{101}$.

解:因为 $\sqrt{a+1}+\sqrt{b-1}=0$,且 $\sqrt{a+1}\geqslant0,\sqrt{b-1}\geqslant0$,

所以 $\sqrt{a+1}=0,\sqrt{b-1}=0$.

所以 $a+1=0,a=-1$,

$b-1=0,b=1$.

所以 $a^{100}+b^{101}=(-1)^{100}+1^{101}=1+1=2$.

学生做一做 已知 $\sqrt{4-a}$ 有意义,化简 $|4-a|-|a-2|$.

老师评一评 因为欲对 $|4-a|-|a-2|$ 进行化简,需求出 a 的取值范围,又因为 $\sqrt{4-a}$ 有意义,它表示 $4-a$ 的算术平方根,由算术平方根的性质可知,$4-a\geqslant0$,所以 $a\leqslant4$,所以 $a-2$ 分两种情况,即当 $2\leqslant a\leqslant4$ 时,原式$=(a-4)-(a-2)=-2$,当 $a<2$ 时,原式$=(4-a)-(2-a)=4-a+a-2=2$.所以原式的值是 ±2.

例 10 在物理学中,电流做功的功率 $P=I^2R$,试用含 P,R 的式子表示 I,并求当 $P=25,R=4$ 时,I 的值.

〔分析〕 根据实际情况,求得 I 的值是一个算术平方根,不能取负值.

解:因为 $P=I^2R$,所以 $I^2=\dfrac{P}{R}$,

所以 $I=\sqrt{\dfrac{P}{R}}$.

当 $P=25,R=4$ 时,

$I=\sqrt{\dfrac{P}{R}}=\sqrt{\dfrac{25}{4}}=\dfrac{5}{2}$.

探索与创新题

例 11 计算下列各组算式,观察每组之间有什么关系,并把这个规律总结出来,然后完成后面的填空.

(1) $\sqrt{4}\times\sqrt{9}$ 与 $\sqrt{4\times9}$;

(2) $\sqrt{16}\times\sqrt{25}$ 与 $\sqrt{16\times25}$;

(3) $\sqrt{0.01}\times\sqrt{0.04}$ 与 $\sqrt{0.01\times0.04}$;

(4) $\sqrt{\dfrac{1}{4}}\times\sqrt{\dfrac{16}{9}}$ 与 $\sqrt{\dfrac{1}{4}\times\dfrac{16}{9}}$;

(5) $\sqrt{2}\times\sqrt{3}=$ _____;

(6) $\sqrt{5}\times\sqrt{a}=$ _____.

〔分析〕 通过计算发现每组两个算式的值都相等.因此发现的规律是 $\sqrt{a}\cdot\sqrt{b}=\sqrt{ab}$,所以 $\sqrt{2}\times\sqrt{3}=\sqrt{6}$,$\sqrt{5}\times\sqrt{a}=\sqrt{5a}$.

解:(1) $\sqrt{4}\times\sqrt{9}=2\times3=6$,$\sqrt{4\times9}=\sqrt{36}=6$.

(2) $\sqrt{16} \times \sqrt{25} = 4 \times 5 = 20$，$\sqrt{16 \times 25} = \sqrt{400} = 20$．

(3) $\sqrt{0.01} \times \sqrt{0.04} = 0.1 \times 0.2 = 0.02$，$\sqrt{0.01 \times 0.04} = 0.02$．

(4) $\sqrt{\dfrac{1}{4}} \times \sqrt{\dfrac{16}{9}} = \dfrac{1}{2} \times \dfrac{4}{3} = \dfrac{2}{3}$，$\sqrt{\dfrac{1}{4} \times \dfrac{16}{9}} = \sqrt{\dfrac{4}{9}} = \dfrac{2}{3}$．

规律 $\sqrt{a} \cdot \sqrt{b} = \sqrt{ab}$．

所以 $\sqrt{2} \times \sqrt{3} = \sqrt{6}$，$\sqrt{5} \times \sqrt{a} = \sqrt{5a}$．

例 12 利用计算器求 $\sqrt{0.02}$，$\sqrt{0.2}$，$\sqrt{2}$，$\sqrt{20}$，$\sqrt{200}$，$\sqrt{2000}$（保留四个有效数字），你从中能发现什么规律吗？

〔分析〕 $\sqrt{0.02} \approx 0.1414$，$\sqrt{0.2} \approx 0.4472$，$\sqrt{2} \approx 1.414$，$\sqrt{20} \approx 4.472$．

观察 0.02 的算术平方根和 2 的算术平方根是小数点相差一位．

而 0.2 的算术平方根和 20 的算术平方根也是小数点相差一位．

而 0.02 和 2，0.2 和 20 的小数点相差两位．

因此小数点相差 2 位的，算术平方根的小数点相差 1 位．

也可以看作被开方数的小数点每向左或向右移动 2 位时，算术平方根的小数点就相应地向左或向右移动 1 位．

解：$\sqrt{0.02} \approx 0.1414$，

$\qquad \sqrt{0.2} \approx 0.4472$，

$\qquad \sqrt{2} \approx 1.414$，

$\qquad \sqrt{20} \approx 4.472$，

$\qquad \sqrt{200} \approx 14.14$，

$\qquad \sqrt{2000} \approx 44.72$．

被开方数的小数点向左或向右移动 $2n$ 位时，算术平方根的小数点就相应地向左或向右移动 n 位（n 为正整数）．

例 13 请你观察并思考下列计算过程．

因为 $11^2 = 121$，所以 $\sqrt{121} = 11$；同样，因为 $111^2 = 12321$，所以 $\sqrt{12321} = 111$ ……由此可以猜想 $\sqrt{12345678987654321} = $ _____．

〔分析〕 $\sqrt{121} = 11$，$\sqrt{12321} = 111$，$\sqrt{1234321} = 1111$，$\sqrt{123454321} = 11111$ ……由此可以归纳出 $\sqrt{12345678987654321} = 111111111$．

学生做一做 观察 $\sqrt{25} = 5$，$\sqrt{1225} = 35$，$\sqrt{112225} = 335$，$\sqrt{11122225} = 3335$，根据上述规律，写出表示这个规律的等式．

例 14 已知 $9 + \sqrt{13}$ 与 $9 - \sqrt{13}$ 的小数部分分别是 a 和 b，求 $a + b$ 的值．

〔分析〕 因为一个数等于整数部分＋小数部分，所以，求一个数的小数部分，首先要求出整数部分．

解:因为 $9<13<16$,

所以 $\sqrt{9}<\sqrt{13}<\sqrt{16}$.

即 $3<\sqrt{13}<4$,

所以 $12<\sqrt{13}+9<13$,即 $\sqrt{13}+9$ 的整数部分为 12,

所以 $a=\sqrt{13}+9-12=\sqrt{13}-3$.

同理,$5<9-\sqrt{13}<6$,即 $9-\sqrt{13}$ 的整数部分为 5,

所以 $b=9-\sqrt{13}-5=4-\sqrt{13}$.

所以 $a+b=(\sqrt{13}-3)+(4-\sqrt{13})=1$.

易错与疑难题

例 15 求 $\sqrt{4}$ 的算术平方根.

错解:$\sqrt{4}$ 的算术平方根是 2.

〔分析〕 审题不够仔细,误当成 $\sqrt{4}=2$.实际上本题是求 2 的算术平方根.

正解:$\sqrt{4}$ 的算术平方根是 $\sqrt{2}$.

例 16 已知 $x^2=\dfrac{4}{9}$,求 x.

错解:$x=\dfrac{2}{3}$.

〔分析〕 忽略了一个正数有两个平方根.只求出一个正的平方根,漏掉了负的平方根,从而出错.

正解:$x=\pm\dfrac{2}{3}$.

例 17 当 $m<n$ 时,化简 $\sqrt{(m-n)^2}$.

错解:$\sqrt{(m-n)^2}=m-n$.

〔分析〕 未考虑 $m-n$ 是正数还是负数,只顾盲目地将平方与开平方抵消而导致出错.事实上,$\sqrt{a}$ 是非负数,而 $m<n$,所以 $m-n<0$,所以 $\sqrt{(m-n)^2}=-(m-n)$ $=n-m$.

正解:因为 $m<n$,所以 $m-n<0$.

所以 $\sqrt{(m-n)^2}=|m-n|=-(m-n)=n-m$.

例 18 若 $x>0$,试比较 x 与 $\sqrt{x}$ 的大小.

错解:$x>\sqrt{x}$.

〔分析〕 受大于 1 的正数的影响,而没有全面考虑问题.事实上,0 和 1 之间的数的平方比本身小,因此算术平方根比本身大,所以本题应分情况讨论.

正解:当 $x>1$ 时,$x>\sqrt{x}$;

当 $x=1$ 时，$x=\sqrt{x}$；

当 $0<x<1$ 时，$x<\sqrt{x}$.

中考展望　点击中考

中考命题总结与展望

本节是中考命题的一个采分点，常以填空题或选择题的形式出现 $2\sim3$ 分，以考查对平方根、算术平方根的概念的理解程度为主.

中考试题预测

例1 (2004·广东)在 $y=3x^2-\dfrac{4x-5}{\sqrt{2x-1}}$ 中，x 的取值范围是 _____.

〔分析〕 欲使该等式有意义，则必有 $2x-1>0$，所以 $x>\dfrac{1}{2}$.

例2 (2004·新疆)$\sqrt{81}$ 的算术平方根是 （ ）

A. ±9　　　　B. 9　　　　C. ±3　　　　D. 3

〔分析〕 因为 $\sqrt{81}$ 表示 81 的算术平方根，所以 $\sqrt{81}=9$，又因为 9 的算术平方根是 3，所以 $\sqrt{81}$ 的算术平方根是 3，故正确答案为 D.

例3 (2004·黄冈)$-\sqrt{3}$ 的绝对值是 _____，$-3\dfrac{1}{2}$ 的倒数是 _____，$\dfrac{4}{9}$ 的平方根是 _____.

〔分析〕 $-\sqrt{3}$ 的绝对值是 $\sqrt{3}$，$-3\dfrac{1}{2}$ 的倒数是 $-\dfrac{2}{7}$，$\dfrac{4}{9}$ 的平方根是 $\pm\dfrac{2}{3}$.

例4 (2004·黑龙江)$y=\dfrac{1}{\sqrt{x-3}}+\sqrt{5-x}$ 中的 x 的取值范围是 _____.

〔分析〕 此题根据平方根的定义，被开方数为非负数，同时考虑分母不等于零，求 n 个不等式的公共解，由题意可知 $\begin{cases} x-3>0,① \\ 5-x\geqslant0,② \end{cases}$

由①得 $x>3$，由②得 $x\leqslant5$，所以 x 的取值范围是 $3<x\leqslant5$.

例5 (2005·重庆)计算 $(\sqrt{2})^2=$ _____.

〔分析〕 因为 $\sqrt{2}$ 是 2 的算术平方根，所以 $(\sqrt{2})^2=2$.

课堂小结　本节归纳

1. 本节学习了算术平方根的意义、开方运算、平方根的性质.

2. 一个正数有两个平方根，其中正的平方根就是它的算术平方根，0 的平方根是 0.

3. 开平方运算是一种新的运算,它和以前学习过的平方运算互为逆运算.

习题选解 课本习题

课本第167~168页

习题10.1

2. 解:(1)有意义,表示 3 的一个平方根.

(2)无意义,负数没有平方根,也没有算术平方根.

(3)有意义,表示$(-3)^2$ 的算术平方根.

(4)有意义,表示$\dfrac{1}{10^2}$ 的算术平方根.

3. (1)± 15; (2)$\pm\dfrac{1}{10^3}$; (3)$\pm\dfrac{11}{12}$; (4)$\pm\dfrac{3}{19}$.

5. (1)约29.44; (2)约0.6801; (3)约-0.5657; (4)约$\pm$49.01.

7. (1)± 16.4; (2)16.9 (3)在 16.4 和 16.5 之间,因为 $16.4^2=268.96,16.5^2$ $=272.25$; (4)16.1.

8. (1)$x=\pm 5$; (2)$x=\pm 9$; (3)$x=\pm\dfrac{6}{5}$.

10. 2 倍;3 倍;$\sqrt{n}$倍.

11. (1)2;3;5;6;7;0;$|a|$.

(2)4;9;25;36;49;0;a.

12. 越来越接近 1.

自我评价 知识巩固

1. 0.36 的算术平方根是 ( )

A. 0.6　　　　B. -0.6　　　　C. ± 0.6　　　　D. 0.06

2. 下列各数没有平方根的是 ( )

A. 0　　　　B. 10^2　　　　C. 10^{-2}　　　　D. -1

3. $\sqrt{49}$等于 ( )

A. 7　　　　B. -7　　　　C. ± 7　　　　D. 4.9

4. $\sqrt{(-6)^2}$等于 ( )

A. -6　　　　B. 6　　　　C. ± 6　　　　D. 36

5. $\sqrt{16}$的算术平方根是 ( )

A. 4　　　　B. -4　　　　C. 2　　　　D. -2

6. 如果 b 是一个数的平方数,那么与这个数相邻且比它大的那个数的平方数是 ( )

A. $\sqrt{b}+1$ B. b^2+1

C. $(b+1)^2$ D. $(\sqrt{b}+1)^2$

7. 若 $\sqrt{4x+1}$ 有意义，则 x 能取的最小整数为   （　　）

A. 0   B. 1   C. -1 D. -4

8. 如图 10 - 1 所示的是数 a 在数轴上的位置，则下列各式有意义的是   （　　）

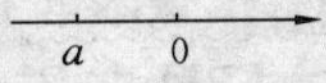

图 10 - 1

A. $\sqrt{a}$ B. $\sqrt{-a}$

C. $\sqrt{-a^2}$ D. $-\sqrt{a}$

9. 若 $a>1$，则比较 a 与 $\sqrt{a}$ 的大小正确的是   （　　）

A. $a>\sqrt{a}$ B. $a<\sqrt{a}$

C. $a>\sqrt{a}$，或 $a<\sqrt{a}$ D. 不能确定

10. 15 的平方根是   （　　）

A. $\sqrt{15}$ B. $\pm\sqrt{15}$

C. $-\sqrt{15}$ D. 没有平方根

11. $\sqrt{81}$ 表示   （　　）

A. 81 的平方根   B. 9 的平方根

C. 81 的算术平方根   D. 9 的算术平方根

12. 下列各式中，求值正确的是   （　　）

A. $\pm\sqrt{\dfrac{16}{25}}=\pm\dfrac{4}{5}$ B. $\pm\sqrt{\dfrac{16}{25}}=\dfrac{4}{5}$

C. $\pm\sqrt{\dfrac{16}{25}}=\pm\dfrac{8}{5}$ D. $-\sqrt{(-9)^2}=9$

13. $-\sqrt{225}$ 等于   （　　）

A. -15 B. 15

C. ±15 D. 无意义

14. 下列说法正确的是   （　　）

A. 6 的平方根是 $\pm\sqrt{6}$ B. 6 的平方根是 $\sqrt{6}$

C. -6 的平方根是 $\pm\sqrt{6}$ D. -6 的算术平方根是 $\sqrt{6}$

15. a 有两个平方根，且 $|a|=3$，则 a 是   （　　）

A. 3   B. -3

C. ±3 D. 不存在

16. 在 $49,-5,0,(-3)^2,-3^2,10^{-3}$ 这些数中，无平方根的有   （　　）

A. 1 个   B. 2 个   C. 3 个   D. 4 个

17. 如果 $\sqrt{5}\approx2.236$，那么 $\sqrt{500}\approx$ _____.

18. 若 $\sqrt{m}=1.4$，则 $m=$ _____；若 $\sqrt{y}=5$，则 $y=$ _____.

19. $5x+4$ 的平方根是 ±2，则 $x=$ _____.

20. $\sqrt{6}$ 的小数部分是 _____.

21. 求下列各式中的 x.

(1) $9x^2=64$；　　　　　　(2) $\frac{1}{2}(x-1)^2=18$.

22. 已知 $\sqrt{2x+y-8}+\sqrt{x+2y-10}=0$，求 x,y 的值.

23. 有一个正方体，表面积是 $294\ \text{cm}^2$，那么这个正方体的棱长是多少？

24. $\sqrt{3a+1}+|b-1|=0$，求 a^3+b^{2005} 的值.

25. 当一个圆的面积增大到原来的 n 倍时，它的半径增大到原来的几倍？

26. (1)观察下列横线上应填什么符号，并完成下面的填空.

$$\sqrt{2\frac{2}{3}}\underline{\quad\quad}2\sqrt{\frac{2}{3}};\qquad\sqrt{3\frac{3}{8}}\underline{\quad\quad}3\sqrt{\frac{3}{8}};$$

$$\sqrt{4\frac{4}{15}}\underline{\quad\quad}4\sqrt{\frac{4}{15}};\qquad\sqrt{5\frac{(\quad)}{(\quad)}}=5\sqrt{\frac{(\quad)}{(\quad)}};$$

$$\sqrt{(\quad)\frac{(\quad)}{35}}=(\quad)\sqrt{\frac{(\quad)}{(\quad)}}.$$

(2)上面的规律总结公式为 _____.

😊评价标准😟

1. A　2. D　3. A　4. B　5. C　6. D　7. A　8. B　9. A　10. B　11. C　12. A　13. A

14. A　15. A　16. B　17. 22.36　18. 1.96　25　19. 0　20. $\sqrt{6}-2$

21. (1) $x=\pm\dfrac{8}{3}$；

(2)解：化简，得 $x-1=\pm6$，所以 $x=7$，或 $x=-5$.

22. 解：根据题意，得 $\begin{cases}2x+y-8=0,\\x+2y-10=0,\end{cases}$

解方程组，得 $\begin{cases}x=2,\\y=4.\end{cases}$

23. 提示：一个面的面积为 $294\div6=49$，棱长为 $\sqrt{49}=7(\text{cm})$.

24. 解：根据题意，得 $3a+1=0,b-1=0$，所以 $a=-\dfrac{1}{3},b=1$，

所以 $a^3+b^{2005}=\left(-\dfrac{1}{3}\right)^3+1^{2005}=1-\dfrac{1}{27}=\dfrac{26}{27}$.

25. 解：设原来的半径为 r_1，面积为 S_1，则 $S_1=\pi r_1^2$.

面积增大到原来的 n 倍后，半径为 r_2，则 $nS_1=\pi r_2^2$，

则 $\dfrac{nS_1}{S_1}=\dfrac{\pi r_2^2}{\pi r_1^2}$，

所以 $\dfrac{r_2{}^2}{r_1{}^2}=n$, $r_2{}^2=n\cdot r_1{}^2$, $r_2=\sqrt{n}r_1$,

所以半径增大到原来的 $\sqrt{n}$ 倍.

26. (1) ＝ ＝ ＝ $\sqrt{5\dfrac{5}{24}}=5\sqrt{\dfrac{5}{24}}$ $\sqrt{6\dfrac{6}{35}}=6\sqrt{\dfrac{6}{35}}$

(2) $\sqrt{n+\dfrac{n}{n^2-1}}=n\sqrt{\dfrac{n}{n^2-1}}$ (n 为大于 1 的正整数)

10.2　立方根

新课指南

1. **知识与技能**：了解立方根与开立方的意义,会通过运用立方运算来求一个数的立方根或运用计算器求一个数的立方根,会检验一个数是否是某数的立方根.

2. **过程与方法**：通过对实际问题的探索,推出立方根的概念,获取求立方根的方法,体会用尝试、检验的方法寻求立方根,并用立方运算来验证开立方的正确性.

3. **情感态度与价值观**：体验运用所学知识解决问题的必要性,激发学生求立方根方法的积极性,渗透特殊———一般———特殊的思想方法.

4. **重点与难点**：重点是立方根的概念及求法,难点是立方根与平方根的区别.

教材解读　精华要义

数学与生活

要制作一种容积为 27 m³ 的正方体形状的包装箱,这种包装箱的边长应该是多少?

思考讨论　设这种包装箱的边长为 x m,由正方体的体积公式可得 $x^3=27$,这就是求一个数,使它的立方等于 27. 因为 $3^3=27$,所以 $x=3$.

与平方根类似相比较,x 是 27 的什么?

知识详解

知识点 1　立方根的概念

一般地,如果一个数的立方等于 a,那么这个数叫做 a 的立方根或三次方根. 即:如果 $x^3=a$,那么 x 叫做 a 的立方根.

例如,$3^3=27$,3 是 27 的立方根;$(-3)^3=-27$,-3 是 -27 的立方根.

知识点2 开立方运算

求一个数的立方根的运算,叫做开立方.

【说明】(1)开立方和开平方一样也是一种运算,开立方和立方互为逆运算.

(2)求一个数 n 次方根的运算叫做开方(n 为大于 1 的正整数,负数没有偶次方根),开方和乘方互为逆运算.

知识点3 立方根的表示

数 a 的立方根表示为 $\sqrt[3]{a}$,读作"三次根号 a".

例如,27 的立方根是 3,即 $\sqrt[3]{27}=3$;2 的立方根表示为 $\sqrt[3]{2}$.

【说明】(1)$\sqrt[3]{-27}=-3$,$-\sqrt[3]{27}=-3$,所以 $\sqrt[3]{-27}=-\sqrt[3]{27}$.所以有 $\sqrt[3]{-a}=-\sqrt[3]{a}$.事实上,$\sqrt[3]{-a}$ 表示 $-a$ 的立方根,$-\sqrt[3]{a}$ 表示 a 的立方根的相反数.

(2)一个数 a 的 n 次方根表示为 $\sqrt[n]{a}$(n 为偶数时 $a\geqslant 0$).当 $n=2$ 时,即 $\sqrt[2]{a}$ 表示 a 的算术平方根,此时 2 可省略不写,即 $\sqrt{a}$.当 n 为大于 2 的整数时不能省略,如 $\sqrt[3]{a}$ 等.

知识点4 立方根的性质

正数的立方根是正数;负数的立方根是负数;0 的立方根是 0.

例如,$\sqrt[3]{8}=2$;$\sqrt[3]{-8}=-2$.

探究交流

❓ $\sqrt[3]{-3}$ 没有意义,对吗?

点拨 和平方根相混淆,负数没有平方根,但负数有立方根,所以 $\sqrt[3]{-3}$ 表示 -3 的立方根.

思想方法小结 类比法:类比法是一种在两个或两类不同对象之间,或者在事物与事物之间,根据它们某些方面的相似之处进行比较,通过联想和预测,可推断出它们在其他方面也可能相似,从而去建立猜想和发现真理的方法.

例如,负数没有平方根,但负数有立方根.通过类比可猜想,负数没有 4 次方根,没有 6 次方根,即负数没有偶次方根.事实上,任何数的偶次方都不能为负数,所以负数一定没有偶次方根.负数的奇次方为负数,所以负数的奇次方根为负数.通过类比还可以猜出正数有两个偶次方根,它们互为相反数.因此,类比法在数学的学习和研究中十分重要,我们要善于利用.

知识规律小结 (1)$\sqrt[3]{a^3}=a$,$(\sqrt[3]{a})^3=a$.

(2)立方根等于本身的数有 1,0,-1.

(3)正数的立方根是正数;负数的立方根是负数;0 的立方根是 0.

(4)互为相反数的立方根仍是互为相反数,反之,也成立.

典例剖析 师生互动

基本概念题

主要考查对立方根概念的理解.

例 1 求下列各式的值.

(1) $\sqrt[3]{-125}$; (2) $\sqrt[3]{\dfrac{343}{64}}$; (3) $-\sqrt[3]{0.008}$.

〔分析〕 (1)因为 $(-5)^3 = -125$,所以 -125 的立方根为 -5.

(2)因为 $\left(\dfrac{7}{4}\right)^3 = \dfrac{343}{64}$,所以 $\dfrac{343}{64}$ 的立方根为 $\dfrac{7}{4}$.

(3)可先求 $\sqrt[3]{0.008}$,然后再加负号. $0.2^3 = 0.008$,所以 0.008 的立方根是 0.2.

解:(1) $\sqrt[3]{-125} = -5$.

(2) $\sqrt[3]{\dfrac{343}{64}} = \dfrac{7}{4}$.

(3) $-\sqrt[3]{0.008} = -0.2$.

基础知识应用题

主要考查对立方根概念的应用.

例 2 计算.

(1) $\left(\sqrt[3]{-\dfrac{1}{27}}\right)^2$; (2) $\sqrt[3]{1-\dfrac{7}{8}}$; (3) $\sqrt[3]{2 \times 9 \times 12}$.

〔分析〕 (1)先求 $-\dfrac{1}{27}$ 的立方根,再平方.

(2)先求 $1-\dfrac{7}{8}$,再求立方根.

(3)被开方数为 $2^3 \times 3^3$,可求其立方根.

解:(1) $\left(\sqrt[3]{-\dfrac{1}{27}}\right)^2 = \left(-\dfrac{1}{3}\right)^2 = \dfrac{1}{9}$.

(2) $\sqrt[3]{1-\dfrac{7}{8}} = \sqrt[3]{\dfrac{1}{8}} = \dfrac{1}{2}$.

(3) $\sqrt[3]{2 \times 9 \times 12} = \sqrt[3]{2^3 \times 3^3} = 2 \times 3 = 6$.

例 3 求下列各式中的 x.

(1) $x^3 = -\dfrac{1}{8}$; (2) $(x+1)^3 = 64$; (3) $3x^3 = -9$.

〔分析〕 (1) $x^3 = -\dfrac{1}{8}$,所以 $x = -\dfrac{1}{2}$.

(2)$x+1$是64的立方根,先求$x+1$,再求x.

(3)先化简,得$x^3=-3$,x是-3的立方根,x可求.

解:(1)因为$x^3=-\dfrac{1}{8}$,所以$x=-\dfrac{1}{2}$.

(2)因为$(x+1)^3=64$,所以$x+1=4$,$x=3$.

(3)因为$3x^3=-9$,所以$x^3=-3$,$x=-\sqrt[3]{3}$.

综合应用题

主要考查:(1)立方根与平方根的应用;(2)立方根与实际问题的综合运用.

例4 把一个长12 cm,宽9 cm,厚2 cm的铁坯加工成一个正方体铁锭后,表面积有什么变化?(加工过程中无损失)

〔分析〕 铁坯的表面积可求,加工成正方体后,需先求其棱长,然后再求它的表面积.因此可设铁锭的棱长为x cm,则铁锭的体积为x^3 cm^3.铁坯的体积为$12×9×2$,可根据铁锭和铁坯的体积相等来列方程求x.

解:设加工成正方体铁锭后棱长为x cm,则铁锭的体积为x^3 cm^3.

则有 $x^3=12×9×2$,

解得 $x=6$.

原铁坯的表面积为$(12×9+9×2+12×2)×2=300(\text{cm}^2)$.

加工成铁锭的表面积为$6^2×6=216(\text{cm}^2)$.

因为$216<300$.

所以加工成正方体铁锭后表面积变小.

例5 已知$(a-2b+1)^2+\sqrt{b-3}=0$,且$\sqrt[3]{c}=4$,求$\sqrt[3]{a^3+b^3+c}$的值.

〔分析〕 由$a-2b+1=0$,$b-3=0$可求a,b.又$\sqrt[3]{c}=4$,所以$c=64$,则$\sqrt[3]{a^3+b^3+c}$可求.

解:因为$(a-2b+1)^2+\sqrt{b-3}=0$,且$(a-2b+1)^2≥0$,$\sqrt{b-3}≥0$,

所以$(a-2b+1)^2=0$,$\sqrt{b-3}=0$.

所以$a-2b+1=0$,$b-3=0$,

解得$b=3$,$a=5$.

因为$\sqrt[3]{c}=4$,所以$c=64$.

所以$\sqrt[3]{a^3+b^3+c}=\sqrt[3]{5^3+3^3+64}=\sqrt[3]{216}=6$.

学生做一做 已知$(a-3)^2+(b-1)^2=0$,求$\sqrt[3]{a^2-b^2}$的值.

老师评一评 因为$(a-3)^2≥0$,$(b-1)^2≥0$,且$(a-3)^2+(b-1)^2=0$,所以$a-3=0$且$b-1=0$.所以$a=3$,$b=1$,所以$\sqrt[3]{a^2-b^2}=\sqrt[3]{3^2-1^2}=\sqrt[3]{8}=2$.

例6 已知$M={}^{m-n-1}\sqrt{m+3}$是$m+3$的算术平方根,$N={}^{2m-4n+3}\sqrt{n-2}$是$n-2$的立方根,试求$M-N$的值.

〔分析〕 主要明确算术平方根和立方根的意义及表示方法.

解:由题意可知 $\begin{cases} m-n-1=2, \\ 2m-4n+3=3, \end{cases}$

解方程组得 $\begin{cases} m=6, \\ n=3. \end{cases}$

所以 $M=\sqrt{6+3}=3,N=\sqrt[3]{3-2}=1.$

所以 $M-N=3-1=2.$

探索与创新题

例 7 (1)观察下列式子,完成填空;

$\sqrt[3]{0.002}\approx0.1260;\sqrt[3]{0.02}\approx0.2714;\sqrt[3]{0.2}\approx0.5848;\sqrt[3]{2}\approx1.260;$

$\sqrt[3]{20}\approx2.714;\sqrt[3]{200}\approx\underline{\quad\quad};\sqrt[3]{2000}\approx\underline{\quad\quad}.$

(2)通过类比,你认为有什么规律? 用一句话描述出来.

〔分析〕 开平方运算中被开方数的小数点向左或向右移动 $2n$ 倍时,平方根的小数点就相应地向左或向右移动 n 位,与之相类比,在开立方运算中,被开方数的小数点向左或向右移动 $3n$ 位时,立方根的小数点就相应地向左或向右移动 n 位,再通过上面各式验证,结论是正确的.

解:(1)5.848;12.60.

(2)在开立方运算中被开方数的小数点向左或向右移动 $3n$ 位时,立方根的小数点就相应地向左或向右移动 n 位(n 为正整数).

例 8 (1)观察下列等式并完成填空;

$\sqrt[3]{2\dfrac{2}{7}}=2\sqrt[3]{\dfrac{2}{7}};\quad \sqrt[3]{3\dfrac{3}{26}}=3\sqrt[3]{\dfrac{3}{26}};\quad \sqrt[3]{4\dfrac{4}{63}}=4\sqrt[3]{\dfrac{4}{63}};$

$\sqrt[3]{5\dfrac{(\quad)}{(\quad)}}=(\quad)\sqrt[3]{\dfrac{(\quad)}{(\quad)}}.$

(2)把你发现的规律用公式总结出来.

〔分析〕 左边各式中分子和右边的整数对应的分别为 $2,3,4,\cdots$.

分母对应的为 $2^3-1,3^3-1,4^3-1$.

所以第 4 个等式一定是 $\sqrt[3]{5\dfrac{5}{124}}=5\sqrt[3]{\dfrac{5}{124}}.$

规律为 $\sqrt[3]{n+\dfrac{n}{n^3-1}}=n\sqrt[3]{\dfrac{n}{n^3-1}}$($n$ 为大于 1 的整数).

解:(1)$\sqrt[3]{5\dfrac{5}{124}}=5\sqrt[3]{\dfrac{5}{124}}.$

(2)$\sqrt[3]{n+\dfrac{n}{n^3-1}}=n\sqrt[3]{\dfrac{n}{n^3-1}}$($n$ 为大于 1 的整数).

易错与疑难题

例9 求64的立方根.

错解: $\sqrt[3]{64} = \pm 4$.

〔分析〕 受平方根的影响,实际上任何一个数都只有一个立方根,且立方根与原数正负性相同.

正解: $\sqrt[3]{64} = 4$.

中考展望 点击中考

中考命题总结与展望

立方根也是中考命题的一个采分点,常以选择题、填空题出现,约2~3分.

中考试题预测

例题 (2004·长沙)探究规律:$3^1 = 3$,个位数字是3,$3^3 = 27$,个位数字是7,$3^5 = 243$,个位数字是3……那么3^7的个位数字是_____;$3^2 = 9$,个位数字是9,$3^4 = 81$,个位数字是1,$3^6 = 729$,个位数字是9,那么3^{20}的个位数字是_____.

〔分析〕 $3^1, 3^2, 3^3, 3^4$个位数字分别为3,9,7,1……用指数除以4余3,则个位数字为7,整除则个位数字为1,余2则个位数字为9,余1则个位数字为3,因为$7 \div 4 = 1 \cdots\cdots 3$,所以$3^7$的个位数字为7,因为$20 \div 4 = 5$,所以$3^{20}$的个位数字为1.

答案:7 1

课堂小结 本节归纳

1.本节学习了立方根、开立方的含义和立方根的性质.其中开立方是一种运算,它和立方是互逆运算.

2.在本节的学习中,注意类比思想方法的运用,有利于对本节内容的掌握.

习题选解 课本习题

课本第172~173页

习题10.2

1.(1)正确. (2)错误. (3)正确. (4)正确.

3.解:(1)有意义,表示3的立方根的相反数.

(2)有意义,表示-3的立方根.

(3)有意义,表示-3的立方的立方根.

(4)有意义,表示 $\dfrac{1}{10^3}$ 的立方根.

5.(1)$x=0.2$; (2)$x=\dfrac{3}{2}$; (3)$x=3$.

6.2倍;3倍;$\sqrt[3]{n}$倍.

7.解:设底面直径为 x,

则 $\pi\cdot\left(\dfrac{x}{2}\right)^2\cdot 2x=50$,

$x\approx 3.2$.

答:这种容器的底面直径约为3.2.

9.(1)2;-2;-3;4;0;a.

(2)8;-8;27;-27;0;a.

10.开立方根次数越多,越接近1.

自我评价 知识巩固

1.下列说法不正确的是 （　）
   A.5 是 125 的立方根　　　　B.125 的立方根是 ± 5
   C.-15.625 的立方根是 -2.5　　D.$(-3)^3$ 的立方根是 -3

2.若 $x^3=0.008$,则 x 等于 （　）
   A.-0.2　　　　B.± 0.2
   C.0.2　　　　D.0.002

3.$(m-n)^3$ 的立方根是 （　）
   A.$m-n$　　　　B.$n-m$
   C.$\pm(m-n)$　　　　D.$(m-n)^3$

4.如果一个数的立方根等于这个数本身,那么这个数是 （　）
   A.1　　　　B.-1
   C.0　　　　D.以上三个都是

5.要使 $\sqrt[3]{(4-a)^3}=a-4$,则 a 的取值范围是 （　）
   A.$a\geqslant 4$　　　　B.$a\leqslant 4$
   C.$a=4$　　　　D.任意数

6.一个数 a 的立方根是 （　）
   A.$\sqrt[3]{a}$　　　　B.$\sqrt[3]{a}(a\geqslant 0)$
   C.$\pm\sqrt[3]{a}$　　　　D.a^3

7.0.0016 的二次方根是 （　）
   A.0.4　　　　B.± 0.4

C. 0.04　　　　　　　　　　D. ±0.04

8. 一个数有立方根,则这个数是　　　　　　　　　　　　　　(　)

　　A. 正数　　　　　　　　　B. 非负数

　　C. 非正数　　　　　　　　D. 任意数

9. 一个数的算术平方根与它的立方根相同,则这个数是　　　(　)

　　A. 1　　　　　　　　　　　B. 0

　　C. 1 或 0　　　　　　　　　D. 非负数

10. 如果 $\sqrt{a^2} = \sqrt[3]{a^3}$,那么 a 是　　　　　　　　　　　(　)

　　A. 任意数　　　　　　　　B. 正数

　　C. 非负数　　　　　　　　D. 零

11. 体积为 a 的正方体,其棱长为＿＿＿＿;a 的立方根为＿＿＿＿.

12. $-\dfrac{27}{8}$ 的立方根与 $\dfrac{27}{8}$ 的立方根的和是＿＿＿＿;如果 $a+b=0$,那么 $\sqrt[3]{a}+\sqrt[3]{b}$ ＝＿＿＿＿.

13. $-a^2$ 的立方根是＿＿＿＿;x^3+y^3 的立方根是＿＿＿＿.

14. 如果 $\sqrt[3]{a}=b$,那么 $\sqrt[3]{\underline{}}=10b$.

15. ＿＿＿＿的立方根是 -8;$-\left|-\sqrt[3]{-2\dfrac{10}{27}}\right|=$＿＿＿＿.

16. 0.064 的立方根是＿＿＿＿;3 的立方根是＿＿＿＿.

17. 若 $\sqrt[3]{(3-m)^3}=3-m$,则 m 的取值范围是＿＿＿＿.

18. $a-12$ 的平方是 225,且 $a>0$,则 a 的立方根是＿＿＿＿.

19. 如果 $x^2=4$,那么 x 的立方根是＿＿＿＿.

20. 若 $\sqrt[3]{5.25}\approx1.738$,则 $\sqrt[3]{5250000}\approx$＿＿＿＿.

21. 求下列各式中的 y.

　　(1) $(y-2)^3=64$;　(2) $8y^3=1$;　(3) $\dfrac{1}{4}(2y+3)^3=2\times3^3$.

22. 已知 $x^3=1$,求 x 的平方根.

23. 一个正方体的体积是 125 cm³,求它的表面积.

24. 把一个棱长为 5 的正方体铁锭熔铸成一铁球,则铁球的表面积与正方体的表面积相比,是变大还是变小?(球体积 $V=\dfrac{4}{3}\pi r^3$,球的表面积 $S=4\pi r^2$,其中 r 为球的半径)

25. 一个球的体积增大到原来的 n 倍时,它的半径增加到原来的几倍?表面积增大到原来的几倍?(球体积 $V=\dfrac{4}{3}\pi r^3$,球的表面积 $S=4\pi r^2$,其中 r 为球的半径)

评价标准 ☹

1. B 2. C 3. A 4. D 5. C 6. A 7. D 8. D 9. C 10. C 11. $\sqrt[3]{a}$ $\sqrt[3]{a}$ 12. 0

0 13. $\sqrt[3]{-a^2}$ $\sqrt[3]{x^3+y^3}$ 14. $1000a$ 15. -512 $-\dfrac{4}{3}$ 16. 0.4 $\sqrt[3]{3}$ 17. m 为任

意数 18. 3 19. $\sqrt[3]{2}$ 或 $-\sqrt[3]{2}$ 20. 173.8

21.（1）$y=6$；（2）$y=\dfrac{1}{2}$；（3）$y=1.5$.

22. 提示：$x=1$，1 的平方根为 ± 1.

23. 提示：棱长为 $\sqrt[3]{125}=5(\text{cm})$，表面积为 $5^2\times 6=150(\text{cm}^2)$.

24. 解：设球的半径为 x，根据题意，得 $\dfrac{4}{3}\pi x^3=5^3$，

解得 $x\approx 3.1$.

球的表面积为 $4\pi x^2=4\times 3.14\times 3.1^2\approx 120.7$.

正方体的表面积为 $5^2\times 6=150>120.7$.

所以，把正方体加工成等体积的球体后，表面积变小.

25. 解：设原来球的半径为 r_1，体积为 V_1，则 $V_1=\dfrac{4}{3}\pi r_1^3$，原来的表面积为 S_1，则 $S_1=$

$4\pi r_1^2$，体积增大到原来的 n 倍后的半径为 r_2，则 $nV_1=\dfrac{4}{3}\pi r_2^3$.

所以 $\dfrac{nV_1}{V_1}=\dfrac{\dfrac{4}{3}\pi r_2^3}{\dfrac{4}{3}\pi r_1^3}$，

所以 $n=\dfrac{r_2^3}{r_1^3}$，

所以 $\dfrac{r_2}{r_1}=\sqrt[3]{n}$，$r_2=\sqrt[3]{n}\cdot r_1$.

所以半径增大到原来的 $\sqrt[3]{n}$ 倍.

原来球的表面积 $S_1=4\pi r_1^2$，

增大后球的表面积 $S_2=4\pi\cdot r_2^2=4\pi(\sqrt[3]{n}r_1)^2=4\pi(\sqrt[3]{n})^2 r_1^2$，

$\dfrac{S_2}{S_1}=\dfrac{4\pi(\sqrt[3]{n})^2 r_1^2}{4\pi r_1^2}=(\sqrt[3]{n})^2=\sqrt[3]{n^2}$，

所以 $S_2=\sqrt[3]{n^2}S_1$.

所以表面积增大到原来的 $\sqrt[3]{n^2}$ 倍.

10.3 实 数

教 材 解 读 精华要义

数学与生活

使用计算器计算,把下列有理数写成小数的形式,你有什么发现?

$$3, -\frac{3}{5}, \frac{47}{8}, \frac{9}{11}, \frac{11}{9}, \frac{5}{9}.$$

思考讨论 上述的有理数都可以写成有限小数或无限循环小数的形式,即任何有理数都可以写成有限小数或无限循环小数的形式,反之,任何一个有限小数或无限循环小数都能化成分数吗?

知识详解

知识点1 无理数

无限不循环小数叫做无理数.

我们知道有理数包括整数和分数,而在分数中有的是有限小数,如$\frac{1}{8}$;有的是无限循环小数,如$\frac{1}{3}$.但在前两节学习的数中,出现了无限不循环小数,如$\sqrt{2},\sqrt[3]{3}$等,还有圆周率π,这些数都是有理数中不包括的,又是客观存在的.因此我们把它们化为另一类数,即无理数.

探究交流

? (1)1.732,3.14159 都是无理数,对吗?

(2)$\dfrac{\pi}{3}$ 是分数,对吗?

(3)1.010010001… 是有理数,对吗?

(4)无理数就是开方开不尽的数,对吗?

点拨 (1)误认为 1.732=$\sqrt{3}$,3.14159=π. 实际上,1.732 是 $\sqrt{3}$ 的近似值,3.14159 也是 π 的近似值,它们都是有限小数,是有理数.

(2)受分数线这种分数的形式影响,实际上 π 是无限不循环小数,$\dfrac{\pi}{3}$ 也是无限不循环小数,所以 $\dfrac{\pi}{3}$ 是无理数,不是分数,其他的还有像 $\dfrac{\sqrt{2}}{2}$,$\dfrac{\sqrt{3}}{3}$ 等也不是分数.

(3)受其小数的规律的影响,尽管其小数是有规律的,但它也是无限不循环的,所以它也是无理数.

(4)开方开不尽的数当然都是无理数,但反过来无理数并非都是开方开不尽的数. 如 π,并非是开方开不尽的数,但它也是无理数. 所以不能说无理数就是开方开不尽的数.

知识点 2 实数

有理数和无理数统称实数.

根据实数的定义很自然地得到下面的分类:

$$实数\begin{cases}有理数\begin{cases}整数\\分数\end{cases}(有限小数或无限循环小数)\\无理数(无限不循环小数)\end{cases}$$

像有理数一样,无理数也有正负之分. 如 $\sqrt{2}$,$\sqrt[3]{3}$,π 是正无理数,$-\sqrt{2}$,$-\sqrt[3]{3}$,$-π$ 是负无理数. 由于非 0 有理数、无理数都有正负之分,所以实数还可以这样分类:

$$实数\begin{cases}正实数\begin{cases}正有理数\\正无理数\end{cases}\\0\\负实数\begin{cases}负有理数\\负无理数\end{cases}\end{cases}$$

数的范围扩充到实数后,原来所学的相反数、绝对值的意义不变. 如 $\sqrt{2}$ 的相反数为 $-\sqrt{2}$,即 $\sqrt{2}$ 和 $-\sqrt{2}$ 互为相反数;$-\sqrt[3]{3}$ 的绝对值等于 $\sqrt[3]{3}$,$\sqrt[3]{3}$ 的绝对值也是 $\sqrt[3]{3}$,即 $|\pm\sqrt[3]{3}|=\sqrt[3]{3}$.

数的范围扩充到实数后,不仅可以进行加、减、乘、除、乘方运算,非负数还可以进行开偶次方运算,所有数都可以进行开奇次方运算,并且前面所学的运算法则、运算律仍然成立. 例如,2($\sqrt{3}+2\sqrt{2}$)=$2\sqrt{3}+4\sqrt{2}$,$3\sqrt{2}+2\sqrt{2}$=($3+2$)$\sqrt{2}$=$5\sqrt{2}$(类似合并同类项).

探究交流

? (1)$\sqrt{2}+\sqrt{3}=\sqrt{5}$,对吗?

(2)$2\times\sqrt{3}=\sqrt{6}$,对吗?

点拨 (1)受 $2+3=5$ 的影响,实际上,$\sqrt{2}\approx1.414$,$\sqrt{3}\approx1.732$,$\sqrt{5}\approx2.236$,而 $\sqrt{2}+\sqrt{3}\approx3.146$,所以 $\sqrt{2}+\sqrt{3}\neq\sqrt{5}$,一般地,还有 $\sqrt{a}+\sqrt{b}\neq\sqrt{a+b}$,$\sqrt{a}-\sqrt{b}\neq\sqrt{a-b}$.

(2)受 $2\times3=6$ 的影响,实际上,$\sqrt{3}\approx1.732$,$\sqrt{6}\approx2.449$,$2\sqrt{3}\approx3.464$,所以 $2\sqrt{3}\neq\sqrt{6}$.一般地,$2\sqrt{a}\neq\sqrt{2a}$.

知识点3 实数与数轴上的点一一对应

以前我们学习有理数时,知道所有的有理数都可以在数轴上找到表示它的点,但数轴上的点并不都表示有理数.

如图 10-2 所示,直径为 1 的圆与原点相切,让这个圆在数轴上滚动,使这点再次与数轴相切(切点 O'),这时 O' 对应的数就是 π.

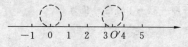

图 10-2

又如,如图 10-3 所示,正方形 $OCAD$ 是边长为 1 的正方形,等我们学了勾股定理后,会知它的对角线 OA 长为 $\sqrt{2}$,以 O 为圆心,OA 长为半径画弧交数轴于 A',A'',则 A' 表示的数即 $\sqrt{2}$,A'' 表示的数即 $-\sqrt{2}$.

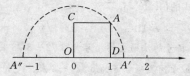

图 10-3

数轴上还有许许多多这样的表示无理数的点.

所以数轴上的点有的表示有理数,有的表示无理数,因此可以说数轴上任何一点所表示的是一个实数;反过来,任何一个实数在数轴上都能找到表示它的点.所以说,实数和数轴上的点一一对应.

知识规律小结 (1)无理数都是无限小数,但无限小数不一定是无理数.如 $0.3=\frac{1}{3}$ 是有理数.

(2)开方开不尽的数都是无理数,但反过来无理数不一定是开方开不尽的数.如

π等.

(3)带根号的数不一定是无理数.如$\sqrt{4}$,$\sqrt[3]{-8}$是有理数.

(4)a为实数,则$|a|=\begin{cases}a(a\geq 0);\\-a(a<0).\end{cases}$

思想方法小结 归类法:把事物按某些特性进行归类,进行归类时要注意两点:①不重复,即同一事物不能归到两个类别中;②不漏,即某一事物在各类别中不能都找不到.如实数包括正实数、负实数,这种分类就把0给漏掉了.非对等级别的事物不能并列在一起.如实数分类为:整数、分数、无理数.整数和分数与无理数不是同一对等级别上的数,所以分类不能这样进行.

典例剖析 师生互动

基本概念题

例1 求下列各数的绝对值.

(1)$\sqrt[3]{-27}$; (2)$\sqrt{2}-\sqrt{3}$; (3)$\pi-\sqrt{6}$.

〔分析〕 (1)$\sqrt[3]{-27}$即-3,-3的绝对值为3.

(2)$\sqrt{2}-\sqrt{3}$小于0,绝对值为它的相反数$\sqrt{3}-\sqrt{2}$.

(3)$\pi-\sqrt{6}$大于0,绝对值为它本身.

解:(1)$|\sqrt[3]{-27}|=|-3|=3$.

(2)$|\sqrt{2}-\sqrt{3}|=\sqrt{3}-\sqrt{2}$.

(3)$|\pi-\sqrt{6}|=\pi-\sqrt{6}$.

例2 计算下列各式的值.

(1)$3(\sqrt{2}+\sqrt{3})+3(\sqrt{2}-2\sqrt{3})$; (2)$|\sqrt{3}-\sqrt{5}|+3\sqrt{3}$.

〔分析〕 (1)利用去括号的法则去掉括号为$3\sqrt{2}+3\sqrt{3}+3\sqrt{2}-6\sqrt{3}$,再将$3\sqrt{2}$与$3\sqrt{2}$,$3\sqrt{3}$与$-6\sqrt{3}$类似于同类项合并为$6\sqrt{2}$,$-3\sqrt{3}$.

(2)先求$\sqrt{3}-\sqrt{5}$的绝对值为$\sqrt{5}-\sqrt{3}$,再将$-\sqrt{3}$与$+3\sqrt{3}$合并.

解:(1)$3(\sqrt{2}+\sqrt{3})+3(\sqrt{2}-2\sqrt{3})$

$=3\sqrt{2}+3\sqrt{3}+3\sqrt{2}-6\sqrt{3}$

$=6\sqrt{2}-3\sqrt{3}$.

(2)$|\sqrt{3}-\sqrt{5}|+3\sqrt{3}$

$=\sqrt{5}-\sqrt{3}+3\sqrt{3}$

$=\sqrt{5}+2\sqrt{3}$.

例3 利用计算器计算下列各式.

(1)$\sqrt[3]{6}-\pi$;(精确到 0.01)　　　　(2)$\left(\dfrac{2}{3}\right)^2+\sqrt{3}\cdot\sqrt[3]{5}$.(保留三个有效数字)

〔分析〕 求 6 的立方根时需注意的是不同的计算器有不同的键入方法,所以要先熟悉计算器的用法.其次按要求取近似数时,非最后结果至少要取到要求的下一位.

解:(1)$\sqrt[3]{6}-\pi\approx1.817-3.142\approx-1.33$.

(2)$\left(\dfrac{2}{3}\right)^2+\sqrt{3}\cdot\sqrt[3]{5}\approx0.444+1.732\times1.710\approx3.41$.

基础知识应用题

例 4　比较下列各组数的大小.

(1)$3\sqrt{2}$和$2\sqrt{3}$;　　　　　　　　(2)$\sqrt{2}$与$\sqrt[3]{3}$.

〔分析〕 如果不用计算器,直接比较很困难.其中(1)可以通过比较它们的平方$(3\sqrt{2})^2=9\times2=18$,而$(2\sqrt{3})^2=4\times3=12$,通过 18>12 便可知 $3\sqrt{2}>2\sqrt{3}$.对于(2)可先看$(\sqrt{2})^3=\sqrt{2}\cdot\sqrt{2}\cdot\sqrt{2}=2\sqrt{2}$,$(\sqrt[3]{3})^3=3$,再比较 $2\sqrt{2}$ 与 3 的大小.此时可再平方,$(2\sqrt{2})^2=8$,$3^2=9$,所以 $2\sqrt{2}<3$,便可得出$\sqrt{2}<\sqrt[3]{3}$.

解:(1)因为$(3\sqrt{2})^2=18>(2\sqrt{3})^2=12$,

所以 $3\sqrt{2}>2\sqrt{3}$.

(2)$(\sqrt{2})^3=2\sqrt{2}$,$(\sqrt[3]{3})^3=3$,

因为$(2\sqrt{2})^2=8<3^2=9$,

所以 $2\sqrt{2}<3$,

所以$\sqrt{2}<\sqrt[3]{3}$.

例 5　化简 $|1-\sqrt{2}|+|\sqrt{2}-\sqrt{3}|+|\sqrt{3}-1|$.

〔分析〕 先求各式的绝对值,再合并.

解: $|1-\sqrt{2}|+|\sqrt{2}-\sqrt{3}|+|\sqrt{3}-1|$

$=\sqrt{2}-1+\sqrt{3}-\sqrt{2}+\sqrt{3}-1$

$=2\sqrt{3}-2$.

综合应用题

例 6　已知 a 是$\sqrt{8}$的整数部分,b 是$\sqrt{8}$的小数部分,求 $(-a)^3+(b+2)^2$ 的值.

〔分析〕 由于 $2<\sqrt{8}<3$,所以$\sqrt{8}$的整数部分是 2,所以 $a=2$,$\sqrt{8}$是无限不循环小数,它的小数部分应是$\sqrt{8}-2$,所以 $b=\sqrt{8}-2$.再将 a,b 代入代数式求值.

解:因为 $2<\sqrt{8}<3$,又 a 是$\sqrt{8}$的整数部分,所以 $a=2$.

b 是$\sqrt{8}$的小数部分,所以 $b=\sqrt{8}-2$.

所以 $(-a)^3+(b+2)^2$

$$= (-2)^3 + (\sqrt{8} - 2 + 2)^2$$
$$= -8 + 8 = 0.$$

例7 如果 $\sqrt{x^2-1} + \sqrt{y+1} = 0$，求 $x^{2005} + y^{2005}$ 的值.

〔分析〕 $\sqrt{x^2-1}$ 非负，$\sqrt{y+1}$ 非负，又它们的和为0，所以它们同时为0．所以 $\sqrt{x^2-1} = 0$，$\sqrt{y+1} = 0$，即 $x^2-1 = 0$，$y+1 = 0$，所以 $x = \pm 1$，$y = -1$，分两种情况代入求值.

解：因为 $\sqrt{x^2-1} + \sqrt{y+1} = 0$，且 $\sqrt{x^2-1} \geqslant 0$，$\sqrt{y+1} \geqslant 0$，

所以 $\sqrt{x^2-1} = 0$，$\sqrt{y+1} = 0$，

即 $x^2-1 = 0$，$y+1 = 0$，

所以 $x = \pm 1$，$y = -1$.

当 $x = 1$，$y = -1$ 时，$x^{2005} + y^{2005} = 1^{2005} + (-1)^{2005} = 1 + (-1) = 0$.

当 $x = -1$，$y = -1$ 时，$x^{2005} + y^{2005} = (-1)^{2005} + (-1)^{2005} = -1 + (-1) = -2$.

探索与创新题

例8 式子 $2 - \sqrt{9-x^2}$ 的值随 x 取不同的值而不同，它的值能是任意的吗？

〔分析〕 由于 $\sqrt{9-x^2} \geqslant 0$，所以当 $\sqrt{9-x^2} = 0$ 时，

$2 - \sqrt{9-x^2}$ 的值最大为2，此时 $9-x^2 = 0$，$x = \pm 3$.

由于 $9-x^2$ 最大值是9(此时 $x = 0$)，

所以 $\sqrt{9-x^2}$ 的最大值是3，

所以 $2 - \sqrt{9-x^2}$ 的最小值为 $2-3 = -1$.

因此 $2 - \sqrt{9-x^2}$ 的取值范围是从 -1 到 2.

当 $x = 0$ 时，它的值为 -1.

当 $x = \pm 3$ 时，它的值为 2.

解：因为 $\sqrt{9-x^2} \geqslant 0$，

所以当 $\sqrt{9-x^2} = 0$ 时，即 $9-x^2 = 0$，$x = \pm 3$ 时，

$2 - \sqrt{9-x^2}$ 有最大值 2.

因为 $9-x^2$ 的最大值是9，即 $x^2 = 0$，$x = 0$ 时，

$\sqrt{9-x^2}$ 的最大值为3，

所以 $2 - \sqrt{9-x^2}$ 的最小值为 -1.

所以代数式 $2 - \sqrt{9-x^2}$ 的值在 -1 到 2 之间.

当 $x = \pm 3$ 时，它的值为 2.

当 $x = 0$ 时，它的值为 -1.

例9 比较下列各组计算的结果有什么关系？你能通过类比的方法把这个规律写出来吗？

(1)$\sqrt{3}+\sqrt{3}+\sqrt{3}$与$\sqrt{3}\times\sqrt{3}\times\sqrt{3}$;

(2)$\sqrt[3]{4}+\sqrt[3]{4}+\sqrt[3]{4}+\sqrt[3]{4}$与$\sqrt[3]{4}\times\sqrt[3]{4}\times\sqrt[3]{4}\times\sqrt[3]{4}$;

(3)$\underbrace{\sqrt[4]{5}+\cdots+\sqrt[4]{5}}_{5个\sqrt[4]{5}}$与$\underbrace{\sqrt[4]{5}\times\sqrt[4]{5}\times\cdots\times\sqrt[4]{5}}_{5个\sqrt[4]{5}}$.

〔分析〕(1)结果都等于$3\sqrt{3}$.(2)的结果等于$4\sqrt[3]{4}$.(3)的结果都是$5\sqrt[4]{5}$.所以规律是$\underbrace{\sqrt[n-1]{n}+\sqrt[n-1]{n}+\cdots+\sqrt[n-1]{n}}_{n个\sqrt[n-1]{n}}=\underbrace{\sqrt[n-1]{n}\cdot\sqrt[n-1]{n}\cdots\cdot\sqrt[n-1]{n}}_{n个\sqrt[n-1]{n}}$.

解:(1)$\sqrt{3}+\sqrt{3}+\sqrt{3}=\sqrt{3}\times\sqrt{3}\times\sqrt{3}=3\sqrt{3}$.

(2)$\sqrt[3]{4}+\sqrt[3]{4}+\sqrt[3]{4}=\sqrt[3]{4}\cdot\sqrt[3]{4}\cdot\sqrt[3]{4}\cdot\sqrt[3]{4}=4\sqrt[3]{4}$.

(3)$\underbrace{\sqrt[4]{5}+\sqrt[4]{5}+\cdots+\sqrt[4]{5}}_{5个\sqrt[4]{5}}=\underbrace{\sqrt[4]{5}\times\sqrt[4]{5}\times\cdots\times\sqrt[4]{5}}_{5个\sqrt[4]{5}}=5\sqrt[4]{5}$.

规律:$\underbrace{\sqrt[n-1]{n}+\sqrt[n-1]{n}+\cdots+\sqrt[n-1]{n}}_{n个\sqrt[n-1]{n}}=\underbrace{\sqrt[n-1]{n}\cdot\sqrt[n-1]{n}\cdots\cdot\sqrt[n-1]{n}}_{n个\sqrt[n-1]{n}}=n^{n-1}\sqrt{n}$($n$为大于1的整数).

即n个$\sqrt[n-1]{n}$的和等于n个$\sqrt[n-1]{n}$的积(n为大于1的整数).

易错与疑难题

例 10 比较$\sqrt[5]{5}$与$\sqrt[6]{6}$的大小.

错解:$\sqrt[5]{5}<\sqrt[6]{6}$.

〔分析〕受$\sqrt{2}<\sqrt[3]{3}$的影响,没有进行比较,误认为$\sqrt[n]{n}<\sqrt[n+1]{n+1}$成立.实际上$\sqrt[3]{3}$与$\sqrt[4]{4}$就已经是$\sqrt[3]{3}>\sqrt[4]{4}$(因为$\sqrt[4]{4}=\sqrt{2}$),所以$\sqrt[n]{n}<\sqrt[n+1]{n+1}$不成立.

正解:先求$\sqrt[5]{5}$和$\sqrt[6]{6}$的6次方,即

$$(\sqrt[5]{5})^6=5\sqrt[5]{5},(\sqrt[6]{6})^6=6.$$

再求$5\sqrt[5]{5}$和6的5次方,

$$(5\sqrt[5]{5})^5=5^6=15625,6^5=7776.$$

因为$15625>7776$,

所以$5\sqrt[5]{5}>6$.

所以$\sqrt[5]{5}>\sqrt[6]{6}$.

中考展望 点击中考

中考命题总结与展望

本节内容是中考的热点之一,每年中考在无理数这部分大多都以填空题或选择题的形式出现一题.如果对无理数、实数理解得比较透彻,这部分题很容易得分.

中考试题预测

例1 (2004·山西) $\sqrt{1+\frac{1}{3}}=2\sqrt{\frac{1}{3}}$，$\sqrt{2+\frac{1}{4}}=3\sqrt{\frac{1}{4}}$，$\sqrt{3+\frac{1}{5}}=4\sqrt{\frac{1}{5}}$ ……请你将猜想到的规律用含自然数 $n(n\geqslant1)$ 的代数式表示出来_____.

〔分析〕 $\sqrt{1+\frac{1}{3}}=(1+1)\sqrt{\frac{1}{1+2}}$，$\sqrt{2+\frac{1}{4}}=(2+1)\sqrt{\frac{1}{2+2}}$，$\sqrt{3+\frac{1}{5}}=(3+1)\sqrt{\frac{1}{3+2}}$……$\sqrt{n+\frac{1}{n+2}}=(n+1)\sqrt{\frac{1}{n+2}}$ (n 为大于等于1的自然数).

答案：$\sqrt{n+\frac{1}{n+2}}=(n+1)\sqrt{\frac{1}{n+2}}$ (n 为大于等于1的自然数)

例2 (2004·青海) 若 $|x+y+4|+\sqrt{(x-2)^2}=0$，则 $3x+2y=$_____.

〔分析〕 因为 $|x+y+4|\geqslant0$，$\sqrt{(x-2)^2}\geqslant0$，且 $|x+y+4|+\sqrt{(x-2)^2}=0$，

所以 $\begin{cases}x+y+4=0,\\(x-2)^2=0,\end{cases}$ 所以 $\begin{cases}x=2,\\y=-6.\end{cases}$

当 $x=2$，$y=-6$ 时，$3x+2y=3\times2+2\times(-6)=-6$.

例3 (2004·河南) 若 $|a-b+1|$ 与 $\sqrt{a+2b+4}$ 互为相反数，则 $(a+b)^{2004}$ =_____.

〔分析〕 由互为相反数的概念可知 $|a-b+1|+\sqrt{a+2b+4}=0$.

再由绝对值和算术平方根的非负性及非负数之和为零可知：

$\begin{cases}a-b+1=0,\\a+2b+4=0,\end{cases}$ 解得 $\begin{cases}a=-2,\\b=-1.\end{cases}$

所以 $(a+b)^{2004}=(-2-1)^{2004}=3^{2004}$.

例4 (2004·广州) 已知 $-1<a<0$，化简 $|a+1|-\sqrt{a^2}$.

解：因为 $-1<a<0$，所以 $a+1>0$，$\sqrt{a^2}=|a|=-a$.

所以 $|a+1|-\sqrt{a^2}=(a+1)-(-a)=a+1+a=2a+1$.

例5 (2004·杭州) 下列说法：①有理数和数轴上的点一一对应；②不带根号的数一定是有理数；③负数没有立方根；④ $-\sqrt{17}$ 是17的平方根. 其中正确的有(　　)

A.0 个 　　　　　　　　　　B.1 个

C.2 个 　　　　　　　　　　D.3 个

〔分析〕 在数轴上有一点表示的数是 $\sqrt{2}$，它不是有理数，故①错；π 不带根号，它是无理数，不是有理数，故②错；-8 的立方根是 -2，故③错；17的平方根是 $\pm\sqrt{17}$，故 $-\sqrt{17}$ 是17的平方根，故④正确. 因此，只有1个正确，故选B.

例 6 （2004·长沙）如图 10 - 4 所示的是一个数字转换机,若输入的 a 值为 $\sqrt{2}$,则输出的结果应为 （ ）

A. 2   B. -2 C. 1   D. -1

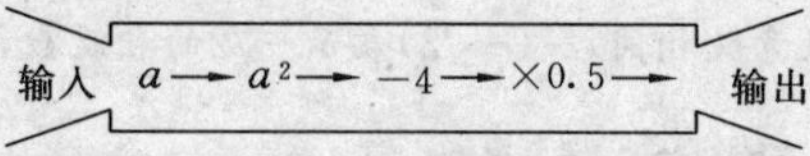

输入 $a \to a^2 \to -4 \to \times 0.5$ 输出

图 10 - 4

〔分析〕 $[(\sqrt{2})^2 - 4] \times 0.5 = (2-4) \times 0.5 = -1$,在数字转换机中每操作一次,则计算一次,并不按照先乘除后加减的运算法则.故选 D.

例 7 （2004·济南）下列各组数中,互为相反数的是 （ ）

A. 3 与 $\sqrt{3}$ B. $|-3|$ 与 $-\dfrac{1}{3}$

C. $|-3|$ 与 $\dfrac{1}{3}$ D. -3 与 $\sqrt{(-3)^2}$

〔分析〕 $\sqrt{(-3)^2} = \sqrt{9} = 3$,$-3$ 与 3 互为相反数,故选 D.

例 8 （2004·哈尔滨）若 $\sqrt{a^2} = -a$,则实数 a 在数轴上对应点一定在 （ ）

A. 原点左侧   B. 原点右侧

C. 原点或原点左侧   D. 原点或原点右侧

〔分析〕 因为 $\sqrt{a^2} = -a$,则 $a \leqslant 0$,所以 a 在数轴上对应的点一定在原点或原点左侧,故正确答案为 C 项.

例 9 （2005·湖北）$\sqrt{3}$ 的相反数是_____,立方等于 -64 的数是_____.

答案:$-\sqrt{3}$ -4

例 10 （2005·南京）$\sqrt{10}$ 在两个连续整数 a 和 b 之间,$a < \sqrt{10} < b$,那么 a,b 的值分别是_____.

〔分析〕 因为 $9 < 10 < 16$,所以 $\sqrt{9} < \sqrt{10} < \sqrt{16}$,即 $3 < \sqrt{10} < 4$,所以 $a = 3$,$b = 4$.

例 11 （2005·长春）如图 10 - 5 所示,在点 A 和点 B 之间表示整数的点有_____个.

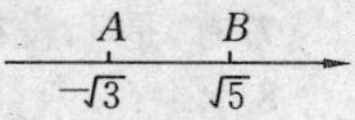

$\begin{array}{ccc} & A & B \\ \hline & -\sqrt{3} & \sqrt{5} \end{array}$

图 10 - 5

〔分析〕 设在点 A 和点 B 之间的点表示的数为 x,则 $-\sqrt{3} < x < \sqrt{5}$,这样的整数点即整数 x 有 $-1,0,1,2$,共有 4 个.

例 12 （2005·山东）如图 10 - 6 所示,数轴上表示 $1,\sqrt{3}$ 的对应点分别为点 A 和点 B,若点 B 关于点 A 的对称点为点 C,则点 C 所表示的数是 （ ）

A. $\sqrt{3} - 1$ B. $1 - \sqrt{3}$ C. $2 - \sqrt{3}$ D. $\sqrt{3} - 2$

〔分析〕 考查利用对称性求数轴上点的坐标.

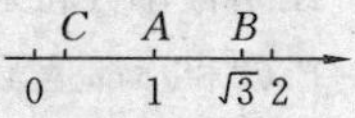

因为 $|AB| = \sqrt{3} - 1$,又 $|CA| = |AB| = \sqrt{3} - 1$,设 C 点坐标为 x.

$\begin{array}{cccc} & C & A & B \\ \hline 0 & & 1 & \sqrt{3}\ 2 \end{array}$

图 10 - 6

所以 $|x - 1| = \sqrt{3} - 1$,所以 $1 - x = \sqrt{3} - 1$,所以 $x = 2 - \sqrt{3}$,

即点 C 表示的数是 $2-\sqrt{3}$.

答案:C

例 13 (2005·山西)化简 $-(-\sqrt{2})=$ _____.

〔分析〕 与有理数意义相同, $-(-\sqrt{2})$ 表示 $-\sqrt{2}$ 的相反数,所以 $-(-\sqrt{2})=\sqrt{2}$.

课堂小结 本节归纳

1. 本节学习了无理数和实数的概念.

2. 数的范围扩充到实数后,实数和数轴上的点一一对应.

3. 以前所学的相反数和绝对值的意义在实数范围内不变,各种运算法则、运算律仍成立,在实数范围内还可以进行开方运算.

习题选解 课本习题

课本第178~179页

习题10.3

1. (1)错误. (2)正确. (3)错误. (4)错误. (5)正确.

2. 有理数集合: $\dfrac{22}{7}$, 3.14159265, -8, 0.6, 0, $\sqrt{36}$, …

无理数集合: $\sqrt{7}$, $\sqrt[3]{2}$, $\dfrac{\pi}{3}$, …

3. 2; $\sqrt{17}$; $\dfrac{\sqrt{2}}{3}$; $\sqrt{3}-1.7$; $\sqrt{2}-1.4$.

5. (1) $5\sqrt{2}$; (2)0.

6. (1) $4>\sqrt{15}$; (2) $\pi<3.1416$; (3) $\sqrt{3}-2>-\dfrac{\sqrt{3}}{2}$; (4) $\dfrac{\sqrt{2}}{2}>\dfrac{\sqrt{3}}{3}$.

7. 有,是1;没有;没有;没有;没有;有,是0.

8. 1.4 s.

9. (1)长方形; (2) $3\sqrt{2}$; (3) $A(2,\sqrt{2})$, $B(5,\sqrt{2})$, $C(5,0)$, $D(2,0)$.

自我评价 知识巩固

1. 下列说法不正确的是 ( )

A. 有限小数和无限循环小数都是有理数

B. $\sqrt{2}$ 和 $\sqrt[3]{3}$ 都是无限不循环小数,因此它们都是无理数

C. 无理数都是像 $\sqrt{2}$, $\sqrt[3]{3}$, …等开方开不尽的数

D. $\dfrac{\pi}{3}$ 不是分数

2. $-\sqrt{3}$ 与 -1.732 的大小关系是 　　　　　　　　　　　　　　　　　　（　　）

    A. $-\sqrt{3} > -1.732$ B. $-\sqrt{3} = -1.732$

    C. $-\sqrt{3} < -1.732$ D. 不能确定

3. 在实数 $1.4142135, 0.3030030003\cdots, -\dfrac{\pi}{4}, \sqrt[3]{216}, \sqrt{\left(\dfrac{1}{3}-1\right)^2}$ 中，无理数的个数

    是 　　　　　　　　　　　　　　　　　　　　　　　　　　　　　　　　（　　）

    A. 1 个   B. 2 个   C. 3 个   D. 4 个

4. 在实数 $\sqrt{a+1}, \sqrt{a}+1, |a|, (a+1)^2, a^2+1$ 中，一定是正数的有 　　　（　　）

    A. 1 个   B. 2 个   C. 3 个   D. 4 个

5. 下列说法不正确的是

    A. 数轴上的点不是表示有理数，就是表示无理数

    B. 数轴上的点和实数一一对应

    C. 数轴上的点和有理数一一对应

    D. 数轴上 0 和 1 之间有无数个表示无理数的点

6. 要使 $\sqrt{-(m-1)^2}$ 有意义，则 m 的值有 　　　　　　　　　　　　　（　　）

    A. 1 个   B. 2 个   C. 3 个   D. 4 个

7. 数轴上表示实数 a 的点在表示 -1 的点的左边，则 $\sqrt{(a-2)^2} - 2\sqrt{(a-1)^2}$ 的值是

                                                （　　）

    A. -1 B. 小于 -1 C. 大于 -1 D. 正数

8. 如果 $\sqrt{6-a}$ 是 $6-a$ 的算术平方根，那么 a 为 　　　　　　　　　（　　）

    A. $a \geqslant 0$ B. $a \geqslant 6$ C. $a \leqslant 6$ D. 一切实数

9. 若 $\sqrt[3]{x-5}$ 有意义，则 x 的取值范围是 　　　　　　　　　　　　　（　　）

    A. $x \geqslant 5$ B. $x \leqslant 5$ C. $x \geqslant 0$ D. 一切实数

10. 如果表示实数 b, c 的点在原点左、右两侧，且到原点的距离相等，那么

    $\sqrt{c^2} - |b-c|$ 等于 　　　　　　　　　　　　　　　　　　　　（　　）

    A. b B. $-b$

    C. $c-b$ D. $2c-b$

11. 若 a 与它的绝对值之和为 0，则 $\sqrt{(a-1)^2} - \sqrt{a^2}$ 的值是 　　　　（　　）

    A. -1 B. $2a-1$ C. $1-2a$ D. 1

12. 设 m, n 都是实数，且 $n^2 = \dfrac{\sqrt{m^2-1} + \sqrt{1-m^2}}{m+1} + 4$，则 $m+n$ 的值是 　（　　）

    A. 3 或 -1 B. -3 或 1   C. 3 或 1   D. -3 或 -1

13. $\sqrt{2} - \sqrt{5}$ 的相反数是 _____，$|\sqrt{2} - \sqrt{5}| =$ _____.

14. _____ 和 _____ 统称实数，数轴上的点和 _____ 一一对应.

15. 绝对值为 $\sqrt{2}$ 的实数是 _____，绝对值是 π 的实数是 _____.

16. 数轴上表示无理数的点有 _____.

17. 实数 m 和它的相反数的和为 _____.

18. 若 $(a-\sqrt{2})^2+(b-\sqrt{3})^2=0$, 则 $|a-b|=$ _____.

19. $|-3\sqrt{2}|=$ _____, $|\sqrt[3]{-2}|=$ _____, $\left|1.57-\dfrac{\pi}{2}\right|=$ _____.

20. 若 $0\leqslant a\leqslant 4$, 且 x 是 a 的平方根, 则 x 的取值范围是 _____.

21. 利用计算器计算下列各题. (精确到 0.01)

(1) $\dfrac{3}{4}+\pi+\sqrt{15}$;   (2) $\sqrt{2}+\sqrt{3}\times\sqrt{5}$.

22. 比较大小.

(1) $5\sqrt{6}$ 和 $6\sqrt{5}$;   (2) $-\sqrt{2}$ 和 -1.414.

23. 已知 a 是 6859 的立方根, b 是 289 的算术平方根, c 是 $\dfrac{1}{10^4}$ 的算术平方根的倒数的相反数, 求 $a+b+c$ 的立方根.

24. 已知 $5-\sqrt[x]{x}\,(x>0)$ 是 x 的算术平方根, 求 $\sqrt[5-x]{x}$ 的值.

25. 已知 $\dfrac{\sqrt{x-y}+|x^2-9|}{(x+3)^2}=0$, 求 $x\cdot y$ 的值.

26. 有一球形建筑物的体积为 113040 m^3. 那么它的半径是多少? $\left(\pi\text{取}3.14,\text{球体积}\right.$ 公式 $V=\dfrac{4}{3}\pi r^3$, 其中 r 为球的半径$\left.\right)$

☺ 评价标准 ☹

1. C   2. C   3. B   4. B   5. C   6. A   7. B   8. C   9. D   10. A   11. D   12. A   13. $\sqrt{5}$ $-\sqrt{2}$ $\sqrt{5}-\sqrt{2}$ 14. 有理数   无理数   实数   15. $\pm\sqrt{2}$ $\pm\pi$ 16. 无数个   17. 0

18. $\sqrt{3}-\sqrt{2}$ 19. $3\sqrt{2}$ $\sqrt[3]{2}$ $\dfrac{\pi}{2}-1.57$ 20. $0\leqslant x\leqslant 2$ 21. (1) 7.76; (2) 5.38.

22. (1) $5\sqrt{6}<6\sqrt{5}$; (2) $-\sqrt{2}<-1.414$.

23. 提示: $a=19,b=17,c=-100,a+b+c=-64$, 立方根为 -4.

24. 提示: $5-x=2,x=3,\sqrt[5-x]{x}=\sqrt{3}$.

25. 提示: $x=y,x^2=9,x+3\neq0$, 所以 $x=y=3,x\cdot y=9$.   26. 30 m.

章末总结

知识网络图示

基本知识提炼整理

1. 平方根与立方根的对比表

	定 义	符号表示	性 质	备 注	运 算
平方根	如果 $x^2=a$,那么 x 叫做 a 的平方根	$x=\pm\sqrt{a}$	正数有两个平方根,它们互为相反数;0 的平方根是 0;负数没有平方根. $\sqrt{a^2}=\|a\|$,$(\sqrt{a})^2=a$	正数正的平方根是它的算术平方根;0 的算术平方根是 0.表示为 $\sqrt{a}(a\geqslant0)$.开平方出现很多无限不循环小数	开平方
立方根	如果 $x^3=a$,那么 x 叫做 a 的立方根	$x=\sqrt[3]{a}$	正数有一个正立方根;0 的立方根是 0;负数有一个负立方根. $\sqrt[3]{a^3}=a$,$(\sqrt[3]{a})^3=a$	出现很多无限不循环小数	开立方

2. 实数分类

$$
实数\begin{cases} 有理数\begin{cases} 整数 \\ 分数 \end{cases}(有限小数、无限循环小数) \\ 无理数(无限不循环小数) \end{cases}
$$

$$
实数\begin{cases} 正实数\begin{cases} 正有理数 \\ 正无理数 \end{cases} \\ 0 \\ 负实数\begin{cases} 负有理数 \\ 负无理数 \end{cases} \end{cases}
$$

3. 实数和数轴上的点的表示

实数和数轴上的点一一对应.

4. 运算

在实数范围内不但可以进行加、减、乘、除、乘方运算,而且非负数还可以进行开偶次方运算,一切实数都可以进行开奇次方运算,以前所学的各种运算法则、运算律全部有效.

5. 相反数、绝对值

在实数范围内相反数、绝对值的含义不变.数轴上到原点距离相等的两个点表示的两个数互为相反数;正实数的绝对值是它本身,0 的绝对值是 0,负实数的绝对值是它的相反数.

专题总结及应用

1. 有关平方根的概念问题

例1 已知某数的平方根是 $a+3$ 及 $2a-12$,求这个数.

〔分析〕 因为正数有两个平方根,并且它们互为相反数,0 有一个平方根,负数没有平方根.所以这个数一定是非负数.当这个数是正数时,$a+3$ 与 $2a-12$ 互为相反数,即 $a+3+2a-12=0$;当这个数是 0 时,应有 $a+3=0$,且 $2a-12=0$,解得 $a=-3$,且 $a=6$,显然是矛盾的.所以这个数一定是正数.

解:因为负数没有平方根,所以这个数只能是正数或零.

假设这个数是正数,则 $a+3+2a-12=0$,解得 $a=3$.

所以 $a+3=6,2a-12=-6$.

所以这个数是 36.

假设这个数是 0,则 $a+3=0,2a-12=0$,得 $a=-3$,且 $a=6$,矛盾.

综上所述,这个数是 36.

例2 已知 $b=a^3+2c$,其中 b 的算术平方根为 19,c 的平方根是 ±3,求 a.

〔分析〕 因为 b 的算术平方根是 19,所以 $b=19^2=361$,又 c 的平方根是 ±3,所以 $c=(\pm3)^2=9$.代入已知条件即可求出 a 的值.

解:因为 b 的算术平方根是 19,所以 $b=19^2=361$.

又 c 的平方根是 ±3,所以 $c=(\pm3)^2=9$.

所以 $a^3=b-2c=361-18=343$,即 $a=7$.

2. 有关实数的概念问题

例3 有没有最小的自然数?有没有最小的整数?有没有最小的有理数?有没有最小的无理数?有没有最小的实数?有没有绝对值最小的有理数?有没有绝对值最小的无理数?

解:(1)正整数和零统称为自然数,所以最小的自然数是 0.

(2)因为整数分为正整数、零、负整数,所以没有最小的整数.

(3)没有最小的有理数.

(4)没有最小的无理数.

(5)没有最小的实数.

(6)绝对值最小的有理数是 0.

(7)没有绝对值最小的无理数.

3. 有关实数的运算

例4 已知 a,b 为数轴上的点(如图 10-7 所示),求 $\dfrac{|a+b|}{a+b}$ 的值.

〔分析〕 此题关键在于去掉分子的绝对值符号,也就是要确定 $a+b$ 的正负,由图可知,$a>0,b<0$,且 $|b|>|a|$,所以 $a+b<0$,因此 $|a+b|=-(a+b)$.

图 10-7

解:由题意可知,$a>0,b<0$,且 $|b|>|a|$,

所以 $a+b<0$,即 $|a+b|=-(a+b)$.

所以 $\dfrac{|a+b|}{a+b}=\dfrac{-(a+b)}{a+b}=-1$.

4.非负数性质的运用

例 5 已知实数 x,y 满足 $\sqrt{2x-3y-1}+|x-2y+2|=0$,求 $2x-\dfrac{4}{5}y$ 的平方根.

〔分析〕 要求 $2x-\dfrac{4}{5}y$ 的平方根,关键要知道 x,y 的值,由非负数的性质知,有限个非负数之和等于零,必须每个非负数等于零,从而得到一个关于 x,y 的二元一次方程组,解出 x,y 的值.

解:因为 $\sqrt{2x-3y-1}+|x-2y+2|=0$,又 $\sqrt{2x-3y-1}\geqslant0$,$|x-2y+2|\geqslant0$,

所以 $\begin{cases}2x-3y-1=0,\\ x-2y+2=0.\end{cases}$ 所以 $\begin{cases}x=8,\\ y=5.\end{cases}$

所以 $2x-\dfrac{4}{5}y=2\times8-\dfrac{4}{5}\times5=12$.

所以 $\pm\sqrt{2x-\dfrac{4}{5}y}=\pm\sqrt{12}=\pm2\sqrt{3}$.

例 6 若 a,b 为实数,且 $b=\dfrac{\sqrt{a^2-1}+\sqrt{1-a^2}+a}{a+1}$,求 $-\sqrt{a+b^{-3}}$ 的值.

〔分析〕 因为 $\sqrt{a^2-1}$ 与 $\sqrt{1-a^2}$ 均成立,所以 $a^2-1\geqslant0$,且 $1-a^2\geqslant0$,可得出 $a^2-1=0$,即 $a=\pm1$,又 $a+1\neq0$,所以 $a=1$,进而代入求值.

解:因为 a,b 为实数,且 $a^2-1\geqslant0,1-a^2\geqslant0$.所以 $a^2-1=1-a^2=0$.

所以 $a=\pm1$.又因为 $a+1\neq0$,所以 $a=1$,代入原式,得 $b=\dfrac{1}{2}$.

所以 $-\sqrt{a+b^{-3}}=-3$.

本章综合评价 走向成功

一、训练平台

1. 在 $-2,\sqrt{0},\sqrt{2},3.14,\sqrt[3]{-27},\dfrac{\pi}{5}$ 这 6 个数中,有理数共有 ( )

    A. 6 个   B. 5 个   C. 4 个   D. 3 个

2. 数 $(-4)^2$ 的平方根是 ( )

    A. ±4 B. -4 C. ±2 D. -2

3. 下列说法正确的是 ( )

    A. 一个实数的倒数等于它本身,这个数是 1

    B. 一个实数的绝对值等于它本身,这个数是正数

    C. 一个实数的相反数等于它本身,这个数是 0

    D. 一个实数的立方根等于它本身,这个数是 ±1

4. 下列说法正确的是 ( )

A. 一个实数不是整数就是分数

B. 一个实数不是有限小数就是无限小数

C. 一个实数不是无限不循环小数就是无限循环小数

D. 一个实数不是正数就是负数

5. 下列说法正确的是 （ ）

A. 无限小数都是无理数　　　　　B. 带根号的数都是无理数

C. 无理数都是开方开不尽的数　　D. 无理数都是无限小数

6. 在实数 $\frac{22}{7}$，$\sqrt{9}$，$\sqrt{8}$，3.14 中，无理数有 （ ）

A. 3个　　　　B. 2个　　　　　C. 1个　　　　D. 0个

7. 16 的平方根是 _____，$\frac{3}{4}$ 的算术平方根是 _____．

8. -64 的立方根是 _____，$3\frac{3}{8}$ 的立方根是 _____．

9. $\sqrt{16}$ 的算术平方根是 _____，$(-3)^3$ 的立方根是 _____．

10. $-\frac{1}{2}$ 是 _____ 的平方根，是 _____ 的立方根．

二、探究平台

1. 如果 $\sqrt{1.12}\approx1.058$，$\sqrt{11.2}\approx3.347$，那么 $\sqrt{112}$ 的值约是 （ ）

A. 10.58　　　B. 33.47　　　C. 0.1058　　D. 0.3347

2. 已知坐标平面上的点 $A(\sqrt{3},0)$，$B(2,2)$，则三角形 OAB 的面积为 （ ）

A. $\sqrt{3}$　　　B. $\sqrt{6}$　　　C. $\frac{\sqrt{6}}{2}$　　　D. $\frac{\sqrt{3}}{2}$

3. 坐标平面上有 $A(\sqrt{2},\sqrt{2})$，$B(\sqrt{5},\sqrt{5})$ 两点，则线段 AB 的中点坐标是 （ ）

A. $\left(\dfrac{\sqrt{2}+\sqrt{5}}{2},\dfrac{\sqrt{2}+\sqrt{5}}{2}\right)$　　　　　B. $\left(\dfrac{\sqrt{2}-\sqrt{5}}{2},\dfrac{\sqrt{2}-\sqrt{5}}{2}\right)$

C. $\left(\dfrac{\sqrt{5}-\sqrt{2}}{2},\dfrac{\sqrt{5}-\sqrt{2}}{2}\right)$　　　　　D. $(\sqrt{2}+\sqrt{5},\sqrt{2}+\sqrt{5})$

4. $\sqrt{(3.14-\pi)^2}$ 等于 （ ）

A. $3.14-\pi$　　B. $\pi-3.14$　　C. $3.14+\pi$　　D. $-(3.14+\pi)$

5. $\sqrt[3]{a^3}$ 和 $(\sqrt[3]{a})^3$ 的关系是 （ ）

A. $\sqrt[3]{a^3}=(\sqrt[3]{a})^3$　　　　　B. $\sqrt[3]{a^3}=-(\sqrt[3]{a})^3$

C. $\sqrt[3]{a^3}=\pm(\sqrt[3]{a})^3$　　　　D. 不能确定

6. 若 $\sqrt[3]{2.2}\approx1.301$，$\sqrt[3]{0.22}\approx0.6037$，$\sqrt[3]{22}\approx2.802$，则 $\sqrt[3]{220}\approx$ _____．

7. $\sqrt{3}-1$ 的相反数是 _____，$1-\sqrt{3}$ 的绝对值是 _____．

8. 如果 $|x+2|=\sqrt{2}$，那么 $x=$ _____．

9. 如果 $x^2-5=0$，那么 $x=$ _____；如果 $(2x+1)^3=8$，那么 $x=$ _____．

10. $-\sqrt{(0.5-2)^2}=$ _____．

11. 用计算器计算下列各题.(精确到 0.01)

(1) $\sqrt[3]{\dfrac{10}{3.14 \times 3}}$;

(2) $\sqrt[5]{10^3} + \sqrt[5]{(-10)^3}$.

12. 计算.

(1) $\sqrt{(\sqrt{2}-\sqrt{3})^2} + |1-\sqrt{2}|$;

(2) $\sqrt{3^2+4^2} - \sqrt{(-2)^2} + |\sqrt{5}-2|$;

(3) $\sqrt[3]{\dfrac{26}{27}-1} - \sqrt[3]{-0.008}$;

(4) $(\sqrt{5})^2 - \sqrt[3]{1}$;

(5) $-|(-3)^3| - \left(\dfrac{1}{3}-\dfrac{1}{4}\right)^2 \times \sqrt{(-6)^2}$;

(6) $-2^2 + (-2)^2 - |3.14-\pi| - \dfrac{\pi}{(-1)^{101}} - |-3.14|$.

13. 比较大小.

(1) $-\dfrac{1}{3}$ 和 -0.33334;

(2) $|-\pi|$ 和 $3.1\overset{\cdot\cdot}{4}$;

(3) $2\sqrt{6}$ 和 $6\sqrt{2}$.

三、交流平台

1. 已知 $\sqrt{x-1} + |2x+y| = 0$,求 $\dfrac{x^2+y^2}{x+y}$ 的值.

2. 直角三角形中,两条直角边 a,b 和斜边 c 之间满足下面的关系:$a^2+b^2=c^2$. 如果一个直角三角形的斜边 c 长为 2,一条直角边 a 长为 1,求另一条直角边 b 的长.

3. 如果 a,b,c,d 都是有理数,且满足 $a+b\sqrt{2}=c+d\sqrt{2}$,那么你知道 a 与 c,b 与 d 的关系吗?请说明理由.

4. 实数 $\sqrt{2}$ 与 $\dfrac{1}{\sqrt{2}}$ 是什么关系?实数 $\sqrt{2}$ 与 $\dfrac{\sqrt{2}}{2}$ 是什么关系?由此你知道 $\dfrac{1}{\sqrt{2}}$ 与 $\dfrac{\sqrt{2}}{2}$ 是什么关系吗?$\dfrac{1}{\sqrt{5}}$ 与 $\dfrac{\sqrt{5}}{5}$ 呢?你发现了什么规律吗?

5. 实际应用.

(1) 如图 10-8 所示,5 个边长为 1 的正方形小格组成一个"十"字形,今要将它适当剪裁后再拼成一个正方形,你知道这个新的正方形的边长是多少吗?

(2) 面积都是 10 的圆形和正方形的周长分别是多少?通过计算求解后你有什么发现吗?

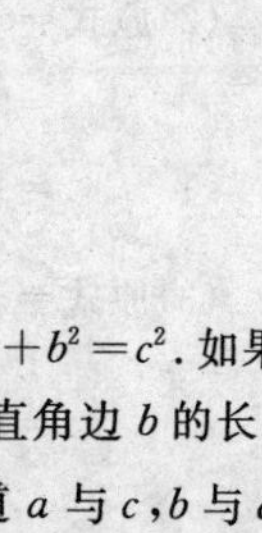

图 10-8

(3)如图 10 - 9 所示,在一根无弹性的细棉线下系一个金属小球,线的上端系在某处便构成一个单摆,当摆角比较小时($<5°$),单摆的摆动周期为 $T=2\pi\sqrt{\dfrac{l}{g}}$,$T$(秒)即为周期,$l$(米)为摆长,$g$(米/秒^2)为重力加速度($g=9.8$ 米/秒^2),当 $l=1$ 米时,摆动周期约是多少?($\sqrt{10.2}\approx3.194$)

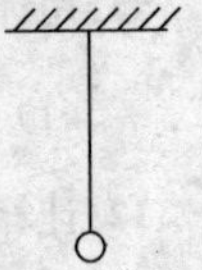

图 10 - 9

😊 评价标准 ☹

一、1. C 2. A 3. C 4. B 5. D 6. C 7. ±4 $\dfrac{\sqrt{3}}{2}$ 8. -4 1.5 9. 2 -3

10. $\dfrac{1}{4}$ $-\dfrac{1}{8}$

二、1. A 2. A 3. A 4. B 5. A 6. 6.037 7. $1-\sqrt{3}$ $\sqrt{3}-1$ 8. $\sqrt{2}-2$ 或 $-\sqrt{2}-2$

9. $\pm\sqrt{5}$ 0.5 10. -1.5 11. (1)1.02; (2)0.

12. 解:(1)原式$=\sqrt{3}-\sqrt{2}+\sqrt{2}-1$

$\qquad\qquad =\sqrt{3}-1.$

(2)原式$=\sqrt{25}-2+\sqrt{5}-2$

$\qquad\quad =5-4+\sqrt{5}$

$\qquad\quad =1+\sqrt{5}.$

(3)原式$=\sqrt[3]{\dfrac{-1}{27}}-\sqrt[3]{-0.008}$

$\qquad\quad =-\dfrac{1}{3}-(-0.2)$

$\qquad\quad =\dfrac{1}{5}-\dfrac{1}{3}$

$\qquad\quad =-\dfrac{2}{15}.$

(4)原式$=5-1=4.$

(5)原式$=-27-\left(\dfrac{1}{12}\right)^2\times6$

$\qquad\quad =-27-\dfrac{1}{24}$

$\qquad\quad =-27\dfrac{1}{24}.$

(6)原式$=-4+4-(\pi-3.14)+\pi-3.14=0.$

13. (1)$-\dfrac{1}{3}>-0.33334$; (2)$|-\pi|>3.1\overset{\cdot}{4}$; (3)$2\sqrt{6}<6\sqrt{2}.$

三、1.提示：$x=1,y=-2,\dfrac{x^2+y^2}{x+y}=\dfrac{1^2+(-2)^2}{1+(-2)}=-5.$

2. 提示：$b^2=c^2-a^2=2^2-1^2=3.$ 所以 $b=\sqrt{3}.$

3. 解：$a=c,b=d.$ 理由如下：

$a+b\sqrt{2}=c+d\sqrt{2},$

移项得 $a-c=d\sqrt{2}-b\sqrt{2},$

即 $a-c=\sqrt{2}(d-b).$

因为 a,c 都是有理数，

所以 $a-c$ 是有理数，

所以 $\sqrt{2}(d-b)$ 是有理数，又 b,d 是有理数，

所以 $b-d$ 也是有理数.

若 $\sqrt{2}$ 与一个有理数的积是有理数，则这个有理数只能是0.

所以 $b-d=0$，所以 $b=d,$

所以 $a-c=0$，所以 $a=c.$

4. 解：$\sqrt{2}\times\dfrac{1}{\sqrt{2}}=1$，所以 $\sqrt{2}$ 与 $\dfrac{1}{\sqrt{2}}$ 互为倒数.

$\sqrt{2}\times\dfrac{\sqrt{2}}{2}=\dfrac{2}{2}=1$，所以 $\sqrt{2}$ 与 $\dfrac{\sqrt{2}}{2}$ 互为倒数.

$\dfrac{1}{\sqrt{2}}$ 和 $\dfrac{\sqrt{2}}{2}$ 都是 $\sqrt{2}$ 的倒数，所以 $\dfrac{1}{\sqrt{2}}=\dfrac{\sqrt{2}}{2}.$

同理 $\dfrac{1}{\sqrt{5}}=\dfrac{\sqrt{5}}{5}.$

规律 $\dfrac{1}{\sqrt{n}}=\dfrac{\sqrt{n}}{n}$ $(n>0).$

5. (1)提示：不论怎样拼，拼成的正方形面积必为5，所以这个新拼的正方形的边长

为 $\sqrt{5}$. (2)解：圆形的周长为 $2\pi\sqrt{\dfrac{10}{\pi}}$，正方形的周长为 $4\sqrt{10}$. 因为 $\left(2\pi\sqrt{\dfrac{10}{\pi}}\right)^2$

$=40\pi,(4\sqrt{10})^2=160,$ 显然 $40\pi<160$，所以 $2\pi\sqrt{\dfrac{10}{\pi}}<4\sqrt{10}$，所以正方形和圆形

在面积相等的情况下，圆形的周长小. (3)约为 2 秒.

期中学习评价

（120分钟　120分）

一、选择题（每小题3分，共36分）

1. 如图1所示的4个图形中，∠1和∠2是对顶角的是 （　　）

图1

   A. (1)   B. (2)

   C. (3)   D. (4)

2. 过一点与已知直线垂直的直线 （　　）

   A. 有一条   B. 有且只有一条

   C. 有无数条   D. 不能确定

3. 如图2所示，由 $AD \parallel BC$ 可得 （　　）

   A. ∠1＝∠2   B. ∠4＝∠3

   C. ∠1＝∠4   D. ∠1＝∠3

        图2   图3

4. 如图3所示，已知∠2＝75°，∠1＝105°，∠3＝80°，那么∠4等于 （　　）

   A. 80°   B. 100°

   C. 75°   D. 105°

5. 点 $P(a^2, 4)$ 所在的象限是 （　　）

   A. 第一象限   B. 第二象限

   C. 第三象限   D. 当 $a \neq 0$ 时，在第一象限

6. 已知点 $M(2, 4)$，$N(4, 2)$，那么经过 M，N 两点的直线 （　　）

   A. 垂直于 x 轴

   B. 垂直于 y 轴

C. 垂直于第一、三象限的角平分线

D. 垂直于第二、四象限的角平分线

7. 下列四组线段，每组给的都是三条线段的长度，其中能构成三角形的一组是

                                                                    (   )

A. 4,7,3   B. 4,2,4

C. 1,1,3   D. 13,8,5

8. 三角形有两条边长分别为 5 和 7，那么这个三角形周长 l 的取值范围是   (   )

A. $14 < l < 24$ B. $2 < l < 12$

C. $4 < l < 24$ D. $12 < l < 24$

9. 如图 4 所示，一定比 $\angle 2$ 大的角是   (   )

A. $\angle 1$ B. $\angle 3$

C. $\angle 4$ D. $\angle 5$

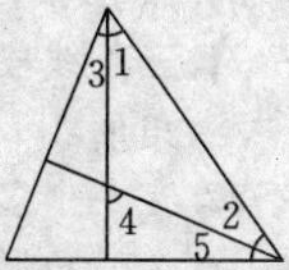

10. 一个多边形的内角和是 1260°，则这个多边形的边数是   (   )

    A. 9 条   B. 8 条

    C. 7 条   D. 6 条

图 4

11. 一个三角形的两边长分别是 2 和 9，第三边的长是一个奇数，则第三边长为

                                                        (   )

A. 9   B. 10

C. 8   D. 11

12. 图 5 中的 x 等于   (   )

A. 115   B. 110

C. 95   D. 90

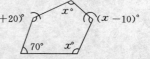

二、填空题（每小题 3 分，共 33 分）

图 5

13. 如图 6 所示，$\angle 1$ 和 $\angle 2$ 的位置关系是

    _____；$\angle 1$ 和 $\angle 3$ 的位置关系是 _____；$\angle 3$ 和 $\angle 2$ 的位置关系

    是 _____.

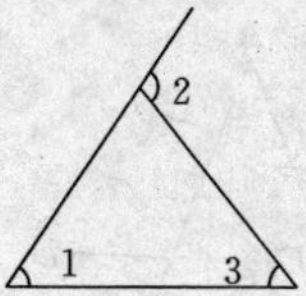

图 6

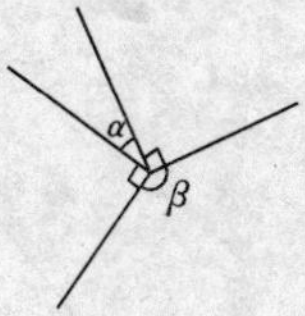

图 7

14. 如图 7 所示，$\angle \alpha$ 与 $\angle \beta$ 有共同的顶点，且它们的两边分别垂直，已知 $\angle \alpha =$

    $\dfrac{1}{5} \angle \beta$，那么，$\angle \alpha =$ _____ 度，$\angle \beta =$ _____ 度.

15. 如图8所示，$CD \parallel AB$，$\angle 1 = \angle 2$，$\angle A = 40°$，那么 $\angle B$ = _____ 度，$\angle ACE$ = _____ 度.

16. 如果两个角的两条边分别平行，那么这两个角_____.

17. 在平移变换中，对应线段和对应角都_____.

18. 商场在学校南 500 米处，公园在商场东 500 米处，那么学校在公园的_____方向.

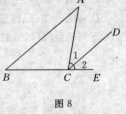

图8

19. 坐标平面上的点 $P(\sqrt{2}, -2\sqrt{3})$，当 P 向左平移 $\sqrt{2}$ 个单位，再向上平移 $\sqrt{3}$ 个单位后，点 P 的坐标为_____.

20. 点 $M(x, y)$ 与点 M' 关于 y 轴对称，则点 M' 的坐标为_____.

21. 三条线段 a, b, c 满足 $a > b > c$，这时只需再满足_____，a, b, c 就可组成三角形.

22. 在一个多边形的某边上取一点向其他各顶点连线，结果把这个多边形分成 6 个三角形，那么这个多边形的内角和为_____度.

23. 某多边形的内角和等于外角和的 2 倍，那么这个多边形共有_____条对角线.

三、解答题（第 24～27 小题各 10 分，第 28 小题 11 分，共 51 分）

24. 如图9所示，$AD \parallel BC$，$\angle A = \angle C$，问 AB 和 DC 在位置上有什么关系？并给予说明.

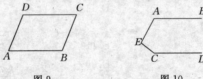

图9   图10

25. 如图10所示，$AB \parallel CD$，求 $\angle A + \angle E + \angle C$ 的度数.

26. 已知点 $P\left(\dfrac{1}{2}x + 5, x + 2\right)$ 在 y 轴上，求点 P 的坐标.

27. 如图11所示，P 是 $\triangle ABC$ 内一点，请说明 $\angle BPC > \angle A$.

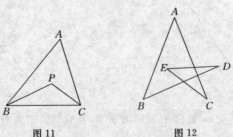

图11   图12

28. 如图12所示，求 $\angle A + \angle B + \angle C + \angle D + \angle E$ 的度数.

😊 评价标准 🙁

一、1. C　2. B　3. C　4. B　5. D　6. C　7. B　8. A　9. C　10. A　11. A　12. A

二、13. 同位角　同旁内角　内错角　14. 30　150　15. 40　80　16. 相等或互补

17. 相等　18. 西北　19. $(0, -\sqrt{3})$　20. $(-x, y)$　21. $a-b<c$(或 $a<b+c$,或 a

$-c<b$)　22. 900　23. 9

三、24. 解:$AB \parallel CD$.说明如下:由于 $AD \parallel BC$,

所以有 $\angle A + \angle B = 180°$(两直线平行,同旁内角互补).

又 $\angle A = \angle C$,所以有 $\angle C + \angle B = 180°$(等量代换).

所以 $AB \parallel CD$(同旁内角互补,两直线平行).

25. 解:如图 13 所示,过点 E 作 $EF \parallel AB$,显然 EF 也平行于 CD.

所以有 $\angle A + \angle 1 = 180°$,

$\angle 2 + \angle C = 180°$.

所以 $\angle A + \angle 1 + \angle 2 + \angle C = 360°$,

即 $\angle A + \angle AEC + \angle C = 360°$.

图 13

26. 提示:$\frac{1}{2}x + 5 = 0$,$x = -10$,$x + 2 = -8$,所以 $P(0, -8)$.

27. 提示:如图 14 所示,$\angle BPC > \angle 1$(三角形的外角大于和它不相邻的任何一个

内角).

同理 $\angle 1 > \angle A$.

所以 $\angle BPC > \angle A$.

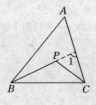

图 14

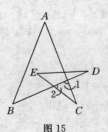

图 15

28. 解:如图 15 所示,$\angle A + \angle B = \angle 1$,$\angle D + \angle E = \angle 2$,

所以 $\angle A + \angle B + \angle C + \angle D + \angle E$

$= \angle 1 + \angle C + \angle 2 = 180°$.

期末学习评价

（120分钟　120分）

一、选择题（每小题 3 分，共 24 分）

1.同一平面内的四条直线若满足 $a \perp b, b \perp c, c \perp d$，则下列式子成立的是 （　　）

  A.$a // d$　　　　　　　　　　B.$b \perp d$

  C.$a \perp d$　　　　　　　　　　D.$b // d$

2.在平面直角坐标系中，若 y 轴上的点 P 到 x 轴的距离为 3，则点 P 的坐标是

  （　　）

  A.$(3,0)$　　　　　　　　　　B.$(0,3)$

  C.$(3,0)$或$(-3,0)$　　　　　　D.$(0,3)$或$(0,-3)$

3.如果一个多边形的每一个外角都是 $72°$，那么这个多边形的内角和为 （　　）

  A:$180°$　　　　B.$360°$　　　　C.$540°$　　　　D.$720°$

4.下列估算值最接近的是 （　　）

  A. $\sqrt{40} \approx 6$　　　　　　　　B. $\sqrt{140} \approx 14$

  C. $\sqrt[3]{50} \approx 5$　　　　　　　D. $\sqrt[3]{900} \approx 30$

5.$\sqrt{a^2}$ 等于 （　　）

  A.a　　　　　　　　　　　　B.$-a$

  C.$\pm a$　　　　　　　　　　　D.$|a|$

6.已知 $y = kx + b$，当 $x = 1$ 时，$y = -2$；当 $x = -1$ 时，$y = -4$，则 k, b 的值为

  （　　）

  A.$k = -1, b = -3$　　　　　　B.$k = 1, b = 3$

  C.$k = -1, b = 3$　　　　　　D.$k = 1, b = -3$

7.点 $P(-3, -2)$ 在 （　　）

  A.第一象限　　　　　　　　　B.第二象限

  C.第三象限　　　　　　　　　D.第四象限

8.在三角形的三个外角中，锐角最多只能有 （　　）

  A.0 个　　　　　　　　　　　B.1 个

  C.2 个　　　　　　　　　　　D.3 个

二、填空题（每小题 3 分，共 27 分）

9.16 的平方根是 _____．

10.如果 $\sqrt{x-1}$ 有意义，那么 x 的取值范围是 _____．

11.同一平面内的三条直线 a, b, c，如果 $b // a, c // a$，那么 b _____ c．

12. 如图 1 所示,用式子表示这个性质: _____.

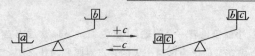

图 1

13. 如图 2 所示,若 $\angle A = 40°$,则 $\angle 1 + \angle 2 + \angle 3 + \angle 4 =$ _____ 度.

14. 在平面直角坐标系中,若点 $A(a,b)$ 在第四象限,则点 $B(b,a)$ 在第 _____ 象限.

15. 把方程 $3x - y = 10$ 写成用含 x 的式子表示 y 的形式 _____.

16. 如果 $x - 2y = 3$,那么 $6 - 2x + 4y =$ _____.

图 2

17. 不等式组 $\begin{cases} 2x > -3, \\ x - 1 \leqslant 8 - 2x \end{cases}$ 的最小整数解是 _____.

三、**解答题(第 18 小题 12 分,第 19 小题 8 分,第 20~26 小题各 7 分,共 69 分)**

18. 解下列方程(组).

(1) $x^2 = 25$;

(2) $(x+1)^3 = -8$;

(3) $\begin{cases} x - 3y = 1, \\ 2x + y = 16; \end{cases}$

(4) $\begin{cases} 4x + 5y = -19, \\ 3x - 2y = 3. \end{cases}$

19. 解下列不等式(组).

(1) $\dfrac{x-1}{2} \geqslant \dfrac{x}{3} - 1$;

(2) $\begin{cases} x - 3(x-2) \leqslant 4, \\ \dfrac{1+2x}{3} > x - 1. \end{cases}$

20. 如图 3 所示,$EF \parallel AD$,$\angle 1 = \angle 2$,$\angle BAC = 70°$,求 $\angle AGD$ 的度数.

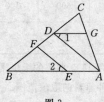

图 3

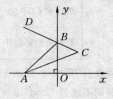

图 4

21. 如图 4 所示,在平面直角坐标系中,x 轴负半轴上有一点 A,y 轴正半轴上有一动点 B,$\angle BAO$ 的平分线和 $\angle ABy$ 的平分线的反向延长线相交于点 C,随着 B

点的运动,∠C的大小是否发生变化?若不变化,求出它的度数;若变化,如何变化?

22. 同桌的小红、小丽争论着一个问题:小红说:"$4a > 3a$ 永远成立",小丽说:"$4a > 3a$ 永远不会成立",你认为这两个人的观点对吗?为什么?

23. 我们已经知道 $\sqrt{2}$ 是一个无理数,那么有比 $\sqrt{2}$ 还要小的正无理数吗?若有,请写出两个无理数,其中一个是不带根号的无理数,并说说无理数和有理数的区别.

24. 一个正数的立方根一定小于这个正数的算术平方根吗?请你任意找一些正数,可借助计算器求出它们的立方根与算术平方根?根据计算结果,你能得出哪些结论?

25. 在数学活动课中,某校甲、乙、丙三位同学将一起调查的高峰时段南湖大路、自由大路、解放大路的车流量(每小时通过观测点的汽车数)情况汇报如下:

甲同学说:"南湖大路车流量为5000辆";

乙同学说:"解放大路车流量比自由大路车流量多400辆";

丙同学说:"自由大路车流量的3倍与解放大路车流量的差是南湖大路车流量的2倍".

请根据他们提供的信息,求出高峰时段自由大路、解放大路的车流量各是多少.

26. 用甲、乙两种原料配制某种饮料,这两种原料的维生素C含量及购买两种原料的价格如下表:

维生素及价格＼原料	甲种原料	乙种原料
维生素C(单位/千克)	600	100
原料价格(元/千克)	8	4

现配制这种饮料10千克,要求至少含有4300单位的维生素C,且购买甲、乙两种原料的费用不超过72元,求所需甲种原料的取值范围.

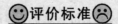 评价标准

一、1. C 2. D 3. C 4. A 5. D 6. D 7. C 8. B

二、**9.** ±4 **10.** $x\geqslant1$ **11.** $//$ **12.** 若 $a<b$，则 $a\pm c<b\pm c$ **13.** 280 **14.** 二 **15.** $y=3x-10$ **16.** 0 **17.** -1

三、**18.** (1) $x=\pm5$；(2) $x=-3$；(3) $\begin{cases}x=7,\\y=2;\end{cases}$ (4) $\begin{cases}x=-1,\\y=-3.\end{cases}$

19. (1) $x\geqslant-3$. (2) $1\leqslant x<4$.

20. 解：因为 $EF//AD$，所以 $\angle2=\angle DAE$，

又因为 $\angle1=\angle2$，所以 $\angle1=\angle DAE$，

所以 $DG//BA$，所以 $\angle AGD+\angle BAC=180°$，

又因为 $\angle BAC=70°$，所以 $\angle AGD=110°$.

21. 解：$\angle C$ 的大小不发生变化，且 $\angle C=45°$. 理由如下：

因为 $\angle BAO$ 的平分线是 AC，

设 $\angle BAC=\angle CAO=\alpha$.

又因为 BD 平分 $\angle ABy$，

所以 $\angle ABy=90°+2\alpha$，

所以 $\angle DBA=\dfrac{1}{2}(90°+2\alpha)=45°+\alpha$.

又因为 $\angle ABD$ 是 $\triangle ABC$ 的外角，

所以 $45°+\alpha=\alpha+\angle C$，

所以 $\angle C=45°$.

22. 解：这两个人的观点都不对，理由是：

(1) 当 $a>0$ 时，$4a>3a$；

(2) 当 $a=0$ 时，$4a=3a$；

(3) 当 $a<0$ 时，$4a<3a$.

因此，小红、小丽说的都不准确.

23. 解：(1) 有比 $\sqrt{2}$ 还小的正无理数. 例如 $\sqrt{1.5}$ 和 $\dfrac{\pi}{4}$.

(2) 有理数和无理数的主要区别是：

有理数都可以写成分数的形式，而无理数则不能.

24. 解：(1) 一个正数的立方根不一定小于这个正数的算术平方根.

例如：$\sqrt[3]{0.000064}=0.04$，$\sqrt{0.000064}=0.008$.

(2) 由上述计算结果可得到：

当 $0<a<1$ 时，$\sqrt[3]{a}>\sqrt{a}$.

当 $a>1$ 时，$\sqrt[3]{a}<\sqrt{a}$.

当 $a=1$ 时，$\sqrt[3]{a}=\sqrt{a}$.

25. 设高峰时段自由大路的车流量为 x 辆,解放大路的车流量是 y 辆.

由题意可知:

$$\begin{cases} y = x + 400, \\ 3x - y = 5000 \times 2. \end{cases}$$

解这个方程组得 $\begin{cases} x = 5200, \\ y = 5600. \end{cases}$

答:高峰时段自由大路、解放大路的车流量分别是 5200 辆、5600 辆.

26. 解:设所需甲种原料为 x 千克,则所需乙种原料为 $(10 - x)$ 千克.

由题意可知:

$$\begin{cases} 600x + 100(10 - x) \geqslant 4300, \\ 0 < 8x + 4(10 - x) \leqslant 72. \end{cases}$$

解这个不等式组,得 $6.6 \leqslant x \leqslant 8$.

答:所需甲种原料的范围是在 6.6 千克至 8 千克之间(含 6.6 千克和 8 千克).

《新教材完全解读》读者意见反馈表

　　亲爱的读者,首先感谢您选择了我们的"梓耕书系"图书。为实现品牌化的目标,使我们的图书质量能更上一层楼,我们真诚地希望能得到您的宝贵意见,为此我们特举办"梓耕书系优秀读者建议"评选活动,参评的图书为:《新教材完全解读》、《一课一测》、《课堂作业》、《尖子生学案》(我学习　我设计丛书)、《点对点·讲与练双向激活》、《中考总复习抢分计划》、《中考开卷考试一本通》、《初(高)中文言文解读》。凡购买"梓耕书系"上述任一品种图书的读者,请仔细填写下表寄回我处,您就有可能获得"梓耕书系优秀读者建议奖"。本次活动截止日期为 2007 年 5 月 1 日,并于 2007 年 5 月 30 日之前开奖,获奖名单将在 www.zgjf.com.cn 上公布。

　　活动共设立如下奖项:特等奖 5 名,各奖现金 1000 元;一等奖 10 名,各奖现金 300 元或"梓耕书系"等值图书;二等奖 100 名,各奖现金 100 元或"梓耕书系"等值图书;三等奖 500 名,各奖现金 50 元或任选"梓耕书系"图书 3 本。

　　注意:本表格复印无效;本次活动的最终解释权归吉林人民出版社所有。

姓　名		电　话		E-mail	
所购图书	_____年级	_____学科		_____版本	
所在学校			职　务		
通信地址			邮　编		
您对本书的总体评价	主要不足				
	主要优点				
	独特之处				
您对本书编写体例的评价	对栏目数量的评价	过多□;适中□;过少□(请在□内划"√"号)			
	较好的栏目				
	可有可无的栏目				
	应取消的栏目				
	需增设的栏目				

您对本书的例题、习题设计有何评价？（请在☐内划"√"号）

例题评价：

　　1. 选题：典型☐；一般☐　　　　　**2.** 难度：偏难☐；适中☐；偏易☐

　　3. 数量：偏多☐；适中☐；偏少☐　　**4.** 解析：充分到位☐；过简☐；与题不符☐

习题评价：

　　1. 难易梯度：合理☐；不合理☐　　　**2.** 题型设置：恰当☐；不当☐

　　3. 超纲试题：有☐；无☐　　　　　　**4.** 题量：过多☐；适中☐；过少☐

　　5. 过于陈旧试题：有☐；无☐　　　　**6.** 综合拓展：较好☐；一般☐；较差☐

　　7. 习题解析：详细到位☐；过简☐；解析与习题答案不符：多☐；少☐；无☐

您之所以选用本书是因为（请在☐内划"√"号）

1. 吉林人民出版社的声誉☐　　　2. 我们的服务☐　　　　3. 选材广泛、新颖☐

4. 栏目设置☐　　　　　　　　　5. 版本设计☐　　　　　6. 图书价格☐

7. 重要理论知识分析与归纳☐　　8. 知识体系（网络）的构建☐

您在使用本书过程中，是否发现有理论阐述错误或习题错误？（请您注明相关页码、题号）

如果您策划本学科（成书），您将怎样设计或有何建议？（请简要说明）

您可以为我社提供的信息	1. 设计原创新题　　　　　（　　）	您期望得到的服务项目	1. 出任本书的编委　　　（　　）
	2. 提供各地交流试题　　　（　　）		2. 免费获得其他教学信息（　　）
	3. 提供当地的最新教材及使用信息（　　）		3. 参加我社组织的教学研讨会议（　　）
	4. 提供当地的初（高）三复习模式（　　）		
	5. 提供学校征订教辅材料的方式（　　）		4. 销售我社图书产品　　（　　）

来信请寄：吉林省长春市人民大街 7548 号　吉林人民出版社综合编辑部　售书热线：(010)65931956

图书质量反馈电话：(0431)5210800 转 8215　　传真：(0431)5210880　　　　邮编：130022

（吉）新登字 01 号

策　　划：吉林人民出版社综合编辑部策划室
执行策划：唐晓明

新教材完全解读·七年级数学·下（配人教版新课标）

吉林人民出版社出版发行（中国·长春人民大街 7548 号　邮政编码：130022）
网址：www. zgjf. com. cn　电话：0431－5378008

主　　编　姜连龙　张旭东　范玉忠
责任编辑　张长平　王胜利　　　　　　封面设计　魏　晋
责任校对　肖建萍　　　　　　　　　　版式设计　邢　程

印刷：北京市人民文学印刷厂
开本：880×1230　1/32
印张：10.625　字数：379 千字
标准书号：ISBN 7－206－02416－5/G·1447
2006 年 11 月第 1 次修订　2006 年 11 月第 1 次印刷
定价：13.80 元

如发现印装质量问题，影响阅读，请与印刷厂联系调换。